LA BATAILLE DE SEATTLE

Maude Barlow
Tony Clarke

La bataille de Seattle

Sociétés civiles contre mondialisation marchande

Traduit de l'anglais par Pierre Martin

Fayard

Aux jeunes militants du mouvement citoyen, qui sont pour nous une constante source d'inspiration.

REMERCIEMENTS

Nous souhaitons exprimer notre gratitude aux centaines de collègues, de militants et d'amis, au Canada comme partout ailleurs, dont les recherches, les analyses et l'organisation ont inspiré le mouvement citoyen et le présent ouvrage. Beaucoup d'entre vous sont nommés dans le texte, et bien d'autres ne le sont pas : c'est que vous êtes tout simplement trop nombreux pour être tous célébrés individuellement (preuve que l'ampleur de notre mouvement, et son pouvoir, vont croissant). Nous considérons comme un privilège d'avoir œuvré à vos côtés pendant plus de dix ans.

Nous souhaitons remercier nos éditeurs chez Stoddart, Kathryn J. Dean et Marnie Kramarich, ainsi que l'extraordinaire équipe qui les entoure, où il nous faut distinguer Sarah Dopp, qui nous a assistés dans nos recherches, et Patricia Perdue, qui ne nous a ménagé ni son soutien administratif ni son inaltérable optimisme. À l'équipe du Conseil des Canadiens, nous voulons dire aussi que travailler à ses côtés est une joie constante. Enfin, nous sommes très reconnaissants à nos familles du soutien qu'elles ont apporté à ce projet et aux objectifs généraux que nous poursuivons.

Maude Barlow et Tony Clarke

INTRODUCTION

Certains ont voulu voir dans la chute du mur de Berlin en 1989 la « fin de l'Histoire » : le capitalisme avait triomphé du communisme, les vieilles idéologies avaient succombé, l'avenir était à la prospérité universelle d'une planète produisant partout des biens et des services pour des consommateurs aisés et sachant acheter ; le libre jeu du marché et les choix du consommateur se substitueraient aux décisions politiques requises dans l'ancien système ; les individus n'auraient plus qu'à se comporter en clients avisés face à une abondance matérielle sans précédent.

Dix ans plus tard, par un splendide soleil de novembre, à Seattle, des milliers de protestataires réduisaient au silence la plus puissante institution de la planète, l'OMC (Organisation mondiale du commerce, incarnation la plus évidente du triomphalisme post-1989), venue lancer son « cycle du Millénaire », nouvelle étape dans la création d'une économie entièrement mondialisée, dotée de règles universelles inspirées par les grandes entreprises dans leur propre intérêt. Et voilà qu'un Bill Gates, de Microsoft, un Phil Condit, de Boeing (les deux puissances organisatrices de cette rencontre de Seattle, leur fief), avaient l'immense stupeur de découvrir, avec tous leurs pareils, à quel point leur fortune les avait coupés de la réalité.

Comment se fait-il qu'ils n'aient pas compris que leur système avait engendré, dans le monde, d'effrayantes inégalités, des millions de chômeurs, réduit des milliards d'individus au dénuement, et provoqué des ravages écologiques jusque dans les recoins les plus éloignés de la planète ? Était-il vraiment possible de prétendre lancer en fanfare le « cycle du Millénaire », dans une ville, un pays et un monde dominés par les injustices et les inégalités du capitalisme « dérégulé » cher au « consensus de Washington » (voir p. 120), sans prévoir cette révolution dans les rues de Seattle ?

Le présent ouvrage se veut l'histoire de cette révolution. Il entend produire une analyse documentée de la montée du mouvement le plus puissant qui soit jamais issu de la société civile dans l'histoire contemporaine, et proposer quelques lignes directrices pour son avenir.

Partout dans le monde, le rôle des gouvernements s'est spectaculairement modifié ces vingt dernières années. La dérégulation, les coupes budgétaires, les privatisations et la liberté des échanges ont réduit leur champ d'intervention au profit d'institutions économiques internationales comme l'OMC, le Fonds monétaire international (FMI) et la Banque mondiale, ne leur laissant que la responsabilité de fournir les forces de sécurité nécessaires à la protection du système contre ses détracteurs.

Dans les années 1980, les plans d'ajustement structurel imposés par le FMI ont contraint les gouvernements du tiers-monde à cesser d'assurer une certaine sécurité sociale à leurs citoyens, ce qui était leur fonction traditionnelle. Dix ans plus tard, les accords de libre-échange ont eu les mêmes conséquences pour les pays industrialisés du Nord, et l'énorme vide de pouvoir qui en a résulté a été rapidement comblé par des entreprises géantes :

celles-ci, utilisant les technologies de l'information et les accords commerciaux pour échapper aux frontières nationales, sont rapidement devenues des pouvoirs transnationaux bien plus formidables que les gouvernements auxquels elles se sont substituées.

Les travailleurs, les défenseurs de la justice sociale et de l'environnement, presque entièrement abandonnés par leurs gouvernements, ont entrepris de riposter, en recourant d'abord à la méthode traditionnelle qui consiste à faire pression sur les hommes politiques. Des milliers d'associations de citoyens et d'instituts de recherche progressistes se sont réunis pour faire connaître publiquement leur refus de l'injustice sociale. Petit à petit, des groupes de citoyens ont commencé à se substituer aux gouvernements pour certains services sociaux, pour l'aide alimentaire aux pauvres, pour le contrôle des règles d'hygiène et de sécurité et pour la défense des équilibres écologiques à une époque de dérégulation environnementale. Sans même qu'il en soit conscient, un puissant « troisième secteur » de la société civile était en train de naître, largement ignoré des nouveaux monarques planétaires que sont les hauts fonctionnaires et les dirigeants du secteur privé, encore convaincus que tout se déroulait selon le plan prévu.

Lester Salamon, directeur du Center for Civil Society de l'université Johns Hopkins, s'est lancé dans une étude d'envergure portant sur le secteur non commercial dans quarante-deux pays du monde, et, quand les trois premières étapes de sa recherche ont été menées à bien, il en a publié plusieurs résultats remarquables : le monde, nous dit-il, connaît une montée du secteur non commercial sans précédent dans l'histoire moderne. Sa croissance est si rapide, en taille et en importance, qu'il apparaîtra,

rétrospectivement, comme une évolution historique aussi
capitale que la diffusion du modèle de l'État-nation dans
la seconde moitié du XIXe siècle.

Le taux de croissance du secteur non commercial est
stupéfiant : quatre fois celui de l'économie dans neuf
grands pays étudiés. Et Salamon de préciser que, avec
des dépenses annuelles supérieures à 1 000 milliards de
dollars tous pays confondus, il formerait l'une des huit
plus fortes économies du monde s'il était concentré dans
un seul pays.

Mais on sait très peu de chose sur cette véritable « révolution associative », et Salamon déplore le manque
« flagrant » d'informations de base sur ce troisième secteur et son mode de fonctionnement : « Le secteur non
commercial demeure le "continent perdu" du paysage
social de la société moderne, invisible à la plupart des
politiques, aux chefs d'entreprise, à la presse et même à
nombre de ceux qu'il emploie. »

Ce troisième secteur, cependant, compte un bras politique puissant, lequel est extrêmement irrité de l'indiffé-
rence des gouvernements à l'égard de leurs citoyens. Pour
servir les intérêts de leurs entreprises nationales, les gouvernements ont cherché à faire avancer la mondialisation
économique grâce aux instruments institutionnels suivants : Union européenne, ALENA (Accord de libre-
échange nord-américain entre les États-Unis, le Canada
et le Mexique), APEC (Asia-Pacific Economic Cooperation), Fonds monétaire international, Organisation mondiale du commerce, Banque mondiale. Ils ont même
parfois cherché publiquement le « dialogue » avec la
société civile (au Canada, par exemple, Ottawa a organisé
des consultations sur la préparation de la conférence
ministérielle de l'OMC à Seattle). Mais, à chaque fois,

les groupes venus offrir leur expertise lors de ces consultations se sont aperçus que les gouvernements, dans leurs déclarations finales, n'avaient tenu aucun compte de leur avis.

Dès lors, les gouvernements et des institutions internationales comme l'OMC ont commencé à souffrir d'une « crise de légitimité », pour utiliser la formule forgée il y a près de soixante-quinze ans par Antonio Gramsci, grand stratège du mouvement social, et selon lequel toute domination politique a besoin, pour durer, d'un soutien populaire que seule la société civile peut lui apporter : la crise de légitimité apparaît quand les institutions politiques sont dépouillées de leur prestige moral et culturel et réduites à leur pure fonction de soutien des grands intérêts économiques, ce qui jette une lumière crue sur les causes réelles de l'oppression.

Pour un nombre croissant d'individus, et notamment les jeunes, les gouvernements ne respectent ni ne remplissent le mandat pour lequel ils ont été élus : ils sont désormais captifs des forces capitalistes mondiales qui leur dictent de plus en plus leur politique (économique, sociale, environnementale). Les citoyens, désemparés, ont vu des entreprises transnationales [1] prendre le contrôle de l'alimentation mondiale et développer des produits géné-

---

1. L'usage français traditionnel de traduire *transnational corporations* par « entreprises multinationales » appelle des réserves : en fait, ces sociétés implantées dans le monde entier, et qui donnent parfois à leurs filiales le nom du pays où elles opèrent (par exemple IBM-France), restent, le plus souvent, très fortement liées à leur pays d'origine (et à ses intérêts), ce que le terme « multinationales » tend à faire oublier. On a donc préféré, dans la présente traduction, parler d'« entreprises transnationales », la formule ayant aussi l'avantage d'évoquer l'abolition des frontières nationales recherchée par la mondialisation néolibérale (NdT).

tiquement modifiés, avec l'accord des gouvernements. Ils ont vu les politiques et les bureaucrates donner carte blanche aux géants du secteur pharmaceutique pour fixer le prix des médicaments, alors que des millions de personnes n'ont pas accès aux soins médicaux de base. Ils ont vu leurs élus fermer les yeux sur l'exploitation de travailleurs sous-payés, dans des pays lointains comme au coin de la rue, au nom de la libre concurrence et du profit.

Ils ont vu les gouvernements faciliter la privatisation de biens collectifs (semences et gènes, culture et patrimoine nationaux, santé et enseignement, voire l'air et l'eau) auxquels, jusqu'ici, tout habitant de la planète avait le droit fondamental d'accéder librement. Et ils sont en droit de se demander ce qui reste de démocratie dans un tel système.

Jamais autant de jeunes n'ont à ce point déserté les urnes : pour eux, hommes politiques, partis, élections, tout cela n'a plus de sens. Des groupes citoyens, notamment ceux qui réunissent des jeunes, ont fini par se dire que la politique de consultation et de coopération avec les gouvernements n'était qu'un moyen pour ces derniers de les bercer d'illusion, et ils se prononcent désormais pour une forme plus efficace d'intervention politique de la société civile.

La tactique choisie est celle de la confrontation directe, mais non violente, par la désobéissance civile. L'instrument de communication est l'Internet, qui offre d'immenses possibilités aux citoyens de base et crée ce que certains appellent une « mondialisation d'en bas ». L'objectif est de bâtir un mouvement de citoyens international et indépendant, capable de défier frontalement non seulement la loi des entreprises transnationales, mais aussi les institutions internationales chargées de la faire respecter.

Leur première victoire été d'obtenir la mort de l'AMI

(Accord multilatéral sur l'investissement), exploit dont le choc a retenti dans tous les lieux de pouvoir de la planète. Un an plus tard, quand les responsables de l'OMC ont admis leur défaite, à Seattle, le monde a découvert qu'une nouvelle force venait d'apparaître sur la scène internationale, et qu'elle allait changer pour toujours la nature de la politique.

Tout cela est une histoire en train de se construire : aucun mouvement de masse ne naît tout armé, sachant ce qu'il veut et comment l'obtenir. Les valeurs, les objectifs, les choix politiques et stratégiques du mouvement doivent encore faire l'objet d'un travail de réflexion, mené non par quelque autorité supérieure, mais par des groupes répartis de par le monde, aussi divers dans leurs passions que dans leurs convictions. Mais une chose est sûre : la politique issue directement de la société civile sera celle du XXIe siècle. Le moment est venu de la prendre au sérieux.

1

ÉPREUVE DE FORCE À SEATTLE

Comment la bataille de Seattle est devenue un symbole de la résistance à la mondialisation marchande

Le crépuscule tombait sur un véritable champ de bataille, à travers d'épais nuages de fumée, de gaz lacrymogènes et de gaz au piment. Les autorités avaient décrété le couvre-feu, et des milliers de policiers lourdement armés, semblables à des figurants de Star Wars, *parcouraient sous la pluie le quartier du Centre des conventions de l'État de Washington, distribuant coups de matraque et jets de gaz au piment à quiconque était encore dehors. Des groupes errants de jeunes, dont certains arboraient la tenue noire des anarchistes, jouaient au chat et à la souris avec la police ; d'autres protestataires, enchaînés les uns aux autres et assis par terre devant les barrières mises en place par les forces de l'ordre, faisaient l'expérience directe de la brutalité policière. Quelques rares autobus, conduits par des employés du secteur public dédaigneux du couvre-feu, parcouraient le centre-ville déserté pour porter secours aux manifes-*

tants blessés. Des dizaines d'hélicoptères de l'armée tournoyaient au-dessus du quartier, dardant la lumière concentrique de leurs puissants projecteurs sur les silhouettes des combattants, au-dessous d'eux. C'était le 30 novembre 1999, premier jour du « sommet du Millénaire » organisé par l'Organisation mondiale du commerce et réunissant les ministres compétents des cent quarante-deux pays membres.

Pour l'OMC, l'événement aurait dû être une étape importante de son action historique. Cette dernière grande réunion de l'auguste assemblée ministérielle avant l'an 2000 avait pour objet de lancer un second cycle de négociations sur le commerce international, conséquence logique de la réussite du cycle antérieur, dit « de l'Uruguay » (Uruguay Round) mené dans le cadre du GATT (General Agreement on Tariffs and Trade, Accord général sur les tarifs douaniers et le commerce), lequel avait conduit à la création de l'OMC en 1995. Les enjeux de la réunion étaient majeurs : la mondialisation et le libre-échange sans régulation n'avaient toujours pas les faveurs de l'opinion publique, surtout aux États-Unis ; par trois fois, le Congrès avait refusé au président Clinton le bénéfice de la procédure accélérée dite fast track *(qui aurait permis au gouvernement américain de signer des accords de libre-échange sans que les élus puissent mettre leur nez dans le détail de leurs clauses), le privant par là de mandat pour accroître automatiquement la libéralisation du commerce dans le monde entier. Le grand spectacle organisé à Seattle était destiné à mettre bon ordre à tout cela : il était prévu que Bill Clinton et Al Gore (déjà en campagne pour l'élection présidentielle) y feraient des apparitions triomphantes à différentes phases stratégiques des débats, tout au long*

*de la semaine ; bref, le capitalisme américain et les inté-
rêts de ses entreprises partout dans le monde sortiraient
renforcés de cette démonstration planétaire de concorde
politique et économique.*

Rêves marchands pour un nouveau millénaire

Le programme envisagé pour ce « cycle du Millénaire » était extrêmement ambitieux. Les États-Unis et
les dix-huit pays exportateurs de produits agricoles du
groupe dit « de Cairns » (une ville d'Australie), créé en
1986, entendaient obtenir la réduction systématique,
voire la suppression, de la plupart des barrières tarifaires
et des subventions dans le domaine de l'agriculture. Ils
cherchaient également à instituer des règles obligeant
tous les pays membres à accepter les exportations de produits alimentaires génétiquement modifiés, alors même
que leurs propres citoyens s'interrogeaient sur le danger
de ces aliments. Les autres grandes questions à inclure
dans le nouveau cycle de négociation, sur l'initiative des
États-Unis, de l'Union européenne et du Canada, étaient
le renforcement du droit de propriété intellectuelle des
entreprises et la soumission à la stricte discipline de
l'OMC du secteur des services partout dans le monde
(y compris l'éducation, les soins médicaux, la culture et
l'eau).

En outre, on souhaitait que les gouvernements donnent
leur accord à une plus grande ouverture de leurs marchés
publics à la concurrence étrangère (c'est-à-dire aux entreprises transnationales, aux dépens des entreprises nationales) et à un démantèlement de leurs réglementations
existantes sur l'implantation d'entreprises transnatio-

nales. Enfin, les barrières tarifaires (et les barrières dites
« non tarifaires », comme les réglementations sur les produits de la forêt) devaient être réduites, et l'on envisageait
même d'entamer une négociation sur le libre-échange des
produits chimiques, jusque-là soumis à visa national.

Si Seattle avait été choisi pour ce sommet de l'OMC,
c'était pour une raison simple : pour la première fois,
l'événement devait être totalement financé par le secteur
privé, et, comme il fallait trouver une ville où les sponsors
locaux seraient en mesure de réunir les 10 millions de
dollars nécessaires, Bill Gates et Phil Condit, respectivement présidents de Microsoft et de Boeing, sociétés
basées à Seattle, avaient proposé leurs immenses talents.
Puissances invitantes, Gates et Condit avaient su obtenir
de sociétés comme AT&T, Hewlett Packard, Bank of
America et General Motors de généreuses contributions,
en échange d'une possibilité de rencontrer (à proportion
de leur don) les représentants des pays participant au
sommet (à quoi s'ajoutaient, en option, avant et après la
conférence, des séjours organisés dans des stations de ski
du voisinage et l'accès aux meilleurs parcours de golf de
la région).

La démocratie dans la rue

Ce que presque aucun des organisateurs n'avait prévu
était le nombre considérable de protestataires qui comptaient bien, eux aussi, venir à Seattle, ravis que l'autre
localisation envisagée, Honolulu, bien plus difficile
d'accès, n'ait pas été retenue. Pourtant, leur projet de
manifestation n'aurait dû échapper à personne puisque,
depuis des mois, les appels à se rendre à Seattle bruis-

saient partout sur l'Internet. Les mouvements antimondialisation, forts de leur montée en puissance depuis plusieurs années, avaient choisi la conférence ministérielle de l'OMC à Seattle pour une manifestation de grande ampleur qui afficherait leurs programmes et leur message anticapitaliste sur tous les écrans du monde. À Seattle, Washington et Genève (siège de l'OMC), les responsables ignoraient ce plan des militants ou le sous-estimaient gravement, négligence qu'ils allaient bientôt regretter. Il en allait de même des grands médias. Thomas L. Friedman, du *New York Times*, qualifiait les manifestants d'« arche de Noé de partisans de la Terre plate, de syndicalistes protectionnistes et de *yuppies* nostalgiques des piquouses des années 1960 ». Or, si les organisateurs et les médias avaient pris au sérieux le mouvement antimondialisation, ils n'auraient pas pu ne pas mesurer l'importance croissante qu'il prenait, un peu partout, dans les sociétés civiles.

Depuis plusieurs mois (voire depuis des années), une puissante coalition de groupes de citoyens répartis dans de nombreux pays cherchait à produire une analyse convergente du comportement de l'OMC et à définir une position commune à son égard. Sans lui reprocher tous les péchés du monde, ces groupes citoyens étaient progressivement arrivés à la conclusion que l'OMC était désormais un acteur dangereux sur la scène internationale : sa quête d'une mondialisation menée par les grandes entreprises faisait une croix sur des millions de personnes et sur des régions entières de la planète, et son mandat visant à favoriser la croissance à tout prix était en train de détruire la nature.

À la différence d'autres institutions internationales, l'OMC a non seulement un pouvoir législatif, mais aussi le pouvoir judiciaire de contester les législations, les politiques et les programmes des pays qui ne se conformeraient pas à ses règles et de leur infliger des sanctions s'ils se montrent « trop restrictifs en matière de liberté du commerce ». Chaque contentieux est jugé (à huis clos) par un panel de trois fonctionnaires spécialisés, et, une fois le jugement prononcé, il a valeur de jurisprudence pour tous les États membres, qui doivent adapter leur législation en conséquence ou affronter la perspective de sanctions commerciales ou d'amendes aussi longtemps qu'ils n'auront pas plié.

L'OMC, qui n'a pas de critères minima en matière de protection de l'environnement, de droit du travail, de programmes sociaux ou de diversité culturelle, a déjà été utilisée pour mettre à bas plusieurs législations clés de certains États-nations dans les domaines de l'environnement, de la sécurité alimentaire et des droits de l'homme. Depuis six ans que l'Organisation existe, le taux d'extraction des ressources naturelles s'est fortement accru, tout comme le fossé entre riches et pauvres à l'intérieur des pays et entre États : *de facto*, l'OMC est devenue l'outil le plus puissant dont disposent les entreprises transnationales, qui travaillent main dans la main avec les bureaucrates de Genève ou de Washington, pour créer un système non officiel, mais bien réel, de gouvernance mondiale par le secteur privé.

Parmi les organisations qui, un peu partout dans le monde, se préoccupent du droit du travail, de l'environnement, des droits de l'homme, de diversité culturelle, de cultures autochtones, des paysans, des consommateurs et de la justice sociale, beaucoup ont élaboré une critique très pointue de la mondialisation économique et de l'OMC. Elles se sont réunies en un « front commun » informel pour peser sur le déroulement du sommet de Seattle en lui présentant un unique programme, résumé par le slogan *No New Round, Turnaround* (« Pas de nouveau cycle, demi-tour »), adopté par 1 600 organisations. Et leurs membres ont débarqué à Seattle, bien décidés à empêcher le lancement d'un nouveau cycle de négociations en joignant leurs forces à celles de la puissante coalition des groupes citoyens des États-Unis, désormais prêts au grand affrontement avec leur gouvernement.

On distingue plusieurs courants chez les protestataires. Public Citizen's Global Trade Watch[1] s'était préparé depuis des mois, avec l'aide de groupes locaux, à jouer le rôle de centre nerveux pour toutes les manifestations prévues durant la semaine et à gérer efficacement un service de presse propre aux contestataires. La principale organisation syndicale des États-Unis, l'American Federation of Labor-Congress of Industrial Organizations (AFL-CIO), associée à Greenpeace, aux Amis de la Terre et à d'autres, se chargeait d'organiser la manifestation officielle, réunissant quelque 60 000 protestataires. Quant aux manifestations moins encadrées, elles étaient préparées par People's Global Action (qui s'était rallié des soutiens en Amérique), par Direct Action Network (principal responsable des manifestations en centre-ville) et par la Ruckus Society, qui patronnait un séjour d'une semaine dans un camp de Cascade Mountains, dirigé par le Rainforest Action Network[2], pour entraîner les militants aux techniques de la désobéissance civile non violente.

Le week-end précédant l'ouverture du sommet ministériel de l'OMC, le Forum international sur la globalisation

---

1. Que l'on peut traduire par « Surveillance citoyenne du commerce mondial » (NdT).
2. Réseau d'action pour la défense des forêts tropicales (NdT).

(IFG), basé à San Francisco, organise un *teach-in* (rassemblement pédagogique) au Benaroya Hall de Seattle : plus de soixante experts des questions de mondialisation et de l'OMC viennent y livrer des informations, des analyses et des conseils stratégiques à un auditoire de 2 500 personnes extrêmement motivées, dans une salle pleine à craquer (presque autant d'auditeurs potentiels n'avaient pu entrer). C'était le début des ateliers, tables rondes et séminaires qui allaient avoir lieu toute la semaine un peu partout dans Seattle.

Quand l'aube se lève sur la ville, le 29 novembre, la tension est déjà palpable. Une rencontre prévue entre responsables de l'OMC et organisations non gouvernementales (ONG) a dû être repoussée en raison d'une alerte à la bombe. Des centaines de délégués, empêchés d'accéder au Centre des conventions, se retrouvent pris au milieu d'un pittoresque assortiment de manifestants (certains costumés en tortues ou en papillons et d'autres en épis de maïs transgénique), tandis que des centaines de *Robocops* paradent dans les rues en battant la mesure avec leurs matraques sur leurs protège-tibias pour exhiber leur force. Au début de l'après-midi, l'accès au Centre des conventions est enfin dégagé et le « symposium » des ONG peut commencer.

Les deux présidents de séance, le Néo-Zélandais Michael Moore, directeur général de l'OMC, et Charlene Barshefsky, ministre du Commerce extérieur des États-Unis et présidente de ce « sommet du Millénaire », n'y vont pas de main morte : devant leur auditoire (où l'on trouve aussi des délégués des *lobbies* au service des entreprises transnationales, auxquels l'OMC reconnaît le statut d'ONG), ils déclarent que toutes les personnes présentes devaient remercier l'OMC, successeur du GATT, d'avoir organisé pour la première fois en cinquante ans une telle rencontre, ajoutant que nul n'est plus dévoué à la cause des droits de l'homme et de l'environnement que l'Organisation mondiale du commerce. Moore va jusqu'à invoquer la mémoire de Martin Luther King, lequel, sans nul doute, aurait été un partisan enthousiaste de l'OMC. Bien des auditeurs, stupéfaits de voir ainsi encadré le prétendu « dialogue », quittent alors la salle pour se joindre aux manifestants dans la rue.

Le lendemain, avant le lever du jour, des milliers de jeunes protestataires convergent vers le cinéma Paramount, près du Centre des conventions, où la cérémonie d'ouverture doit avoir lieu, et l'entourent d'une chaîne humaine presque impossible à briser. Des « escouades volantes » de militants disciplinés occupent des carrefours stratégiques du centre-ville pour empêcher les délégués de se rendre à la cérémonie, tandis que d'autres entourent le Centre des conventions et l'hôtel cinq étoiles adjacent.

Pierre Pettigrew, ministre canadien du Commerce extérieur, et Sergio Marchi, ambassadeur du Canada auprès de l'OMC, ne réussissent à entrer dans le Centre des conventions qu'en se faisant hisser jusqu'à une fenêtre du premier étage par l'élévateur d'un livreur de fleurs ! Quant à Charlene Barshefsky, qui doit prononcer l'allocution d'ouverture, celle qui donnera le ton, elle ne réussira pas à sortir de son hôtel. La cérémonie d'ouverture est donc annulée, et, pour la première fois dans l'histoire de Seattle, le maire fait appel à la Garde nationale.

Un peu plus tard dans la matinée, le soleil perce les nuages comme pour saluer les dizaines de milliers de manifestants (dont plus de 2 000 Canadiens) qui venaient de quitter leur lieu de rassemblement, un stade voisin, pour se diriger vers le centre-ville en un cortège coloré et accompagné de musique. À la fin de la manifestation, nombre d'entre eux repartent vers les autobus qui les attendent, mais beaucoup d'autres rejoignent leurs camarades qui, dans les rues adjacentes, ont déjà entrepris d'affronter les véhicules blindés et les chevaux des forces de police qui arborent tout leur harnachement anti-émeute.

Sans avertissement, les policiers commencent à envoyer des grenades à gaz lacrymogènes et à gaz paralysants, à tirer des balles en caoutchouc et à distribuer jets de gaz au piment et coups de matraque à tous ceux qui leur passent sous le nez. Les unités spéciales du FBI, des services secrets américains et de la Delta-Force ultra-secrète du Pentagone sont bientôt rejointes par des troupes très entraînées de la Garde nationale. Les manifestants debout ou assis, voire les habitants de Seattle allant à leur travail ou en revenant, seront autant de cibles pour le déploiement de violence policière anarchique qui va suivre. En plusieurs endroits, les forces de « sécurité » réunies se contentent de dresser des barrages de gaz lacrymogènes, et une fumée acide a tôt fait d'envahir le cœur du centre-ville. Quant aux manifestants assis, les policiers leur tirent la tête en arrière un par un et leur projettent du gaz au piment directement sur le visage, allant parfois jusqu'à enfoncer le produit dans l'œil avec leur pouce. Des gens se tordent de douleur sur les trottoirs, ou avancent mécaniquement, aveuglés par la fumée et la souffrance. Çà et là, sur le bitume, on trouve du sang et des dents brisées. Sur les étals du célèbre marché en plein air des quais, les produits, gazés, sont invendables. Des gens qui habitent là ont été battus, et la police, dans sa chasse aux manifestants fantômes, a même envahi la

banlieue chic de Seattle, Capitol Hill, lançant des bombes
lacrymogènes dans les vérandas.

UN ÉQUIPEMENT ANTI-ÉMEUTE TRÈS COMPLET
Les forces de sécurité en place à Seattle disposaient
des matériels suivants : masques à gaz militaire M40A1,
fusils semi-automatiques Autocockers à balles en caoutchouc, menottes de plastique jetables Monadnock, gants
Nomex résistants aux entailles ; bottes de commando,
protège-tibias Centurion, harnais de combat, boucliers
anti-émeute DK5-H, matraque anti-émeute Monadnock
en polycarbonate noir, grenades chimiques CS n° 2
(orthochlorobenzylidène-malononitrile), grenades pyro-
techniques M651 CN (chloroacetophénone), grenades
T16 sans flamme, grenades à balles en caoutchouc
DTCA (« Stingers »), lance-grenades M-203 (40 mm),
bombes aérosols First Defense MK-46 à l'oléorésine cap-
sicum (OC), casques légers en Kevlar composite, gilets
en Kevlar. Aucun des policiers engagés dans la répression
ne portait d'insigne ou d'autre forme d'identification.

Paul Hawken, « Journal of the Uninvited »,
Whole Earth, printemps 2000.

Du côté des manifestants, la plupart n'avaient qu'un
bandana imprégné de vinaigre pour protéger leurs yeux
et leur nez des gaz lacrymogènes et au piment, et des
vestes à capuchon contre la pluie. Il est indéniable que
plusieurs dizaines d'anarchistes vêtus de noir rôdaient
dans le centre-ville, brisant les vitrines des entreprises
dont le mépris des droits de l'homme et de l'environnement est bien connu des militants : Starbucks, Gap, Nike,
McDonald's (tous symboles qui, selon un manifestant de
Vancouver, Rob West, « ressemblent à du Disney, ont le
goût du Coca et sentent la merde »). Au grand désarroi

des habitants du quartier et des manifestants pacifiques, la police n'a rien fait pour arrêter ces casseurs, mais elle s'est servie des images de vitrines brisées diffusées par les médias pour justifier sa brutale répression d'une manifestation majoritairement pacifique. Des arrestations illégales ont eu lieu : plus de 600 jeunes ont été placés en garde à vue dans de difficiles conditions, et beaucoup se sont vu refuser toute nourriture ou boisson jusqu'à ce que le sommet soit terminé et les délégués repartis. Pour la plupart des personnes arrêtées, les poursuites seront abandonnées dans les semaines suivant le fiasco du sommet.

Un professeur de l'université de Seattle, manifestant lui-même, fera remarquer que, par son comportement, la police avait réussi ce que lui-même avait échoué à obtenir dans ses cours : un engagement à gauche de ses étudiants blancs des classes moyennes, jusque-là dépourvus de toute conscience politique.

La démocratie à l'OMC

À l'intérieur du Centre des conventions, les responsables de l'OMC faisaient de leur mieux pour ignorer cette explosion de démocratie dans la rue. Mais ils ne s'attendaient pas à une explosion de démocratie au sein du Centre lui-même. Les délégués des pays non industrialisés, déjà presque tous convaincus que l'OMC n'avait apporté au Sud aucun des bénéfices promis, étaient également furieux des manières autoritaires dont les puissants pays du Nord usaient avec eux. Nombre d'entre eux, notamment d'Asie et d'Afrique, étaient hostiles à l'ordre du jour mis en avant par le *QUAD* (pour « quadrilatère », c'est-à-dire les États-Unis, l'Europe, le Japon et le

Canada) : souhaitant traiter avant tout des problèmes du déséquilibre des pouvoirs entre Sud et Nord, débat qui leur avait été promis à la fin du « cycle de l'Uruguay », ils avaient vite compris que les pays du Nord entendaient écarter la question.

Après bien des disputes avec une délégation américaine qui traîne les pieds, les délégués du tiers-monde obtiennent enfin, pour la première fois, d'être traités à égalité dans les délibérations. Mais Charlene Barshefsky leur lance un avertissement sans fard, devant toute la presse internationale : oui, l'OMC va tenter une approche démocratique en « autorisant » les pays non industrialisés à participer au débat, mais si les choses ne se passent pas à sa convenance, elle compte bien exercer son pouvoir de présidente de la conférence et lui imposer l'ordre du jour de son choix.

Pour mesurer le déséquilibre entre riches et pauvres, il suffisait d'observer les délégations officielles arpentant les salles du Centre des conventions : celles des États-Unis, de l'Europe, du Canada et du Japon rassemblaient en tout des centaines de personnes, assistées de juristes spécialisés, d'experts en communication, de fonctionnaires, tous équipés d'ordinateurs portables et de téléphones mobiles dernier cri, alors que les délégations des pays non industrialisés ne comptaient souvent que deux ou trois personnes, sans aucun expert pour les assister, et sans téléphone mobile.

Le déroulement de la conférence sera marqué de bout en bout par l'arrogance des États-Unis, qu'il faut donc considérer comme les vrais responsables de son échec pour avoir sous-estimé l'ampleur de la protestation, malmené les délégués du tiers-monde et constamment brandi un discours menaçant. Nombre de délégués étaient scandalisés de voir que Charlene Barshefsky ne se comportait pas avec la neutralité requise par sa position de présidente, et son inflexibilité déclenchait de tous côtés une vague de critiques ouvertes sans précédent.

La tension montait rapidement. Forts de la promesse qui leur a été faite, les délégués du tiers-monde commencent par exiger que les débats soient conduits selon des procédures démocratiques, ce qui se traduit aussitôt par leur paralysie. Le 1er décembre, quand le président Clinton demande publiquement que l'OMC adopte des normes sur les conditions de travail, les représentants des pays non industrialisés le prennent très mal : à leurs yeux, il ne s'agit que d'une manœuvre préélectorale de bas étage, car si les pays du Nord se souciaient vraiment du tiers-monde, ils s'occuperaient d'abord de mettre en place de véritables mécanismes égalitaires dans les relations commerciales. Et d'appuyer la demande des manifestants à être entendus, même si cela devait aboutir à un sabotage de la négociation : pour le ministre du Commerce de Papouasie-Nouvelle-Guinée, les protestataires dans la rue représentaient « la majorité silencieuse de la planète ». Bien en vain : quand cette revendication atteint les oreilles d'une Charlene Barshefsky qui n'a pas dormi plus de deux heures par nuit depuis une semaine et n'est pas d'humeur au compromis, elle décide, comme elle l'avait annoncé, d'imposer unilatéralement ses propres règles au déroulement de la conférence.

Le vendredi 3 décembre, des délégués des pays industrialisés, épuisés, rencontrent dans la « Green Room » des délégués du tiers-monde aux paupières tout aussi lourdes : là, dans une pièce mal aérée, et sans qu'on leur offre le moindre café ou verre d'eau, ces derniers sont soumis à d'intenses pressions, individuellement ou par groupe de deux, ce qui les met visiblement en fureur. L'un d'eux sort bruyamment de la salle en déclarant que c'est « une manière vraiment infernale de gouverner le monde ».

Dans la soirée, Charlene Barshefsky reçoit un appel téléphonique d'un président Clinton extrêmement ferme : le mauvais déroulement de la conférence est en passe de nuire à l'image internationale des États-Unis ; alors que les milliers de journalistes venus du monde entier auraient dû célébrer la mondialisation du libre-échange et le miracle économique américain, ils envoyaient à leur rédaction des papiers sur les manifestants, la protection des tortues de mer, l'exploitation des travailleurs, la pauvreté enfantine, les souffrances des paysans du tiers-monde et la revendication d'une véritable démocratie au sein de l'OMC. Et Clinton d'ordonner à sa déléguée de prononcer la clôture d'une conférence où règne une telle pagaille.

La nouvelle se répand très vite dans le Centre des conventions, d'où elle jaillit dans la rue comme une décharge électrique. Le ministre canadien du Commerce extérieur et ses fonctionnaires eurent beau concocter une déclaration publique cosmétique (« De toute façon, nous n'attendions pas grand-chose de la rencontre » et « Les manifestants n'ont rien à voir avec tout ça »), ils ne pouvaient en fait cacher la vérité sur les événements de cette étonnante semaine : pour tenter de mener à bien la conférence, les autorités avaient été obligées de recourir au soutien d'une police par trop violente, ce qui n'avait d'ailleurs pas suffi. Lori Wallach, du groupe américain Public Citizen, résumait ainsi l'état d'esprit des manifestants : « La mondialisation, prétendument irrésistible, s'est heurtée à l'obstacle incontournable de la démocratie

de la base. Le monde ne sera jamais plus le même. » Et
le *Seattle Post-Intelligence* titre le lendemain : « Un sommet qui finit dans l'échec. » Pour le journaliste, c'est « la
conclusion lamentable d'une semaine qui ne l'est pas
moins ».

Dans le monde de la finance et du commerce, partout
sur la planète, les puissants étaient stupéfaits. Comment
une telle chose avait-elle pu se produire ? Qui étaient ces
gens dans les rues ? Comment avaient-ils réussi à organiser un sabotage de cette ampleur ? Pourquoi tant de
jeunes parmi eux ? Pourquoi leurs propres enfants pre-
naient-ils la défense des manifestants ? L'affaire n'était-
elle qu'un feu d'artifice sans suite ou le début d'un véritable mouvement ?

Vers un nouveau mouvement

En fait, les graines de Seattle avaient déjà commencé
à germer depuis des années, dans un crescendo de protestations très diverses contre la mondialisation libérale.
Tout avait commencé au début des années 1980, en Inde,
quand des paysans s'étaient mobilisés contre la « révolution verte », laquelle, à leurs yeux, n'était qu'une
manœuvre des pays industrialisés pour leur imposer la
monoculture et ouvrir la voie à une mainmise des entreprises transnationales sur l'alimentation du pays. Et
quand l'OMC avait montré ses muscles en autorisant les
entreprises transnationales à breveter des gènes qui faisaient partie du patrimoine agricole du tiers-monde, des
groupes de résistance avaient commencé à se fédérer dans
tout le Sud.

En Amérique du Nord, le libre-échange était devenu un sujet de débat dans les années 1980, d'abord au Canada, avec l'opposition de la majorité des citoyens à la signature d'un traité libéralisant les échanges avec les États-Unis (le FTA). De là, le mouvement hostile au libre-échange avait essaimé aux États-Unis et au Mexique, à l'occasion de la signature de l'ALENA, et plus tard en Amérique latine, avec le projet d'élargir l'ALENA en accord panaméricain, le FTAA (Free Trade Area of the Americas, ou Accord de libre-échange des Amériques). Les défenseurs de l'environnement des deux Amériques s'étaient réunis pour exprimer leur profonde inquiétude quant à l'impact de la libéralisation du commerce sur la protection des ressources naturelles, et quant aux clauses des accords qui prévoyaient, pour les entreprises, le droit de réclamer des compensations pour les pertes de profit que pourraient entraîner des législations nationales sur l'environnement. De leur côté, les syndicats ouvriers des différents pays avaient entrepris de nouer des alliances face à la pression croissante en faveur d'un assouplissement des réglementations sur les conditions de travail et les salaires, dans lequel leurs mandants voyaient une « course vers le fond ». Enfin, dans le monde de l'enseignement et de la médecine, sur tout le continent, des voix s'unissaient pour dénoncer les projets de privatisation des deux secteurs et défendre le service public.

En Europe, agriculteurs et consommateurs des différents pays de l'Union s'alliaient pour défendre la qualité de l'alimentation, sauver les communautés paysannes et rejeter les produits alimentaires génétiquement modifiés ainsi que les accords commerciaux facilitant leur diffusion. Leur mouvement a pris aujourd'hui une dimension planétaire.

En Asie, enfin, les groupes de défense des droits de l'homme, des travailleurs et de l'environnement se trouvaient une cause commune dans l'opposition à l'APEC (Asia Pacific Economic Cooperation), alliance de gouvernements et de grandes entreprises pour accélérer la libéralisation du commerce et des investissements dans la région Asie-Pacifique, sans que rien ne soit prévu pour protéger les peuples de leurs conséquences néfastes.

QUAND LES JEUNES ASIATIQUES DÎNENT DEHORS
Une récente enquête de GenerAsians, sur un échantillon de 5 700 jeunes de la région Asie-Pacifique à qui l'on avait demandé de citer leur nourriture et leur boisson favorites, a donné les résultats suivants :
• Australie : McDonald's, Coca-Cola ;
• Chine : McDonald's, Coca-Cola ;
• Hong Kong : McDonald's, Coca-Cola ;
• Indonésie : McDonald's, Coca-Cola ;
• Japon : McDonald's, Coca-Cola ;
• Malaisie : Kentucky Fried Chicken, Coca-Cola ;
• Singapour : McDonald's, Coca-Cola ;
• Taiwan : McDonald's, Coca-Cola ;
• Thaïlande : Kentucky Fried Chicken, Pepsi.

Source : GenerAsians, enquête de l'été 1999.

Artistes, écrivains, cinéastes et musiciens de par le monde sont de plus en plus préoccupés par l'homogénéisation culturelle (ce que Vandana Shiva, physicienne indienne et militante de premier plan, appelle la « monoculture de l'esprit »). Combinés avec la destruction de l'habitat traditionnel des aborigènes et la disparition de centaines de langues, les effets assoupissants et homogénéisateurs de la mondialisation économique, à laquelle des accords internationaux comme ceux de l'OMC donnent force de loi, ont déclenché un signal d'alarme dans les milieux culturels.

Des mouvements internationaux, dont beaucoup incluent des Églises et des associations pour les droits de l'homme, tel Jubilé 2000, coalition œcuménique et planétaire, sont montés à l'attaque pour contester l'énorme fardeau que représente, pour les pays non industrialisés, leur endettement international. Grâce à l'argent des pays exportateurs de pétrole, les banques du Nord ont prêté d'énormes sommes aux pays du Sud, et quand le montant de ces dettes est devenu alarmant, le Fonds monétaire international est intervenu pour imposer à ces pays des politiques d'austérité, seul moyen de récupérer une partie des sommes prêtées. Il en est résulté une misère accrue des pauvres. Toutes les organisations préoccupées par la justice internationale déplorent que la mondialisation économique fasse des millions de perdants en disloquant les économies traditionnelles et en réduisant la capacité de l'État à aider ses citoyens. Livrés à eux-mêmes face au dénuement, aux famines et aux épidémies, les déshérités du monde, de plus en plus nombreux, sont contraints à émigrer, à offrir leur force de travail pour des salaires inférieurs au seuil de subsistance, et à sacrifier leurs enfants, leur environnement naturel et leur santé personnelle. Grâce aux efforts d'une puissante organisation internationale, Fifty Years Is Enough, « Cinquante ans, ça suffit » (ainsi dénommée parce que le FMI et la Banque mondiale ont été créés il y a un demi-siècle), des doutes moraux ont peu à peu saisi les fonctionnaires de ces deux grandes institutions : ils reconnaissent désormais qu'ils portent une lourde responsabilité dans l'appauvrissement du tiers-monde.

Sur toute la planète, les étudiants se sont politisés devant l'invasion des établissements d'enseignement par les grandes entreprises, qui ont des sièges au conseil d'administration et influent sur la politique de l'institution et sa privatisation croissante. Sur bien des campus d'Amérique du Nord, des étudiants dénoncent les contrats d'exclusivité conclus entre leur université et Coca-Cola, et d'autres tentatives d'associer l'établissement à une marque. De plus en plus d'universités sont en quête de programmes de recherche rentables financés partiellement ou totalement par des entreprises, qui sont alors en position de force pour orienter les travaux et seront propriétaires des résultats une fois le programme mené à bien. Simultanément, les frais de scolarité augmentent vertigineusement, et les étudiants sont obligés de contracter auprès des banques des emprunts de plus en plus lourds qu'ils mettront des années à rembourser. Dans les établissements qui favorisent ces pratiques, les étudiants sont aujourd'hui profondément politisés : c'est là qu'est né le mouvement des jeunes contre la mondialisation, avec son regard désabusé sur la politique traditionnelle.

LES NOUVEAUX SOUVERAINS

Les deux cents plus grandes entreprises transnationales ont désormais un chiffre d'affaires global supérieur aux PIB agrégés de 182 pays, et elles pèsent économiquement presque deux fois plus lourd que les quatre cinquièmes de l'humanité. Sur les cent plus importantes économies du monde, cinquante-deux sont aujourd'hui des entreprises transnationales. Wal-Mart a un chiffre d'affaires supérieur au PIB agrégé de 163 pays. Mitsubishi pèse plus lourd que l'Indonésie et Ford que l'Afrique du Sud. La capitalisation boursière de la nouvelle entreprise résultant de la fusion entre Time-Warner et America Online (AOL) est supérieure au PIB australien.

Du côté des individus, la fortune agrégée de 447 milliardaires (en dollars) est supérieure aux revenus de la moitié de l'humanité. Les trois hommes les plus riches du monde ont une fortune qui dépasse les PIB agrégés de 48 pays ; 89 pays ont un revenu par habitant inférieur à ce qu'il était il y a dix ans ou plus, et 200 millions d'individus vivent cette année en état d'absolue pauvreté (moins de 1 dollar par jour). Les deux cents personnes les plus riches du monde ont vu leur fortune doubler ces quatre dernières années.

Source : Institute for Policy Studies, Washington, D.C., et *1999 UN Human Department Development Index Annual Report*.

Nombre de mouvements internationaux ou campagnes menées à l'échelle planétaire ont également pris pour cible, ces dix dernières années, des sociétés précises, accusant Nike et Gap de recourir à des travailleurs exploités du tiers-monde, Shell et Rio Tinto (mines) d'être coupables de graves pollutions de l'environnement et de violation des droits de l'homme, le géant de l'agrochimie Monsanto de détruire la biodiversité en produisant et promouvant agressivement des semences génétiquement modifiées, et un empire de la distribution d'eau comme Suez-Lyonnaise des Eaux de privatiser à son profit des ressources naturelles partout dans le monde. Des militants de la lutte contre l'exploitation des travailleurs du tiers-monde se sont associés à des campagnes comme Free the Children (« Libérez les enfants ») pour protester contre les conditions barbares du travail enfantin dans de nombreux pays en développement. Presque tous les secteurs d'activité ont maintenant leurs « chiens de garde », et plus d'une entreprise a dû affronter le cauchemar que représentent leurs campagnes agressives pour son image.

Récemment, ces groupes disparates et quelques autres sont passés à la vitesse supérieure : ce ne sont plus des entreprises précises qu'ils attaquent pour activités illégales ou immorales, c'est toute la structure du pouvoir des entreprises transnationales qu'ils mettent en cause, ainsi que les droits qu'elles se sont acquis, tant au niveau des nations qu'au niveau international. Ce puissant mouvement d'opposition aux entreprises transnationales s'est lancé dans une analyse plus systématique de leur puissance et met en cause leur droit même à l'existence.

Ce sont tous ces mouvements qu'on a vus réunis à Seattle. Mais ce n'était pas la première fois qu'ils démontraient ainsi leur force. Aux États-Unis, au Canada et au Mexique, plusieurs manifestations et rassemblements avaient déjà eu lieu, d'abord contre l'accord de libre-échange entre Washington et Ottawa, puis contre l'ALENA (incluant le Mexique). Tout au long des années 1990, des protestataires avaient harcelé la Banque mondiale, le FMI et le G-7 (regroupant les sept grands pays industrialisés) à Auckland, Londres, Kuala Lumpur et New Delhi. La réunion du G-7 à Birmingham, le 16 mai 1998, avait attiré des milliers de manifestants dans les rues de la ville, et, deux jours plus tard, pour le cinquantième anniversaire de la création du GATT, des marches de protestation avaient été organisées un peu partout dans le monde (à Genève, l'affaire tournera à l'émeute et 200 jeunes seront arrêtés). Lors de la réunion des chefs de gouvernement de l'APEC aux Philippines en 1996, des milliers de protestataires avaient formé un convoi de voitures pour bloquer l'autoroute entre Manille et Subic Bay, lieu de la conférence. L'année suivante, quand l'APEC s'était réunie à Vancouver, un défilé avait rassemblé des milliers de personnes, et les étudiants avaient eu droit, de la part des forces de police, à des projections de gaz au piment et à d'autres formes d'intimidation. À Cologne, en juin 1999, pour la réunion du G-8 (le G-7 plus la Russie), des milliers de manifestants avaient défilé pour exiger un accroissement de l'aide aux pays les plus pauvres.

Seattle n'était donc qu'un épisode parmi bien d'autres dans la longue série de manifestations contre la mondialisation qui avaient déjà attiré l'attention des médias un peu partout, mais avec une dimension sans pareille : c'était en quelque sorte l'apogée de cette protestation mondiale émanant de citoyens scandalisés par le comportement des entreprises transnationales qui violent les lois de la nature et dont les intérêts ont pris le pas sur les libertés démocratiques.

2

LES RACINES D'UN MILITANTISME

Comment des militants de base ont ouvert la voie à une « mondialisation d'en bas »

Le gouvernement japonais était épouvanté. En juillet 2000, les chefs d'État et de gouvernement des sept pays les plus riches de la planète, ainsi que le nouveau président russe, devaient tenir leur réunion annuelle du G-8 sur l'île d'Okinawa, qui abrite une base américaine très controversée dans l'opinion japonaise. Redoutant un nouveau Seattle, il décide de consacrer quelque 800 millions de dollars à des mesures spéciales de sécurité, dépense sans précédent dans l'histoire du pays et des sommets internationaux. Sans s'émouvoir, un bandeau sur la bouche pour symboliser le silence qui leur est imposé, plus de 25 000 habitants d'Okinawa vinrent encercler la base de l'US Air Force au moment de l'arrivée du président Clinton pour protester contre la présence permanente de forces américaines sur le sol japonais. Le message était clair. Aucune dépense de sécurité ne pouvait réduire au silence un mouvement dont l'heure est venue.

La victoire sur l'AMI

La dynamique dont la bataille de Seattle sera l'apogée prenait de la vitesse depuis quelque temps. En octobre 1998, les pays de l'OCDE (Organisation pour la coopération et le développement économiques) avaient été contraints, face à une puissante opposition des opinions publiques, de renoncer à la signature de l'AMI (Accord multilatéral sur l'investissement), destiné à faciliter les investissements directs étrangers. L'AMI prévoyait que les États signataires renonceraient à leur droit de poser des conditions aux investissements en provenance de l'étranger, perdant ainsi une bonne part de leur souveraineté sur leurs ressources naturelles, leurs institutions culturelles, leurs programmes de sécurité sociale et leur réglementation de l'environnement. Les entreprises transnationales auraient gagné le droit de réclamer directement aux tribunaux des « compensations appropriées » chaque fois qu'un gouvernement signataire aurait fait valoir des règlements existants sur la santé, la sécurité, les droits de l'homme, le droit du travail, ou en instituerait de nouveaux. L'AMI avait été surnommé, à juste titre, la « charte mondiale des droits et libertés des transnationales ».

En 1996, un représentant du Third World Network, Martin Khor, qui disposait de sources genevoises, avait été le premier à alerter les membres du Forum international sur la globalisation de la signature imminente de ce traité, préparé à l'insu de tous. Mais Khor n'avait aucun document pour le prouver. Certains groupes commencent alors à demander des informations à leur gouvernement, mais sans succès : la plupart, dans leurs réponses, noient le poisson, quand ils ne vont pas jusqu'à nier l'existence d'un tel projet de traité. Des Canadiens mettent finale-

ment la main sur le document, dont l'original a été rédigé
par la Chambre de commerce internationale (CCI), et le
font aussitôt connaître à d'autres groupes de par le
monde, lesquels lancent la première campagne sur l'Internet qui réussira à faire passer à la trappe un projet planétaire monté par les gouvernements et les entreprises
transnationales.

À l'automne 1997, soixante-dix groupes voués à la
défense du droit du travail, de l'environnement ou de la
démocratie citoyenne rencontrent les négociateurs gouvernementaux de l'AMI au somptueux siège de l'OCDE
à Paris. Ils ont travaillé tard dans la nuit pour aboutir à
un consensus sur une demande de moratoire des négociations pendant un an, afin de pouvoir rencontrer leurs gouvernements respectifs sur le sujet et d'en avertir leurs
concitoyens dès leur retour dans leur pays. L'OCDE
refuse avec arrogance, traitant de haut ces militants
comme s'ils étaient incapables de comprendre toute la
complexité de l'affaire. Exaspérés d'être ainsi humiliés
par des représentants de leurs propres gouvernements, les
groupes quittent Paris pour aller combattre l'AMI chacun
dans son pays.

Tout au long de l'année suivante, des alliances se
nouent dans plusieurs pays entre les militants des secteurs
concernés. Des réunions publiques sont organisées dans
des salles municipales ou des sous-sols d'églises. Des
groupes de militants de base émergent un peu partout, sur
les campus, dans les associations de personnes âgées, les
cliniques, les syndicats et les Églises, dont beaucoup se
baptisent « Zone libre de l'AMI ». Dans plusieurs grands
pays on voit apparaître brochures, livres, autocollants,
tracts, badges, fiches d'information, et des dizaines de

conseils municipaux dans le monde votent des motions contre l'AMI.

Les mouvements coalisés de chaque pays travaillaient en étroite union avec ceux des autres, partageant informations et astuces tactiques. L'une d'entre elles, très efficace, était d'introduire la dissension au sein des équipes gouvernementales en révélant que l'AMI, négocié largement en secret par des fonctionnaires des ministères du Commerce extérieur sans que les autres ministres en soient informés, aurait des retentissements en matière de culture, d'environnement et de santé publique. Du coup, les ministres concernés faisaient pression sur leurs collègues du cabinet pour que les affaires de leur département soient exclues du champ de l'AMI, si bien qu'au total le nombre des différentes demandes d'exemption transmises par les gouvernements s'élevait à plus de 1 300, paralysant toute la négociation.

Autre tactique, celle du *monkey wrenching* (« flanquer la pagaille ») : les groupes nationaux s'informaient mutuellement de ce qui représentait, pour leurs gouvernements respectifs, une question politiquement délicate afin que cette information, dûment répercutée auprès des différentes délégations gouvernementales, y suscite les frictions attendues. Même si les groupes ne l'ont pas nécessairement bien compris, dans le feu de l'action, cette tactique s'est révélée déterminante dans l'histoire du mouvement antimondialisation.

Jusqu'à cette étape, en effet, les groupes hostiles au libre-échange généralisé avaient leurs racines dans des États-nations : quand ils réunissaient leurs efforts, c'était dans des coalitions temporaires et assez lâches, pour défendre une position commune. Mais la campagne contre l'AMI aura été fondamentalement différente :

abandonnés par leurs propres gouvernements, qui reprenaient sans y changer une ligne la rhétorique des entreprises transnationales sur la libéralisation des investissements, les groupes de défense des travailleurs, de l'environnement et de la démocratie citoyenne ont créé un mouvement qui dépassait les frontières nationales, basé dans le cyberespace et défini par un ensemble de valeurs et convictions communes.

Ce type de coopération internationale n'était pas sans précédent : les mouvements pour les droits des femmes, pour la sécurité alimentaire et la prise en compte planétaire des problèmes de l'environnement avaient déjà su créer des liens puissants par-delà les frontières. Les Nations unies avaient également été un lieu où des groupes aux aspirations voisines avaient pu se réunir pour défendre les droits de l'homme, les droits spécifiques des femmes et des enfants, et bien d'autres justes causes. Néanmoins, à la possible exception du mouvement pacifiste et de certains secteurs du mouvement écologique international, les campagnes menées jusque-là l'étaient majoritairement auprès des gouvernements dans chaque pays, soit qu'on les cajole, soit qu'on les menace, pour qu'ils adhèrent au projet défendu. En revanche, au cours de la campagne contre l'AMI, les militants ont compris qu'ils n'avaient rien à attendre de leurs dirigeants nationaux, et chaque pays s'est tourné vers les autres pour y trouver un soutien réciproque.

Tous les groupes qui avaient fait antichambre au siège de l'OCDE à Paris restèrent en contact quotidien les uns avec les autres et diffusèrent toutes les informations reçues aux militants de base de leur pays. Avec l'aide des talents de la communauté culturelle internationale, qui s'est révélée très active dans cette campagne, ils ont lancé le débat public sur ces questions bien avant que les gouvernements ne s'en soucient : en entrant les premiers dans l'arène, ils se donnaient un puissant atout pour gagner.

En février 1998, l'OCDE organise une réunion d'urgence pour tenter de sauver des négociations qui, quelques mois plus tôt, semblaient presque achevées. Le président de la délégation de l'OCDE à la négociation de l'AMI, Franz Engering, cherche à réparer les choses en « rechutant dans l'évangélisme » (selon la formule d'une note d'un haut fonctionnaire canadien connue par une fuite), et le rôle du mouvement citoyen international est reconnu, à regret, par tous les participants. En mars, le Parlement européen vote sa résolution 437-8 demandant aux pays membres de rejeter le traité, et, le mois suivant, une autre conférence ministérielle sur le projet d'AMI se termine sur un échec. Devant une salle bondée de journalistes, le secrétaire général de l'OCDE, Donald Johnston, doit reconnaître, le visage lugubre, que les négociations sont suspendues, et il rejette la responsabilité de ce retard sur une campagne de « désinformation » efficace menée par toutes sortes de groupes dans le monde entier.

Entre-temps, un véritable mouvement s'est développé en France. Le siège de l'OCDE étant situé à Paris, des intellectuels regroupés dans l'Observatoire de la mondialisation se font un devoir d'alerter les milieux associatifs et syndicaux. En parallèle, les professionnels de la culture, conscients que la signature de l'AMI entraînera la fin de l'exception culturelle, font pression sur leur ministère de tutelle, et même sur Bruxelles. Bientôt une Coordination contre l'AMI est lancée, originale dans ses formes d'action. Sans-papiers, chômeurs, syndicalistes et écologistes y côtoient des économistes, des journalistes et des chercheurs. Sous les tirs croisés d'interpellations multiples, le gouvernement de la gauche plurielle, contraint d'écouter des arguments dont la grande presse se fait l'écho, change son fusil d'épaule. La campagne française, ponctuée par une fête retentissante sous les fenêtres de l'OCDE lors de la réunion ministérielle d'avril, est le point d'orgue du concert de protestations internationales. Elle pousse le Premier ministre Lionel Jospin à annoncer la suspension pour six mois de la participation de la France aux négociations sur l'Accord multilatéral sur l'investissement.

À l'automne, le gouvernement français publie un rapport faisant l'éloge de la campagne internationale contre l'AMI, dans lequel il est dit que les groupes de militants ont produit des documents et des analyses de meilleure qualité que ceux de l'OCDE. La France se retire alors définitivement de la négociation, suivie du Canada : l'AMI est mort.

La réussite de la campagne aura tenu à plusieurs facteurs, dont l'un des plus importants a été la confiance réciproque entre groupes militants, laquelle n'allait pas de soi puisqu'ils étaient dispersés sur la moitié du globe. Autre élément crucial, le rôle du militantisme de base : des milliers de petites campagnes œuvrant de concert, sans obéir à des directives venues de quelque sommet. Les grandes associations, disposant de fonds importants, ont produit beaucoup d'informations et de travaux de recherche, mais toute cette documentation a été retravaillée par de petits groupes pour leurs propres besoins locaux. Des individus et des groupuscules, partout dans le monde, ont participé directement à la campagne et se sont glorifiés de la victoire, ce qui n'était que justice.

Le mouvement anti-AMI a su également utiliser très efficacement l'Internet. Le *Globe and Mail* de Toronto a publié un article à la une intitulé : « Comment l'Internet a tué l'AMI », affirmant que les « hommes politiques haut placés » n'étaient pas de taille face « à une troupe mondiale de militants de base » dont l'action venait de transformer la politique internationale. Quant au *Financial Times*, il a comparé la peur et l'effarement qui ont saisi les gouvernements des pays industrialisés à la suite de l'effondrement de l'AMI à une scène du film *Butch Cassidy et le Kid* : politiques et diplomates se retournent vers leurs poursuivants, une « horde de groupes de défense », et se demandent d'une voix angoissée : « Qui sont ces types ? » Et le journal de préciser que ces hordes étaient « un mouvement international de groupes de pression issus de la base », fiers de leur première bataille et d'avoir « fait saigner ». Il citait un diplomate, vétéran des négociations commerciales : « Cet épisode est un tournant. Il signifie que nous devons repenser notre approche des négociations économiques internationales. »

L'utilisation de l'Internet pour la lutte contre l'AMI aura eu d'intéressantes ramifications. Comme l'a écrit la journaliste Naomi Klein, la technologie de communication, qui a aidé le mouvement antimondialisation, l'a aussi modelé à son image : comme l'Internet, le mouvement se signale par une bureaucratie légère, la décentralisation des centres de pouvoir et l'adoption d'une structure hiérarchique réduite au minimum indispensable. Aux consensus obtenus par coup de force et aux manifestes longuement élaborés a succédé, note-t-elle, une culture de l'échange permanent d'informations, faiblement structuré et parfois compulsif. Les petites équipes de militants mobiles à Seattle étaient « l'Internet accédant à la vie ».

Mais le facteur le plus déterminant de la victoire sur l'AMI tient au fait que des groupes séparés ont commencé à se percevoir eux-mêmes comme un mouvement disposant de son propre pouvoir : ils ont compris que, si les gouvernements ont fini par les écouter, ce n'était pas parce qu'ils avaient de bons arguments, mais parce qu'ils exhibaient des muscles politiques. Aussi sont-ils entrés dans le débat avec leurs propres exigences, leurs propres analyses, leur propre vision. Ils n'ont pas demandé un siège à la table de l'OCDE : ils ont construit leur propre table et contraint les gouvernements à traiter avec eux en tant que force politique nouvelle.

Un mouvement est né

Ils étaient venus à Seattle en groupes séparés pour faire connaître leur inquiétude quant aux effets de l'OMC dans leur secteur propre de militantisme (environnement, agriculture, sécurité alimentaire, droits des travailleurs, diversité culturelle et diversité biologique). Mais ils étaient aussi un front commun en train de naître : avant même la fin de la semaine, un mouvement unifié était né. Alors que ces groupes avaient des intérêts divers, et certaines différences réelles, le mouvement antimondialisation qu'ils ont créé est supérieur à la somme de ses parties. On a accusé le mouvement de n'avoir aucune cohérence, alors qu'il présente des traits spécifiques, à la fois dans son idéologie et dans sa pratique.

Avant tout, les militants de l'antimondialisation sont convaincus que l'actuel système économique, fondé sur l'idéologie d'un impératif de croissance, est en passe de causer de tels dégâts à nos écosystèmes que la planète elle-même est gravement menacée. Dès lors que cette mondialisation repose sur l'économie de marché, aucune limite n'est assignée au capital dans sa « moisson » des ressources naturelles. Par la faute de la mondialisation économique, les pays non industrialisés, pour rembourser leurs dettes, ont été contraints de détruire leurs écosystèmes naturels en renonçant à toute réglementation sur l'environnement.

Les adversaires de la mondialisation font également valoir que cet immense marché étendu à toute la surface du globe encourage une forme de lutte des classes planétaire. Ils récusent l'argument défensif de l'OMC et de la Banque mondiale selon lequel les bienfaits de la mondialisation n'auraient tout simplement pas encore atteint suffisamment de peuples et que tout cela ne serait qu'une affaire de temps. Pour eux, la mondialisation économique repose sur un tri entre gagnants et perdants : on ne peut avoir des gagnants, à cette échelle, qu'en créant délibérément des perdants ; l'avenir de la planète n'est pas ce qu'il devrait être, mais seulement celui que les dirigeants du *big business* tentent de redessiner.

Les membres du mouvement ne font qu'un dans leur conviction que les entreprises transnationales ont acquis bien trop de puissance, au point d'être en mesure de dicter leur politique aux gouvernements, à tous les niveaux. Les chefs des grandes entreprises, qui n'ont pas de compte à rendre aux citoyens et engrangent des gains personnels parfaitement obscènes, fixent les règles nationales et internationales auxquelles tous les peuples du monde doivent obéir. Les militants parlent de « règne des transnationales ». Ils considèrent que l'OMC et ses organisations « sœurs », la Banque mondiale et le Fonds monétaire international, sont gouvernées par les entreprises transnationales à leur propre avantage, et n'existent que pour dicter aux gouvernements ce qu'ils peuvent faire ou ne pas faire en faveur de leurs citoyens. Ils posent donc la question de savoir s'il existe encore, de par le monde, une véritable démocratie.

Les militants qui s'opposaient à l'AMI étaient conscients que nombre de crises sociales ou environnementales dans le monde sont provoquées ou aggravées par la déréglementation et les privatisations. Ils savaient que les flux non contrôlés de capitaux ont engendré une immense pauvreté et une grande instabilité financière, tout en bénéficiant à de riches investisseurs et à des fonds spéculatifs (*hedge funds*). Ces pratiques sont à l'origine d'une dégradation des soins médicaux dans le monde entier, puisque des millions de personnes n'ont plus accès à la médecine de base. Dans un monde où tout devient marchandise, les biens collectifs du genre humain (droits individuels, droits sociaux, environnement protégé) ont été détournés par les grandes entreprises aux seules fins d'en tirer du profit.

Enfin, les militants de l'antimondialisation sont profondément déçus par leurs gouvernements qui, l'un après l'autre, ont adhéré au système et y ont pris leur place. Ils constatent avec colère que leurs dirigeants ont perdu le contact avec les pauvres de leur propre pays et ont abandonné le processus de décision à des institutions internationales indifférentes aux vrais intérêts de la majorité des citoyens de la planète.

Ce rejet des gouvernements est patent dans le déclin du nombre des votants, surtout chez les jeunes, phénomène général dans le monde. En Europe, l'adhésion à un parti politique a chuté de 50 % ces quinze dernières années ; aux élections présidentielles américaines, moins de la moitié des électeurs potentiels se rendent aux urnes ; au Canada, le taux de participation aux élections de novembre 2000 a été le plus faible de toute l'histoire du pays. Les élections sont devenues une forme de « consommation » où le peuple souverain n'a plus qu'à piocher dans une classe de professionnels de la politique de plus en plus éloignés de lui, et qui gouverneront selon un ensemble de diktats étrangers aux véritables souhaits de l'électorat.

Pour un nombre croissant de militants, aucune démocratie n'est possible dans le gouvernement d'un pays aussi longtemps qu'elle est absente de la société : et c'est cette seconde question qu'il est le plus urgent d'affronter.

Un « non » et bien des « oui »

Le mouvement citoyen est uni par la conviction que le libre-échange planétaire entraîne des dommages pour toutes les nations du monde. Mais tous les groupes militants, en son sein, ne proposent pas la même solution au problème. La principale divergence réside entre ceux qui estiment que les organisations non gouvernementales (ONG) devraient chercher le dialogue avec les gouvernements et des institutions internationales comme l'OMC, et ceux qui affirment que le mouvement y perdrait son principe actif pour se transformer en simple « réformisme ». Par ailleurs, cette diversité au sein du mouvement est source d'une grande abondance d'études, de propositions et de publications sur la question de savoir comment corriger l'actuelle mondialisation économique : on y trouve aussi bien des fictions littéraires sur la possibilité d'un avenir commun que des exposés très techniques sur les changements à introduire dans la réglementation des échanges commerciaux et financiers (*voir* chapitre 9). La diversité même de ces idées fait leur force, et tandis que beaucoup cherchent à faire progresser le changement social à travers les processus en place qui ont démontré leur valeur (comme la Déclaration universelle des droits de l'homme de 1948 et les engagements qui l'accompagnent), tout le monde est d'accord pour considérer que le projet ne peut se réduire à de simples amendements aux statuts des institutions internationales existantes. Des changements plus radicaux, systémiques, sont indispensables, qui vont de la transformation de notre relation avec la nature et les autres espèces à une profonde remise en cause de la gestion de l'économie et du pouvoir politique.

Les militants de l'antimondialisation sont convaincus que les hommes doivent réapprendre à vivre dans les limites naturelles des écosystèmes planétaires, par exemple en rapprochant agriculture et industrie du lieu où leurs produits sont consommés. Ils ne sont pas les adversaires du commerce, pourvu qu'il soit justement réglementé : ce qu'ils contestent, c'est le statut transcendant et le pouvoir dominant dont bénéficient commerce et finance dérégulés dans tous les domaines de la vie. Ils considèrent que les biens collectifs ont été volés aux peuples et à la nature, et qu'ils doivent être de nouveau confiés à la tutelle des citoyens et de la démocratie. Ils croient au respect nécessaire de la diversité culturelle et biologique et à la protection de l'infinie variété de la nature, autres espèces animales comprises. Ils sont tous d'accord sur l'idée que le plus puissant des remèdes à la mondialisation est la relocalisation de l'activité économique et une réactivation de la démocratie locale. Ils affirment que l'économie n'existe que pour se mettre au service des individus et des communautés, et non l'inverse.

Mais, simultanément, le mouvement est international dans sa visée et ses principes : pour lui, la notion de communauté inclut à la fois les habitants d'un même quartier et la planète entière. Dans un monde où les gouvernements ont abandonné la défense des intérêts de leurs citoyens, c'est à ces derniers d'agir pour reprendre le pouvoir aux sociétés transnationales. L'opération demande un rassemblement des forces au niveau international aussi bien que local. Elle demande aussi de s'en prendre directement aux géants de l'industrie et du commerce et aux institutions économiques internationales, puisque les gouvernements ont failli à leur mission et conclu un pacte avec le diable. Le grand enjeu, mis en avant dans toutes les campagnes (quelles que soient par ailleurs leurs différences), est d'assurer que les valeurs des citoyens l'emportent sur celles des entreprises. Ralph Nader l'a dit très clairement : « Le choix est entre la démocratie et la domination des entreprises. Vous ne pouvez avoir les deux. »

À NOUVEAU VIN, BOUTEILLES NEUVES

La « mondialisation d'en bas » est issue à la fois de mouvements antérieurs et de leur décomposition. Il y a beaucoup à apprendre de l'héritage historique de siècles de lutte pour limiter l'emprise du capitalisme ou le remplacer, et il nous faut nous inspirer de leurs valeurs et de leurs pratiques pour forger les nôtres. Mais ce serait une erreur de ne voir dans ce nouveau mouvement qu'une simple extension de ceux qui l'ont précédé, ou de l'arrimer à leurs vestiges. La mondialisation, et ses multiples facettes, pose de nouveaux problèmes que les anciens mouvements, sur la fin, n'ont pas su affronter, ce qui explique en partie leur effondrement. Elle présente aussi de nouvelles chances qui seraient perdues si le nouveau vin était simplement remis dans de vieilles bouteilles. En outre, la rupture historique actuelle offre l'atout précieux de pouvoir en finir avec les impasses du passé, et de recréer un mouvement de lutte pour faire reculer le capitalisme mondial et tenir compte des vrais besoins et conditions de vie de nos contemporains. Tels des pionniers abordant une terre nouvelle, nous devons apporter les fleurs et laisser derrière nous les mauvaises herbes.

Jeremy Brecher, Tim Costello et Brendan Smith,
Globalization from Below : The Power of Solidarity.

Un droit de parole pour les marginaux

L'un des traits les plus frappants de ce nouveau mouvement issu de la société civile est de réclamer que ses voix les plus marginales puissent être entendues par le centre. Hostile aux hiérarchies verticales, il entend les niveler toutes, y compris celles des mouvements dont il est issu. Même s'il a des porte-parole chargés d'expliquer les objectifs du mouvement à l'opinion, il évite tout ce qui pourrait ressembler à des « vedettes » ou à des dirigeants dûment intronisés. Son organisation, d'un type nouveau, est celle de réseaux horizontaux de militants : des groupes et des individus disposés en cercles concentriques, liés par des valeurs communes. Tout en construisant sa base, le mouvement a choisi de ne pas créer des institutions ou des structures de pouvoir qui pourraient défier ouvertement les grandes institutions étatiques et économiques auxquelles il s'oppose : il préfère tourner autour de ces monstres et se glisser sous leurs pieds pour saper leurs fondations, comme le sable des dunes ou les ruisselets d'eau rongent celles d'un vieux bâtiment.

Qui plus est, comme tout le monde l'a constaté à la télévision, le mouvement réunit majoritairement des jeunes, ce qui retentit très fortement sur ses valeurs, ses tactiques et sa structure. Ce ne sont pas les milliers de manifestants du défilé officiel de Seattle qui ont saboté la cérémonie d'ouverture de la conférence ministérielle de l'OMC, mais quelques milliers de jeunes, dont beaucoup encore lycéens, qui occupaient les rues au nom de la démocratie. Des militants juvéniles qui, selon la formule de Ralph Nader, ont « grandi dans un monde de grandes entreprises », en comprennent bien mieux la culture que des gens plus âgés : depuis leur enfance, ils sont les cibles publicitaires de McDonald's et de Coca-Cola et en connaissent par cœur le discours. À moins qu'ils n'appartiennent à l'étroite minorité de jeunes sorciers de la finance qui font des millions pour avoir su faire fructifier la culture entrepreneuriale à leur profit, ils savent que, pour leur génération, les possibilités offertes par les technologies dites nouvelles seront très sélectives. Plus d'un a déjà choisi de sortir de cette culture marchande, d'éteindre son téléviseur, de refuser de porter des vêtements de « marque », pour accéder à une nouvelle conscience de soi et du monde en mélangeant toutes les cultures. À Seattle, ils ont clairement démontré que la génération antérieure de militants n'était pas propriétaire du mouvement. Des badges « Elvis est mort » ornaient de nombreux tee-shirts et blousons noirs.

Ces jeunes militants sont davantage enclins à la confrontation directe que les membres traditionnels des ONG. Ils sont convaincus que les dirigeants politiques et économiques ont cessé d'écouter le monde extérieur, et que seule une action frontale contre les institutions qu'ils ont créées pourra les émouvoir. Tatoués, couverts de *piercings*, multiraciaux, ils regardent les puissants droit dans les yeux en scandant : « Voilà à quoi ressemble la démocratie ! »

Nombre de ces défenseurs de la société civile entraînent soigneusement leur corps, leur esprit et leur âme en vue des manifestations de rue. La Ruckus Society américaine n'est que l'un des nombreux groupes qui, de par le monde, organisent depuis 1995 camps et séminaires pour former les manifestants à l'art de la désobéissance civile non violente. « Cette formation, explique l'un de ses représentants, aide les gens à pratiquer la désobéissance civile en toute sécurité et de façon efficace. L'entraînement est à la fois cérébral et physique, avec de véritables cours sur la préparation d'une action, la communication avec les médias, la philosophie et la pratique de la non-violence. Sécurité et non-violence sont présentes dans tous les enseignements. »

Les participants sont répartis en « groupes d'affinité », où l'on s'engage à prendre des décisions consensuelles (par exemple sur la question de savoir si on se laissera ou non embarquer par la police), et où chacun doit veiller sur l'autre. Ces groupes d'affinité se divisent parfois en « grappes » (*clusters*), qui iront faire un *sit-in* devant une porte ou un barrage de police, et en « unités mobiles », libres d'aller là où on aura besoin d'elles. Toutes ces décisions sont prises avant l'action dans des « centres de convergence », où se réunissent des représentants de chaque groupe d'affinité pour des « réunions de délibération » et où les manifestants viennent chercher nourriture, soins médicaux et soutien entre deux interventions dans les rues.

DES COMBATTANTS FLEXIBLES

Dans la pratique, l'organisation [sans hiérarchie] signifiait que chaque groupe pouvait se mouvoir et réagir avec une grande souplesse lors du blocus du centre de Seattle. Si, à certains endroits, on demandait du renfort, un « groupe d'affinité » allait évaluer l'état des forces sur la position en question et décidait ou non de se joindre à elles. Face aux grenades lacrymogènes, aux bombes à piment, aux balles en caoutchouc et à la police montée, groupes et individus devaient évaluer leur propre capacité à affronter cette violence. Le résultat, c'est qu'en dépit d'un déchaînement inouï de brutalité policière, le blocus a tenu partout : dès qu'un groupe était contraint de s'enfuir devant les coups de matraque ou les gaz, un autre venait prendre sa place.

Aucun dirigeant en position centrale n'aurait pu ainsi coordonner les opérations dans un centre-ville en plein chaos : notre système de groupes autonomes, organiques, s'est révélé bien plus puissant et efficace. Aucun chef n'aurait pu obliger les gens à tenir la ligne de front sous l'assaut des gaz, alors qu'en donnant à chacun le pouvoir de décider par lui-même c'est bel et bien ce qui s'est passé. Les « groupes d'affinité », les « grappes », les « conseils » et les groupes actifs avaient tous pour principe d'arriver à un consensus sur la décision à prendre, chacun pouvant y faire entendre sa voix, ce qui renforçait le respect dû aux opinions minoritaires. La recherche du consensus était partie intégrante de la formation à l'action non violente et à l'emprisonnement, et nous avons également essayé de proposer des cours sur la manière d'organiser au mieux une délibération. Pour nous, consensus n'est pas synonyme d'unanimité. La seule obligation était d'agir selon les principes directeurs de la non-violence. Au-delà, les organisateurs du Direct Action Network ont choisi de mettre l'accent sur l'autonomie d'initiative et la coordination plutôt que sur l'observation disciplinée d'instructions précises.

La manifestation incluait art, danse, célébrations, chants, rituels et magie. C'était bien plus qu'une simple protestation : c'était le surgissement d'une vision de la véritable abondance, un hymne à la vie, à la créativité, à la solidarité, un cri de joie opposé à la brutalité, qui ont su dégager des forces créatives capables de contrer efficacement celles de l'injustice et de la domination.

Courriel de *Starhawk* (« Faucon des étoiles »),
militante de San Francisco.

Croissance d'un mouvement

Depuis Seattle, le monde de la politique internationale est prévenu : où que vous teniez vos réunions, le mouvement antimondialisation sera là. Sur les écrans des internautes du monde entier, les dates des prochaines actions étaient déjà affichées, en code, d'après le mois et le jour des événements prévus : A16, réunions du FMI et de la Banque mondiale, le 16 avril 2000, à Washington ; M1, 1er mai 2000, défilés de protestation dans le monde entier ; M8, réunion le 8 mai 2000 de l'Asian Development Bank en Thaïlande, etc.

A16 (16 avril 2000, Washington)

Deux fois par an, la Banque mondiale et le Fonds monétaire international tiennent une assemblée générale. Pour avoir été la cible des critiques d'organisations non gouvernementales et de certains groupes de protestataires tout au long des années 1990, leurs responsables savaient que les deux assemblées prévues pour la mi-avril 2000 à Washington, premières grandes rencontres de ce type après Seattle, ne se passeraient pas dans le calme. Tandis que les délégués commençaient à arriver dans les grands hôtels de la capitale, des milliers de militants (dont environ 2 000 Canadiens), appartenant à 450 groupes fédérés pour l'occasion, se dirigeaient vers les auberges de jeunesse, les églises, les résidences universitaires et les parcs de la ville.

Grâce à Seattle, leur force s'était fait sentir avant même qu'ils fussent là. Un mois plus tôt, le directeur par intérim du FMI, Stanley Fischer, avait rencontré des responsables des Amis de la Terre, d'Oxfam International et d'autres groupes, et tous étaient sortis de la réunion convaincus que les choses allaient enfin avancer. À la grande fureur des milieux universitaires et du Congrès, Joseph Stiglitz, qui venait tout juste de quitter son poste de chef du service d'analyse économique de la Banque mondiale, et Jeffrey Sachs, un économiste de Harvard qui ne passait pas pour être spécialement progressiste, avaient publié un texte mordant contre la politique des deux institutions « jumelles ». Et le président de la Banque mondiale lui-même, James Wolfensohn, avait déploré publiquement la croissance de la pauvreté dans le monde et promis de faire de sa réduction une des priorités de l'institution qu'il dirigeait. Le ministre des Finances du Canada, Paul Martin, précisait que les hommes politiques avaient pris bonne note de la volonté « sonore et claire » des opinions publiques de voir la Banque mondiale et le FMI soumis à une réforme.

Mais ce ne sont pas des déclarations de ce genre qui peuvent faire taire des militants. Une fois encore, une grande ville se préparait à devenir un champ de bataille :

le quartier où devaient se dérouler les deux assemblées était bloqué par un énorme déploiement de forces policières, avec des milliers d'agents anti-émeute patrouillant dans les rues vides et des hélicoptères de l'armée bourdonnant au-dessus. Nombre de militants avaient reçu leur baptême du feu dans les rues de Seattle (ou rêvaient d'avoir pu y être) et un groupe de jeunes femmes qui avaient été emprisonnées cinq jours à Seattle avaient profité du loisir de cette détention pour réfléchir à la future manifestation de Washington : « Pendant cinq jours, nous n'avons eu qu'un seul sujet de conversation : comment passer au stade supérieur ? », racontera l'une d'entre elles. Et une autre d'ajouter : « Quand on a fait ce genre d'expérience, vous savez, on est mordu pour toujours. »

Mais la grande différence entre les deux événements était la présence massive, à Washington, de forces de sécurité très bien préparées à leur tâche. Tout le centre-ville était sous occupation militaire et soixante blocs d'immeubles autour du siège de la Banque mondiale étaient interdits d'accès ; chaque avenue menant aux lieux de réunion était protégée par la police anti-émeute, la Garde nationale et des barrières métalliques. Dans la matinée du 16 avril, soit vingt-quatre heures avant l'ouverture des deux assemblées, la police opéra un raid contre le « centre de convergence » des manifestants et en chassa les personnes présentes sans les laisser emporter leurs réserves de médicaments et de nourriture, ni même leurs effets personnels. Le jour suivant, sachant que les manifestants chercheraient, comme à Seattle, à empêcher les délégués de quitter leurs hôtels, la police les conduisit elle-même au siège des deux organisations à cinq heures du matin, avant que les groupes d'affinité n'aient pu entrer en scène.

Tandis que les assemblées de la Banque mondiale et du FMI se déroulaient à l'abri du barrage policier, les manifestants (de 10 000 à 15 000) défilaient en déclamant des slogans ou tentaient de se faufiler entre les policiers, quand ils ne se laissaient pas tomber devant eux, enchaînés les uns aux autres. D'autres assistaient à des meetings, à des tables rondes ou à un grand *teach-in* patronné par le Forum international sur la globalisation. La brutalité policière n'atteignit pas le niveau enregistré à Seattle parce que les forces de sécurité de Washington s'étaient bien préparées à l'événement. Néanmoins, une fois encore, des images de jeunes couverts de sang, matraqués ou attaqués au gaz par des policiers dès qu'ils leur tombaient sous la main seront diffusées dans le monde entier. En deux jours de manifestations, plus de 1 000 personnes seront arrêtées, soit beaucoup plus qu'à Seattle. Mais on s'y était préparé, et chacun avait écrit quelque part sur son corps le numéro de téléphone de l'assistance judiciaire (202 842 44 79). D'autres manifestations avaient été organisées, simultanément, dans plusieurs métropoles du monde. À Istanbul, la police avait attaqué par traîtrise environ 200 étudiants engagés dans une manifestation pacifique, en projetant des gaz directement dans leur bouche. Il y aura cinquante blessés et soixante arrestations.

M1 (1er mai 2000)

Avec les manifestations de Seattle et de Washington pour boussoles, les défilés du 1er mai 2000 avaient pris pour thème l'attaque frontale contre la puissance des entreprises transnationales et une mondialisation qui n'était que leur instrument. De tous les défilés, les plus notables seront ceux de Hambourg, Berlin, Londres, Zurich et Berne, Harare, au Zimbabwe (où 3 000 ouvriers sortiront dans les rues pour protester contre leurs conditions de travail), ceux de Moscou et de Cuba (réunissant des dizaines de milliers de personnes), et ceux de Toronto, Vancouver, Chicago et New York qui en appelaient ouvertement à la fin d'une mondialisation dominée par les entreprises transnationales. Le pape Jean-Paul II lui-même saisira cette occasion pour inciter fermement les pays riches à annuler la dette des pays non industrialisés : « La mondialisation de la finance et de l'économie ne saurait être autorisée à violer la dignité et la place centrale de la personne humaine, ni la démocratie. »

M8 (8 mai 2000, Thaïlande)

À l'occasion de l'assemblée annuelle de l'Asian Bank of Development (ABD), en Thaïlande, 4 000 manifestants, stimulés par les événements de Seattle et de Washington, prennent la police locale par surprise, forcent les barrages, et interrompent la réunion pour exiger de la Banque qu'elle en finisse avec une politique qui pénalise les pauvres (l'ABD est devenue la cible principale des militants antimondialisation d'Asie, qui l'accusent de traiter avec des gouvernements corrompus et de grandes entreprises au lieu de consulter les pauvres qu'elle est censée aider). Mais les forces de sécurité ne tardent pas à riposter : le grand hôtel où se déroule l'assemblée est très vite transformé en camp retranché, entouré de milliers de policiers anti-émeute avec tout leur harnachement.

Les manifestants, réunis chaque jour devant l'hôtel, exigeaient que l'ABD mette fin à sa politique dite de « restructuration financière et de réforme économique » qui consistait seulement à financer d'énormes programmes d'infrastructures et à consentir des prêts qui accroissaient la dette des pays pauvres. Bien qu'aucune délégation de protestataires n'ait été admise à plaider devant l'assemblée, le président japonais de la Banque, Tadao Chino, leur donna l'assurance écrite que l'ABD étudierait leurs revendications et les rencontrerait dans un avenir proche : Edwin Truman, le sous-secrétaire américain au Trésor chargé des affaires internationales, avait déclaré à ses collègues que la Banque devait trouver le moyen de se mettre à l'écoute des opinions publiques.

J5 (5 juin 2000, Québec)

L'Organisation des États américains est un forum de dialogue et de prise de décisions pour les trente-quatre pays que comptent l'Amérique du Nord et l'Amérique du Sud. Conçu à l'origine pour apporter la paix, la démocratie et la stabilité financière en Amérique latine, il s'est très vite vu reprocher son indulgence envers les dictatures et les violations des droits de l'homme. Plus récemment, il a reçu la mission de mener à bien l'unification économique des deux Amériques sur le modèle prôné par l'OMC : libre-échange et croissance sans frein. Ses réunions annuelles des ministres des Affaires étrangères des pays membres étaient jusque-là passées le plus souvent inaperçues, en dehors de quelques manifestations sporadiques de protestation en faveur des droits de l'homme.

Mais la réunion ministérielle de juin 2000 se situait dans la foulée des événements de Seattle et de Washington, et elle avait à son ordre du jour la préparation de la conférence du Free Trade Area of the Americas (FTAA) à Québec, en avril 2001, qui devait réunir les chefs d'État sur un programme d'extension du libre-échange dans les deux Amériques. La réunion de juin 2000 devenait de ce fait la nouvelle cible pour tous les mouvements antimondialisation du continent. Comme c'était le dixième anniversaire de l'adhésion du Canada à l'Organisation des États américains, Ottawa s'était affairé avec succès pour que la conférence ministérielle ait lieu à Windsor, dans l'Ontario, sur le cours d'eau qui réunit les lacs Saint-Clair et Érié, en face de Detroit.

Les organisateurs du mouvement de protestation avaient eu beau assurer à la police qu'il n'y aurait aucune violence et que la manifestation ne regrouperait pas plus de 6 000 personnes, le quotidien local, le *Windsor Star*, qui appartenait encore à l'époque au baron de la presse Conrad Black, connu pour ses opinions de droite, sut si bien terrifier ses lecteurs par des prédictions apocalyptiques sur les manifestations à venir que certains habitants de Windsor organisèrent des veillées de prière pour préserver la ville de ces déchaînements démoniaques. Le climat de peur était tel que les manifestants eurent du mal à trouver un gîte.

Toutes les délégations officielles étaient logées dans deux hôtels au bord de l'eau, et plusieurs immenses tentes avaient été dressées sur la plage pour abriter la conférence, entourées d'une puissante clôture dont les deux entrées étaient protégées par deux énormes blocs de béton déposés par une grue. Pour se rendre des hôtels aux tentes, des passages clôturés avaient été prévus. Les délégués travaillaient, mangeaient, dormaient et se détendaient dans une véritable forteresse protégée par 5 000 policiers appartenant aux forces locales, à la police provinciale de l'Ontario et à la police montée canadienne, ainsi que par une brigade d'agents de renseignement en civil envoyés de Toronto.

La police était rangée des deux côtés des clôtures et des agents équipés de jumelles étaient postés sur le toit des hôtels ; la police anti-émeute patrouillait dans les rues désertes du centre, les hélicoptères surveillaient toute la zone d'en haut : jamais de tels moyens d'intimidation n'avaient été déployés. Les mesures de sécurité étaient si draconiennes que nombre de délégués, y compris le Premier ministre canadien Jean Chrétien, durent être transportés jusqu'à la réunion en hélicoptère. De l'autre côté de l'eau, à Detroit, 4 000 policiers avaient été mobilisés pour surveiller un défilé de solidarité ; en outre, un arrêté municipal avait été promulgué, interdisant le port de masque à gaz ou de tout ce qui pouvait protéger le visage. Des deux côtés de la frontière, la police entendait bien empêcher des centaines de manifestants américains d'entrer au Canada.

Toute la semaine, les groupes et syndicats locaux organisèrent *teach-in*, table rondes, rassemblements et défilés. Selon les estimations, le nombre des protestataires allait de 5 000 à 8 000, il y avait donc presque un policier par manifestant (d'où de nombreuses plaisanteries sur le militant en quête de « son » flic). Comme promis, les manifestations se déroulèrent dans le calme, ce qui n'empêcha pas la police de déverser une quantité considérable de gaz au piment sur tous ceux qui approchèrent d'un peu trop près les clôtures : cette présence massive et ostentatoire de la police eut bel et bien pour effet de décourager de nombreux militants qui avaient décidé de venir. L'un d'eux disait : « Je regrette que la ville ait été bouclée par

les autorités. Quelle ironie que, pour empêcher un bouclage, ils aient dû en monter un ! »

J12 (12 juin 2000, Calgary)

Les médias n'avaient pas manqué de multiplier les
avertissements avant la tenue, en juin 2000, à Calgary, du
60ᵉ congrès international du Pétrole, manifestation
annuelle qui réunit plus de 2 200 représentants du secteur,
venus du monde entier. Bien que ce congrès n'eût jamais
attiré l'attention au même titre que les conférences
annuelles des grandes institutions internationales comme
l'OMC, il avait été décidé, cette fois, d'en faire la cible
d'une protestation, en raison de tout ce qu'on pouvait
reprocher à l'industrie pétrolière en matière de pollution,
de corruption et d'atteintes aux droits de l'homme.
Étaient prévus des *teach-in*, un défilé pacifique et
quelques manifestations de rues, mais les organisateurs
avaient fait savoir d'emblée que tout cela resterait
modeste. Ce qui n'empêcha pas Dan Gillean, membre du
groupe End of Oil (« Fin du pétrole ») de Calgary, de
déclarer : « J'ai comme dans l'idée qu'il va y avoir dans
les rues plus de policiers que de manifestants. »
Le *Calgary Herald*, autre quotidien de Conrad Black,
écrivait que les manifestants étaient là pour « empêcher
le congrès de se tenir » et prédisait que les adolescents de
la ville seraient utilisés comme « chair à canon » dans les
affrontements avec la police. Quant au *Calgary Sun*, il
voyait dans les protestataires des « groupes de mécontents
tapageurs » et proposait de leur faire payer les coûts de la
mobilisation policière. Du côté des gens du pétrole, on
mâchait encore moins ses mots : « Ce que j'aimerais,
c'est qu'on les arrête tous le jour de l'ouverture et qu'on

les expédie à Vancouver dans des camions », dit l'un d'eux, qui préféra rester anonyme. Quant au Premier ministre de l'Alberta, Ralph Klein, comme pour confirmer les soupçons des jeunes militants qui considèrent qu'une protestation n'est tolérée que si elle reste sans effets, il lança cet avertissement voilé : « Dites ce que vous avez à dire, d'accord. Mais n'allez pas vous mettre en travers de gens qui veulent faire ce qu'ils ont à faire. »

Une nouvelle fois, les mesures de sécurité prévues étaient excessives : la police locale, épaulée par des forces de la police montée canadienne amenées des quatre provinces de l'Ouest, avait été équipée de toute la panoplie anti-émeute – matraques, bombes à piment, grenades lacrymogènes, fusils à balles en caoutchouc, boucliers, gilets matelassés et menottes en plastique. Le 11 juin, les policiers anti-émeute en tenue noire se contentèrent de suivre le défilé officiel réunissant 2 000 personnes (à pied, à moto, à bicyclette, en voiture, en camion), mais le jour suivant ils passèrent à l'attaque contre environ 500 manifestants, à trois contre un. Il y avait aussi des policiers armés de fusil sur les toits et dans des hélicoptères. Randall Hayes, du Rainforest Action Network, a déclaré qu'à Calgary les policiers avaient été encore plus violents qu'à Seattle. Et, pour la plus grande honte du Canada, deux militants de la région de San Francisco qui devaient prendre la parole dans une réunion publique sur les droits de l'homme et les dommages causés à l'environnement par l'industrie pétrolière, deux hommes de couleur qui plus est, furent arrêtés à l'aéroport de Calgary dès leur débarquement, jetés en cellule pour la nuit et renvoyés dans leur pays le lendemain matin avec des fers aux mains et aux pieds.

J15 (15 juin 2000, Bologne)

Le 15 juin, quelque 500 jeunes se heurtent aux forces de l'ordre lors d'une manifestation antimondialisation à Bologne, où l'OCDE tient une réunion sur la place des PME dans l'économie planétaire. La police anti-émeute italienne a recours aux gaz lacrymogènes et aux coups de matraque contre les manifestants qui défilent dans la ville aux accents d'une musique de Beethoven, tandis que d'autres organisent un *sit-in*, bloquant toute la circulation au centre-ville. Cinq personnes sont blessées, et les habitants de Bologne joindront leurs voix à celles des militants pour dénoncer les brutalités policières.

Mais la manifestation aura tout de même eu un effet. Donald Johnston, le secrétaire général de l'OCDE, déclara qu'il cherchait le moyen d'associer les ONG aux travaux de son organisme, et le chef du gouvernement italien d'alors, Giuliano Amato, reconnut que la mondialisation posait des problèmes et que l'OCDE devait travailler à la réduction des inégalités : « Nous partageons le souhait des manifestants de voir les nouvelles technologies contribuer à la réduction du fossé entre riches et pauvres. » Une dizaine de jours plus tard, l'OCDE sera la cible d'une nouvelle manifestation contre la mondialisation lors de son assemblée annuelle à Paris, le 27 juin 2000, où les protestataires portaient des banderoles « OCDE = Organisation contre la démocratie et l'environnement ».

J31-A14 (31 juillet-14 août 2000, États-Unis)

Les militants de l'antimondialisation seront présents en force aussi bien à la convention des démocrates qu'à celle des républicains, tenues à l'été 2000 pour préparer l'élection présidentielle américaine de l'automne. Le message qu'ils voulaient faire passer était le suivant : les deux partis avaient beau se réclamer d'idéologies différentes, leurs programmes étaient presque identiques sur les questions cruciales du commerce, de la croissance économique et de l'environnement.

Que ce soit à Philadelphie, pour la convention républicaine à la fin de juillet, ou à Los Angeles, pour la convention démocrate en août, d'énormes mesures de sécurité avaient été prises. À Philadelphie, les forces de police (7 000 hommes) avaient reçu une dotation spéciale de 5 millions de dollars. Quant à la police de Los Angeles, elle se préparait à l'événement depuis plus d'un an et avait interdit à ses 9 600 agents de déposer une demande de congé pour cette période. Le FBI avait discrètement patrouillé dans le centre-ville, faisant sceller toutes les bouches d'égout et retirer des rues les boîtes aux lettres et les poubelles. Selon le mot d'un reporter, on aurait dit que la police de Los Angeles « attendait l'Armageddon[1] ».

Le lundi 14 août, le discours d'adieu du président Clinton est presque noyé sous des hymnes à l'antimondialisation montant d'un rassemblement autorisé, à proximité du Centre des conventions, joués par les musiciens du groupe Rage Against the Machine. Quand quelques provocateurs tout de noir vêtus lancent des bouteilles pardessus les barrières de sécurité, la police montée charge aussitôt, matraque brandie (bien des gens devront s'écraser contre des murs pour leur échapper) et en tirant des balles en caoutchouc. Le gaz lacrymogène et le gaz au piment ont tôt fait de remplir l'enceinte, et les journalistes

---

1. La bataille finale entre le Bien et le Mal, prélude à la fin du monde, selon l'Apocalypse (NdT).

présents rapporteront que les policiers à cheval avaient tapé au hasard sur les têtes et les colonnes vertébrales avec la dernière brutalité, tirant souvent dans le dos de ceux qui tentaient de s'enfuir (une petite fille de onze ans resta à terre). Et ceux qui s'attardaient pour aider les blessés recevaient aussi leur part de coups.

À l'intérieur du Centre des conventions, un président Clinton triomphant, convaincu d'avoir laissé en héritage un prétendu « miracle économique », souriait béatement aux vagues d'applaudissements prodigués par le segment de la nation américaine qui avait gagné à la loterie de la mondialisation économique : ses hourras noyaient à leur tour les hurlements qui montaient de la rue.

S11 (11 septembre 2000, Melbourne)

Le Forum économique mondial de Davos, ardent promoteur de la mondialisation libérale, qui réunit le gratin de l'économie mondiale, devait tenir son sommet annuel pour la région Asie-Pacifique à Melbourne, en septembre 2000, quelques jours avant les jeux Olympiques. Les magnats des médias Rupert Murdoch et Kerry Packer, associés à d'autres grosses pointures du monde des affaires australien, se préparaient à accueillir des sommités comme les présidents de Microsoft, Softbank et Siemens, tandis que la police de Melbourne s'équipait pour affronter les plus grandes manifestations de protestation qu'ait connues le pays depuis la guerre du Viêt-nam. Le jour de l'ouverture du Forum au casino Crown (qui perdra des millions de dollars dans l'affaire à cause de l'interruption des jeux), une foule d'au moins 10 000 manifestants encercle le bâtiment, bloquant toute circulation, et le chaos est tel dans le centre-ville que plusieurs centaines de participants au Forum ne seront pas en mesure de s'y rendre. Des dizaines de protestataires entourent la voiture du Premier ministre de l'État d'Australie occidentale, Richard Court, et crèvent ses pneus. Quant au Premier ministre australien, John Howard, il faudra le conduire au casino en bateau.

Le lendemain, la « bataille de Melbourne » se poursuivant, bien des participants au Forum et des journalistes doivent être hissés au-dessus des barrières métalliques pour accéder au casino, où les discours sont noyés par le vacarme des slogans hurlés par la foule au-dehors. Des escouades anti-émeute, matraque au poing, et quelques policiers à cheval lancent la charge vers la chaîne humaine, assommant ici, brisant les dents là. Trente-deux manifestants seront hospitalisés.

Une pause est négociée entre manifestants et autorités australiennes (furieuses que l'événement soit rapporté par tous les médias du monde quelques jours à peine avant l'ouverture des Jeux), mais les participants au Forum entendront tout de même ce que les protestataires avaient à leur dire, de la bouche de Vandana Shiva, une des figures de proue de la lutte contre les aliments génétiquement modifiés et l'un des rares représentants du mouvement citoyen à être invité. Devant le *Who's Who* du monde des affaires, dans le plus grand silence, elle lira le message ci-dessous, émanant des simples citoyens qui, à toutes fins utiles, les avaient empêchés de tenir leur Forum.

POURQUOI NOUS SOMMES ICI

Il y a bien des raisons à notre présence, mais notre préoccupation première est le pouvoir de plus en plus incontrôlé des entreprises transnationales, qui définissent le monde où nous devons vivre.

Nous rejetons l'argument des organisateurs de ce Forum selon lequel il ne serait pas un organe de décision. Il n'a pas besoin d'en être un pour peser sur nos vies et celles des peuples du monde. Il représente les intérêts des grandes entreprises, et non pas ceux des gens qu'elles emploient, des terres et des ressources qu'elles exploitent dans leur quête du profit. Nous sommes des enfants, des mères, des pères, des travailleurs, des chômeurs, des défenseurs de l'environnement, des croyants de diverses confessions et des représentants de peuples autochtones exploités.

Nous bloquons votre réunion parce que chacun, sur cette planète, a à souffrir de la mondialisation telle que le monde des entreprises la conçoit. Nous poursuivrons notre manifestation non violente aujourd'hui et nous serons de nouveau là demain. Nous sommes les représentants d'un mouvement mondial qui exige que la justice passe avant les profits. Nous n'avons aucune intention de quitter les lieux.

Signé : *Au nom des milliers de manifestants contre le Forum* ; suivait la signature des porte-parole des groupes protestataires.

S26 (26 septembre 2000, Prague)

Les assemblées annuelles de la Banque mondiale et du FMI devant se tenir à Prague en septembre 2000, les mesures de sécurité, mises au point des mois à l'avance, prévoyaient le déploiement de 11 000 policiers et de 1 600 soldats. Le président Vaclav Havel et le gouvernement tchèque, très inquiets, semblaient « se préparer à une guerre civile ». Désireux de trouver une solution pacifique, Vaclav Havel décide de réunir au château de Prague, dans les jours précédant l'événement, 300 représentants du FMI, de la Banque mondiale, des gouvernements et des ONG.

Pour tenter d'éviter les manifestations, les dirigeants des deux institutions internationales s'y livrent à un acte de contrition : le président de la Banque mondiale, James Wolfensohn, déclare qu'il partage les préoccupations des protestataires : « Quand les 20 % les plus riches de la population mondiale détiennent 80 % du revenu mondial, c'est que quelque chose ne va pas. » Quant au directeur du FMI, Horst Kohler, il concède que son institution doit « consentir au changement ». De son côté, le ministre canadien des Finances, Paul Martin, qualifie les protestataires de « sincères » et d'« alliés du Canada ».

Mais c'était trop peu, et trop tard. Bien que les forces de sécurité aient réussi à reconduire à la frontière des milliers de militants, il en restait quand même plus de 15 000 (fédérés par le groupe Initiative Against Globalization) pour défiler dans Prague, devant une haie de canons à eau, de chiens policiers et de bombes fumigènes. La grande majorité des manifestants se conduisit pacifiquement, mais une poignée d'entre eux transforma en champ de bataille le centre historique de Prague et ses rues pavées. Les McDonald's du quartier et une concession Mercedes-Benz furent saccagés, et un strict couvre-feu fut imposé au quartier qui entoure la place centrale de la ville. Les blessés se comptèrent par dizaines des deux côtés, et les délégués restèrent bloqués des heures dans leurs hôtels ou sur le chemin de leur réunion. Quelques ministres des Finances durent se contenter de tête-à-tête dans des chambres d'hôtel et la plupart s'en allèrent très vite.

À la tête de centaines de manifestants équipés de masque à gaz, des militants italiens affiliés au groupe Ya Basta ! réussiront malgré tout à atteindre le Palais de la Culture, très fortement gardé, où les deux assemblées devaient se dérouler. Il faudra utiliser des ambulances municipales aux vitres teintées pour en faire sortir nombre de délégués. Un haut responsable de la Banque mondiale, qui souhaite que son nom ne soit pas cité, racontera à l'un des manifestants, l'économiste Walden Bello, que la protestation avait totalement dominé leurs délibérations et même les conférences de presse, puisque les délégués étaient obligés d'argumenter contre des journalistes qui demandaient si la Banque mondiale et le FMI n'étaient pas des institutions périmées. (Il avouera aussi que, si la plupart des délégués avaient quitté une réunion désormais « inutile », c'était pour se rendre à une bonne quinzaine de « réceptions vraiment très somptueuses » données par des banques privées, « événements majeurs de la conférence ».)

Les présidents du FMI et de la Banque mondiale s'empressent de clore les débats, un jour plus tôt que prévu, et la plupart des délégués quittent Prague dans des métros réquisitionnés : toutes les rues et autoroutes pour sortir de la ville sont bloquées. L'ironie de la situation n'a pas échappé aux manifestants. Une cinéaste sympathisante du mouvement se retrouve par hasard assise dans ce métro à côté du président de la Banque mondiale et lui demande : « Maintenant que vous utilisez les transports en commun, allez-vous continuer à obliger les pays du tiers-monde à réduire les leurs ? » Des gardes du corps l'éloignent aussitôt tandis que Wolfensohn murmure : « Qu'on me laisse souffler ! »

Quelque 900 personnes, dont 300 n'étaient pas tchèques, se retrouveront dans les prisons de la ville, alors que seule une poignée de manifestants avait fait l'objet d'une arrestation en bonne et due forme. À cette grave entorse à la légalité s'ajouteront bien des brutalités policières contre les militants incarcérés, racontées par les journalistes locaux et les personnes concernées. Paul Rosenthal, de Seattle, restera quarante heures dans la prison Olsanska : « Ce qui s'est passé à l'intérieur des prisons tchèques est plus qu'effrayant. Des femmes ont été contraintes de se déshabiller devant des gardiens mâles et de faire de la gymnastique. Des gens qui avaient de graves problèmes de santé se sont vu refuser tout soin. » On cite le cas de vingt-deux personnes entassées pendant trente-six heures dans une minuscule cellule. Souvent, les militants incarcérés n'ont eu droit à aucune nourriture ou boisson, ils étaient empêchés de dormir, et plusieurs témoignages font état de brutalités, de jambes cassées et de violences sexuelles.

Quelques jours après l'envol des délégués, les protestataires publient la Déclaration de Prague : tout en reconnaissant qu'une poignée d'entre eux s'étaient livrés à des provocations, ils condamnent « la terreur psychologique, la répression physique et l'absence de sang-froid de la police tchèque. Nous sommes notamment très préoccupés par les brutalités attestées dont ont été victimes les manifestants incarcérés ». La déclaration se poursuit par une revendication de victoire pour le mouvement antimondialisation (ce que ni la Banque mondiale ni le FMI n'ont nié) : « Nous sommes convaincus que l'annulation de la séance de clôture constitue, de la part de ces deux institutions, un aveu de leur manque de crédibilité. Confrontés à la vigoureuse protestation d'organisations comme les nôtres, et à notre refus d'accepter les beaux discours vides sur la "réduction de la pauvreté" et l'"allégement de la dette" qu'ils nous opposent quand nous les accusons d'être responsables de plusieurs décennies de méfaits économiques, ils ont eu la sagesse, tardive, de préférer le silence à de nouveaux mensonges. »

D6 (6 décembre 2000, Nice)

Près de 100 000 militants appartenant à des organisations syndicales ou à des associations de lutte contre la mondialisation s'abattirent sur Nice le 6 décembre 2000, à l'occasion d'un sommet européen dont l'ordre du jour prévoyait la mise au point d'une nouvelle configuration des pouvoirs dans l'Union européenne, en prévision de l'adhésion de douze nouveaux membres : beaucoup pensaient, à juste titre, que l'Union européenne allait profiter de l'occasion pour imposer aux plus petits États membres des mesures de libéralisation des échanges et de privatisation accrues, et en rabattre sur ses engagements antérieurs en faveur de normes sociales et environnementales communes à tous.

C'était la plus grande manifestation internationale de protestation à ce jour. La France, l'Espagne et l'Italie avaient fourni les plus gros contingents de protestataires, souvent vêtus de pèlerines de plastique brillant et de casquettes de sport fournies par leurs syndicats et portant leur sigle (la CGT française, les Commissions de travailleurs espagnoles, la CGIL italienne). On y trouvait des ouvriers et des jeunes de tous les pays d'Europe et une délégation importante d'ATTAC, association française contre la mondialisation en passe de prendre une dimension planétaire (voir p. 352). La Confédération des syndicats européens, habituellement conservatrice, soutenait l'opération, et c'est elle qui s'était occupée de réserver des centaines de trains, de cars et d'avions pour acheminer les manifestants venant de toute l'Europe.

Dix mille policiers étaient sur la brèche depuis des jours. Un train transportant 1 200 manifestants sera intercepté par les polices française et italienne à la frontière, et les manifestants riposteront en bloquant le trafic ferroviaire entre les deux pays pendant plusieurs heures. Des dizaines d'hélicoptères survolaient la région, les voies de circulation avaient été détournées pour créer un vaste périmètre de sécurité autour des hôtels et du Centre des conférences, des voitures de pompiers et des grues bloquaient certaines artères. Les blessés seront nombreux, aussi bien du côté de la police que des manifestants, dont plusieurs seront arrêtés.

Une manifestation de solidarité se tenait à Paris en ce même 6 décembre, et l'on vit le ministre français de l'Agriculture, Jean Glavany, quitter précipitamment une réunion à huis clos avec le commissaire européen à l'Agriculture, Franz Fischler, et le directeur général de l'OMC, Michael Moore, pour venir présenter ses excuses au fameux José Bové que la police venait d'empêcher de se joindre aux manifestants.

J27 (27 janvier 2001, Davos)

Chaque année, quelque 2 500 grands patrons et hommes politiques du monde entier se réunissent dans la station de sports d'hiver de Davos, en Suisse, pour bavarder, dîner, skier et faire avancer de façon informelle leur programme d'action : c'est le Forum de l'économie mondiale. Pour sa réunion annuelle du 27 janvier 2001, un millier de manifestants s'étaient invités, qui durent affronter 3 000 policiers et soldats à la main lourde (la plus grosse opération de sécurité montée en Suisse depuis la Seconde Guerre mondiale). Les mesures prises pour la protection du Forum étaient si sévères, et la dispersion de la manifestation si brutale (même si certains militants réussirent quand même à faire du ski sur ces pistes si élégantes où ils furent promptement arrêtés), que la manifestation se transportera à Zurich. La bataille y durera deux jours, entre des forces policières équipées de canons à eau et d'une énorme quantité de gaz lacrymogènes, et des manifestants qui brisent des vitrines, renversent des voitures et écrivent leurs slogans un peu partout. Des dizaines de personnes sont blessées, 121 sont arrêtées.

La presse suisse et européenne condamna ouvertement la réaction de la police suisse, trop violente et prompte à chercher la confrontation. « Des méthodes policières dignes d'une dictature », titrait le *SonntagsBlick*. « Les opposants à Davos ont gagné, en dépit de la police », lisait-on dans *Dimanche*. « L'esprit de Davos suffoqué par les gaz lacrymogènes », proclamait le très respecté *Sonntagszeitung*. La condamnation sera encore plus sévère quand on apprendra que la police était prête à répandre du fumier liquide sur les manifestants, mais que les paysans locaux avaient refusé de le lui fournir, par solidarité avec les protestataires. Le célèbre financier George Soros déplorera que l'« esprit de Davos », qui avait besoin du plus grand calme, ait été détruit.

Le Forum économique mondial se réunit à nouveau un mois plus tard à Cancun, au Mexique, où l'attendaient plusieurs centaines de manifestants. La police anti-émeute, au cri de « Viens ici, espèce de chien ! », chassa à coups de matraque les protestataires qui demandaient que la réunion traite aussi du problème de la pauvreté au Mexique et dans le monde. Des ambulances emportaient les manifestants blessés tandis que des navires de guerre américains montaient la garde dans le port.

M17 (17 mars 2001, Naples)

Près de 30 000 manifestants et chômeurs affrontent 6 000 policiers puissamment armés, le 17 mars 2001, dans le cœur de Naples, alors que toute manifestation pacifique a été interdite pendant les cinq jours que doit durer le Forum planétaire, réunion de grosses pointures de la politique, de la finance et de la technologie appelées à débattre du rôle de l'Internet dans la gouvernance. Il y avait là le président du Conseil italien, Giuliano Amato, de hauts fonctionnaires de la Banque mondiale et du FMI, et les patrons de dizaines d'entreprises transnationales. Au centre de la ville, un périmètre d'un kilomètre carré avait été entouré de barrières métalliques, protégées par des escouades de véhicules anti-émeute. Il y aura plus de 200 blessés, dont la moitié du côté des forces de police, et 16 manifestants seront arrêtés.

Organisateurs de la manifestation, hommes politiques et associations de parents ont accusé la police d'avoir perdu son sang-froid. Des vidéos tournées par les organisateurs montrent des manifestants frappés à coups de pied et de matraque par une police à laquelle on imputera également des violences contre des journalistes ou des cameramen de la télévision, et, par erreur, contre deux agents en civil. « Le sous-commandant Marcos a eu moins de mal à atteindre Mexico que ces gosses à arriver jusqu'à la place du Plébiscite », dira le père Vitaliano Della Sala, un prêtre qui avait participé à la fois à la marche zapatiste et à cette manifestation de Naples.

A21 (21 avril 2001, Québec)

Le 21 avril 2001, quelque 80 000 manifestants défilent dans les rues pavées du Vieux Québec pour dire à quel point ils sont mécontents de leurs dirigeants : l'occasion saisie est le sommet des 34 chefs d'État ou de gouvernement d'Amérique du Nord et du Sud, dont l'objectif est d'accroître l'unification économique des deux parties du continent et de consolider l'emprise des entreprises transnationales américaines sur l'Amérique latine. La question clé est l'extension de l'ALENA à tous les autres États américains (Cuba exceptée).

Les manifestants réclamèrent d'abord que le texte du projet de traité soit rendu public. Une rumeur voulait que le futur FTAA (Free Trade Area of the Americas) contienne, comme son prédécesseur, la clause scélérate de « l'investisseur-État » qui autorise les entreprises à poursuivre directement en justice les gouvernements pour dommages et intérêts s'ils promulguent des lois qui les priveraient d'une possibilité de profit. On craignait aussi un accord entièrement nouveau sur les services (soins médicaux, services sociaux, enseignement, fourniture de l'eau, etc.) qui les soumettrait aux règles de la libéralisation du commerce.

Les autorités avaient fait édifier tout autour du centre de Québec une clôture alliant béton et grillage aussitôt baptisée « mur de la honte », et organisé la plus grosse opération de sécurité en temps de paix de toute l'histoire canadienne : 6 000 policiers, des milliers de soldats, des chars d'assaut, des fusils à balles en plastique, d'énormes quantités de gaz lacrymogène et de gaz au piment. On avait même été jusqu'à vider une prison pour y enfermer les manifestants arrêtés.

La réunion des chefs d'État avait été précédée d'un Sommet des peuples, sous l'égide de l'Hemispheric Social Alliance et de son homologue canadienne, Common Frontiers. Ses 3 500 délégués avaient pu participer à des dizaines d'ateliers, de tables rondes et de forums de discussion sur tous les problèmes de droits sociaux, humains, culturels et environnementaux que posait le projet de FTAA. Et voilà qu'au cours de la semaine les organisateurs du Sommet des peuples mettent la main, grâce à une fuite, sur le chapitre du projet de traité qui traitait des investissements : contrairement aux promesses du gouvernement canadien, il contenait bel et bien la clause de « l'investisseur-État ». Le document est aussitôt communiqué à la presse, et l'on ne se fait pas faute de souligner que, si le gouvernement canadien, qui prétendait qu'il refuserait un traité contenant cet article, mentait avec une telle effronterie, il y avait de fortes chances qu'il soit tout aussi malhonnête quand il déclarait que l'accord n'inclurait pas les services.

Tandis que se déroulait le Sommet des peuples, une action directe se préparait, dirigée avant tout contre le « mur », symbole détesté de la répression gouvernementale et de l'exclusion des protestataires. Action directe et désobéissance civile non violente sont devenues une composante de ces événements partout où ils ont lieu, et elles sont surtout le fait de jeunes militants.

Depuis des mois, les militants canadiens se demandaient comment traiter ces deux actions parallèles. Beaucoup s'alarmaient qu'une petite fraction pût verser dans le vandalisme et la violence, condamnés vigoureusement par la majorité. Tout le problème était de savoir comment appuyer les milliers de jeunes qui comptaient aller prendre position devant le mur, face à d'énormes forces de police, tout en défendant le principe de la non-violence. À quoi s'ajoutait une autre difficulté : le défilé autorisé pour la journée du samedi devait se dérouler à quatre kilomètres du mur, laissant seuls les manifestants qui se trouveraient dans ses parages.

La ville était plus ou moins divisée en trois catégories de zones de manifestation, verte, jaune, rouge. Les zones vertes étaient celles des artères autorisées, loin du mur, où les manifestants ne risquaient rien. Les zones rouges étaient celles où la police allait évidemment intervenir, et les zones jaunes occupaient une position intermédiaire entre les deux. Le matin du 20, près de 3 000 jeunes, dont beaucoup équipés pour l'attaque, quittent l'université Laval pour se rendre au mur. Au bout d'une demi-heure, une brèche est ouverte dans l'enceinte et des nuages de gaz lacrymogènes s'élèvent. Les catégories « vertes » et « jaunes » perdent alors toute pertinence : quiconque manifeste pacifiquement dans cette partie de la ville est exposé au tir de balles en caoutchouc, aux canons à eau et aux impitoyables gaz lacrymogènes.

Le samedi 21, au matin, la grande majorité des 80 000 militants venus pour manifester se regroupe pour le défilé pacifique loin du mur, mais bon nombre d'entre eux retournent au mur avec l'intention d'y veiller toute la nuit. Aux premières heures de l'aube, la police lance une vaste offensive aux gaz lacrymogènes contre ces milliers de protestataires (5 000 bombes lacrymogènes seront lancées directement sur la foule). Près de 600 personnes sont arrêtées, dont certaines sont embarquées par des policiers dans des camionnettes civiles et emprisonnées dans les conditions les moins hygiéniques, entassées dans de minuscules cellules sans toilettes et privées de toute nourriture. On cite même le cas de femmes déshabillées et arrosées de désinfectant par des gardiens mâles. Bien des gens du quartier auront aussi à subir les gaz lacrymogènes et les balles en caoutchouc perdues.

Une semaine plus tard, une vaste enquête d'opinion sera menée au Québec pour mesurer l'évolution de l'opinion avant et après le sommet : le pourcentage des partisans de l'ALENA et du FTAA a chuté de 20 % !

M1 (1ᵉʳ mai 2001)

Les manifestations du 1ᵉʳ mai 2001 ont réuni des centaines de milliers de participants dans toute l'Europe, lesquels ont dû eux aussi affronter gaz lacrymogènes, canons à eau et chiens policiers. En Allemagne, malgré la mobilisation de 9 000 policiers, l'affaire tourne à la bataille rangée. Dans plusieurs villes françaises, les défilés avaient pour thème la protestation contre d'importantes vagues de licenciements opérées par des entreprises transnationales. Dans la capitale autrichienne, une manifestation réunit au moins 100 000 personnes réclamant une meilleure sécurité de l'emploi. À Londres, dans le quartier commerçant d'Oxford Street, se déroule une confrontation particulièrement vicieuse entre 5 000 manifestants et plus de 10 000 policiers avec tout leur harnachement, lesquels ont recours à une tactique de division : policiers à pied et agents à cheval encerclent de petits groupes et les bloquent sous la pluie pendant sept heures.

Au Bangladesh, des milliers d'ouvriers se répandent dans les rues de Dacca pour réclamer un salaire minimum garanti et de meilleures conditions de travail. À Taiwan, près de 20 000 travailleurs défilent dans les rues de Taipei derrière des bannières « Donnez-moi du travail ».

M9 (9 mai 2001, Honolulu)

L'Asian Bank of Development (ABD), qui se souvenait du mauvais accueil que lui avaient réservé les Thaïlandais l'année précédente, avait décidé de tenir sa réunion de 2001 (du 7 au 10 mai) à Honolulu, car le gouverneur d'Hawaï, Ben Cayetano, avait donné l'assurance que la ville était un lieu parfaitement sûr : les États-Unis y disposent d'une grande base navale (Pearl Harbor), et il serait très coûteux aux militants de rallier l'île.

Le millier de manifestants pacifiques qui se réunissait pour un meeting, suivi d'un défilé, avait devant lui des forces de sécurité aussi importantes qu'à Prague ou à Québec : cinq policiers par personne. Des arrêtés municipaux spéciaux avaient donné à la police le droit de restreindre les déplacements des gens d'Honolulu, notamment les sans-abri et les indigènes (le département de police d'Honolulu reconnaîtra que le coût de toutes ces mesures de sécurité approchait les 7 millions de dollars).

Le président de l'ABD, Tadao Chino, se sent malgré tout obligé de quitter un moment la réunion pour recevoir une délégation conduite par Walden Bello, de Focus on the Global South, qui lui remet une pétition réclamant de profonds changements dans la politique de la banque. Mais grâce au déploiement d'énormes forces de sécurité, la réunion se déroule sans être interrompue. Les autorités locales, gouverneur en tête, ne se font pas faute de crier victoire : il est désormais démontré qu'Honolulu peut devenir la « Genève du Pacifique ».

J7 (7 juin 2001, Bogota)

Pour protester contre une réunion de travail entre leur gouvernement et le FMI (sur la question des coupes budgétaires imposées par le second), des dizaines de milliers de Colombiens envahissent les rues de Bogota le 7 juin 2001. Ce défilé se voulait pacifique (comme ceux qui ont lieu simultanément dans d'autres villes), mais il y aura çà et là quelques affrontements violents. Les manifestants s'en prenaient particulièrement à un projet de loi visant à réduire les dépenses de santé et d'enseignement : près de 300 000 enseignants et 125 000 employés du secteur médical public étaient en grève ouverte ou perlée, et nombre d'entre eux s'étaient joints aux manifestants.

J15 (15 juin 2001, Göteborg)

L'été 2001 aura été chaud, long et violent en Europe. Divers camps de formation avaient été organisés pour préparer les militants à plusieurs mois de « saute-sommets », une série de confrontations avec la police d'une conférence ministérielle à l'autre. Entre chaque événement, les groupes organisaient en outre des camps de formation spécifiques. Il y en aura sept en tout cet été-là, en Espagne, Slovénie, Pologne, Allemagne, Russie et Italie.

Lors du sommet européen de Göteborg, en Suède, le 15 juin, la police utilise pour la première fois en Europe de vraies balles contre les manifestants. (Ce même mois, au cours d'une manifestation pacifique contre la Banque mondiale et le FMI, la police de Papouasie-Nouvelle-Guinée tirera sur 17 étudiants, faisant trois morts.) Bien que les autorités locales aient fait bloquer les principales artères de la ville avec de gros conteneurs, la police, forte seulement de 2 000 hommes, n'était pas préparée à affronter 20 000 manifestants et 200 à 300 militants, organisés en cellules d'action directe, qui se coordonnaient entre eux avec un parfait professionnalisme. C'est ce qui explique que les forces de l'ordre aient perdu leur sang-froid. Au cours des deux journées de manifestations,

77 protestataires sont blessés et plus de 500 arrêtés, dont beaucoup venant d'autres pays européens.

À la tombée de la nuit, le vendredi, une fête de rue organisée sur le thème « Reconquérir la ville » réunit un millier de jeunes, qui ne font que danser, quand soudain la police attaque, avec chevaux, chiens et matraques : un petit nombre de jeunes ripostent par des jets de pierres, et plusieurs policiers dégainent alors leur pistolet chargé de balles réelles et ouvrent le feu sur la foule. Un Allemand et deux Suédois sont gravement blessés, et Hannes Westberg, âgé de dix-neuf ans, frappé à l'abdomen, y perdra la rate et un rein.

À Barcelone, le 22 juin, l'annulation par la Banque mondiale de la conférence économique qu'elle comptait tenir dans cette ville n'empêche pas les forums de discussion et manifestations prévus d'avoir lieu. Des policiers en civil se glissent dans la queue du défilé et entreprennent de briser des vitrines et d'attaquer des policiers en uniforme pour les pousser à des représailles contre les manifestants et les journalistes. Bilan : 32 blessés. À Salzbourg, le 1er juillet, une nouvelle réunion européenne, à l'invitation du Forum économique mondial et présidée par le milliardaire George Soros, attire des milliers de manifestants venus de partout, mais quelque 5 000 policiers veillent, et la réunion se passe sans incident.

J20 (20 juillet 2001, Gênes)

Rien jusque-là n'avait préparé l'Europe ni le monde aux violences qu'allait connaître Gênes, fin juillet, à l'occasion de la réunion annuelle du G-8. Environ 250 000 manifestants venus du monde entier étaient attendus et devaient participer à des défilés et à des meetings organisés par le Forum social de Gênes. Le nouveau chef du gouvernement italien, le magnat des médias Silvio Berlusconi, très pro-américain, qui avait beaucoup agité le thème de la sécurité au cours de sa campagne électorale, avait tout fait pour entretenir un climat de peur : des sacs pour cadavres avaient été stockés et des missiles étaient déployés dans les environs de la ville. La tension était déjà forte le vendredi, quand la foule des manifestants commença à se réunir aux abords de la « zone rouge », le quartier où devait se dérouler le sommet, bouclée par la police et par des grillages deux fois plus hauts que le « mur » de Québec.

Ce qui s'est passé ensuite a été raconté par de nombreux manifestants placés aux premiers rangs. Des petits groupes d'individus arborant la tenue sombre des anarchistes du Black Block apparaissent du côté des forces de police et entreprennent de casser tout ce qu'ils peuvent. Suivis par les policiers à une distance raisonnable, ils sont des centaines d'émeutiers en noir, armés jusqu'aux dents, qui tentent de chasser, par la terreur, des manifestants pacifiques stationnés dans différentes parties du centre-ville, et certains s'en prennent physiquement à l'un des dirigeants syndicaux locaux.

Après cette attaque du Black Block, les manifestants subissent celle des policiers qui laissent les individus en noir libres de poursuivre leurs violences : 400 d'entre eux environ se livrent à un saccage systématique de toutes les rues où ils passent, tandis que la police, prenant prétexte de leur violence, commence à répandre des gaz lacrymogènes sur les principales places en tirant ses grenades dans le dos des manifestants. Des centaines de personnes doivent être conduites à l'hôpital, où elles sont aussitôt arrêtées. La présence d'individus parlant allemand, habillés de noir et apparemment en excellents termes avec la police, a été confirmée par plusieurs des personnes interpellées.

C'est dans ce climat de terreur qu'un jeune garçon de dix-huit ans, Carlo Giulani, est tué d'une balle dans la tête par un agent des forces auxiliaires âgé de vingt ans à qui l'on avait donné une arme à balles réelles. Le véhicule d'où il a tiré fait ensuite marche arrière, passant ainsi sur le corps de la jeune victime. Terrifiés, les manifestants fuient le lieu du drame. Cette nuit-là, plusieurs locaux où dorment les manifestants sont investis par des policiers qui distribuent des coups de matraque, en espérant une réaction.

La bataille de rue fait rage toute la journée de samedi, et il y a encore des centaines de blessés. Les combats se déroulent dans plusieurs endroits de la ville, loin du quartier historique où se tient le sommet. Des nuages de gaz lacrymogènes flottent au-dessus de Gênes, car la police envoie ses grenades du haut des toits. Un simple passant peut être attaqué à coups de matraque. Les individus en cagoule du Black Block (ou ceux qui se prétendent tels) se montrent à nouveau, attaquant au hasard les militants pacifiques, avant de disparaître : personne ne tente de les arrêter. Du haut de leurs véhicules, les policiers hurlent aux manifestants : « Nous vous tuerons tous ! »

Tard ce soir-là, des centaines de policiers lancent une attaque surprise contre le centre de presse du Forum social de Gênes, détruisant les ordinateurs et les caméras et confisquant les photos ou vidéos des événements de la journée. Ils alignent les personnes présentes contre un mur et les battent jusqu'à ce que le sang coule. Marcus Sky Covell, un expert de l'Internet venu de Grande-Bretagne pour donner un coup de main, se retrouve dans la rue, avec plusieurs fractures et les poumons pleins de sang.

Vers deux heures du matin, au moins quatre véhicules de la police anti-émeute envahissent une école où plusieurs jeunes manifestants sont hébergés. En jaillissent des policiers qui s'attaquent aussitôt à toute personne rencontrée dans la cour. Un journaliste anglais, John Elliott, est battu par deux d'entre eux à coups de matraque avant d'être traîné jusqu'à une voie de chemin de fer voisine, où on l'oblige à poser la tête sur un rail pour le frapper à coups de pied jusqu'à ce qu'il s'évanouisse. À l'intérieur de l'école, les policiers ordonnent aux jeunes de s'aligner contre le mur et les battent jusqu'au sang. Après leur passage, on trouvera sur le sol des excréments humains et des dents cassées. Des ambulanciers viennent chercher les jeunes blessés qu'ils sortent sur des civières. À l'hôpital San Martino, le plus grand de la ville, le chef du service des urgences, le docteur Roberto Papparo, déclare que si ces blessés n'avaient pas été transportés à temps à l'hôpital, la plupart d'entre eux seraient morts.

Ces jeunes blessés restent quelques jours à l'hôpital, sous haute surveillance, et dès qu'ils sont capables de tenir debout, on les transfère dans des prisons locales où ils passeront plusieurs jours, dans des cellules glaciales, avec des couvertures en nombre insuffisant pour tout le monde et très peu de nourriture ou d'eau. Un policier qui regrette d'avoir participé à ces brutalités racontera plus tard à un journaliste du quotidien *La Repubblica* que les jeunes arrêtés à l'école et non transférés à l'hôpital avaient été conduits à la prison de Bolzaneto, vidée depuis quelques jours : « On les obligeait à rester debout le long d'un mur, puis on leur cognait la tête contre la paroi, on leur pissait dessus, et s'ils refusaient de chanter

Facceta nera, un chant fasciste, on les battait. Un fille saignait sans que personne n'intervienne. Les policiers menaçaient les filles de les violer avec leurs matraques. »

Parmi les manifestants venus à Gênes se trouvait une Argentine du groupe des « mères de la place de Mai », qui n'ont toujours aucune nouvelle de leurs enfants « disparus » dans les purges sanglantes de la dictature argentine. Ce qu'elle a vu à Gênes l'a bouleversée et lui a rappelé les jours les plus noirs de la répression à Buenos Aires.

N9 (9 novembre 2001, Doha)

Après l'échec monumental de la conférence ministérielle de l'OMC à Seattle (décembre 1999), les puissants membres du *QUAD* (États-Unis, Union européenne, Japon et Canada) étaient désespérément en quête d'un accord sur un nouveau round de négociations, et c'est le but qu'ils assignèrent à la 4e conférence ministérielle prévue à Doha (Qatar) du 9 au 13 décembre 2001. Si ce petit émirat pétrolier au bord du golfe Persique avait été choisi, c'était avant tout parce qu'après Seattle rares étaient les pays prêts à accueillir la conférence. Mais l'intolérance dont font constamment preuve les autorités du Qatar à l'égard de toute opposition politique pouvait aussi aider l'OMC à étouffer la voix de la société civile.

Il avait été décidé que seules 600 ONG (dont 400 étaient en fait des *lobbies* patronaux) auraient le droit d'être représentées à Doha, et encore par un unique délégué. Le coût prohibitif du voyage réduisit encore ce nombre et, au final, 100 délégués seulement se rendirent à Doha, où ils furent logés dans des hôtels abordables, mais loin du centre des conférences, pour gêner leurs tentatives d'approche des négociateurs. La conférence elle-

même se tint dans une salle luxueuse du Sheraton Doha
Resort, établissement cinq étoiles en forme de pyramide
et tout doré, dominant une palmeraie, d'immenses pis-
cines et l'azur du golfe Persique.

Les représentants des ONG avaient à cœur de tirer le
meilleur parti possible de cette situation difficile. Nombre
d'entre eux s'étaient déjà connus au sein du mouvement
Our World is Not For Sale (« Notre monde n'est pas à
vendre »), et ils avaient élaboré ensemble la déclaration
WTO Sink or Skrink (« OMC, la soumettre ou la supprimer ») et une position commune sur les questions de propriété intellectuelle. On y trouvait des militants aussi
célèbres que Martin Khor, Vandana Shiva, Walden Bello,
José Bové, Lori Wallach et Mark Ritchie, ainsi que des
représentants des principales associations de défense de
l'environnement comme les Amis de la Terre et Greenpeace, des groupes issus du tiers-monde comme le Third
World Network, Focus on the Global South, Via Campesina et Action Aid, des représentants du monde syndical
comme la Confédération internationale des syndicats
libres et Public Services International, ainsi que des mouvements d'aide au développement comme Oxfam et le
Conseil canadien pour la coopération internationale.

Dès le début, ils constituèrent une solide équipe dont
le mandat était de soutenir les délégués du tiers-monde
face au comportement brutal du Nord et de faire savoir à
leurs mandants restés dans leurs pays, par l'Internet ou
par les médias, ce qui se passait à Doha. En dépit d'importantes forces de sécurité (10 000 policiers) et de
sévères restrictions locales à toute démonstration d'opposition politique, ils réussiront à monter des manifestations
et des spectacles devant le lieu même de la conférence,
ce qui leur vaudra une énorme couverture médiatique,

surtout au Moyen-Orient et dans les pays en voie de développement.

Plus important encore, ils seront en mesure de témoigner des manœuvres (coercition, corruption, intimidation) auxquelles certains se livreront tout au long de cette semaine si intense. Les délégués des pays pauvres s'entendaient dire qu'ils allaient « gâcher » la convalescence de l'économie mondiale s'ils refusaient d'accepter l'ambitieux programme de négociations proposé par le Nord (sur l'investissement et les marchés publics), et on les voyait céder un par un. Néanmoins, avec l'aide des ONG présentes ou lointaines, le Brésil et l'Inde réussiront à obtenir le droit de tourner le règlement de l'OMC sur les brevets pharmaceutiques au profit des victimes du sida, de la tuberculose et d'autres maladies dans le tiers-monde. Petite victoire pour une rude semaine.

Simultanément, un peu partout dans le monde, 300 000 personnes auront participé à des défilés et à différentes actions pour dire leur solidarité avec les ONG présentes au Qatar et faire connaître leur totale opposition à la politique de l'OMC. Leurs interventions, passionnées et pleines de créativité, prouvent que les institutions comme l'OMC ont beau chercher à échapper à la vigilance critique des opinions publiques, elles ne peuvent, au bout du compte, rester cachées. Le mouvement de résistance issu de la société civile est désormais trop fort et trop expérimenté pour disparaître.

Conquérir les cœurs et les têtes

Une fois dissipée la fumée de chacun de ces combats épiques, chaque camp se retire dans son coin pour prendre la mesure de ce qui s'est passé et, plus important encore, pour jauger la réaction des opinions publiques. Car ce mouvement citoyen est avant tout une bataille contre les forces dominantes de la mondialisation économique pour gagner le cœur et la tête des citoyens ordinaires de par le monde.

Dans un article rédigé après Seattle et titré « Groupes de citoyens : l'ordre non gouvernemental », le magazine *The Economist,* connu pour ses positions conservatrices, reconnaissait que « les gouvernements nationaux n'ont plus un monopole de l'information ni une emprise sans égale, comparés aux grandes entreprises et à la société civile [...]. Si le pouvoir des ONG s'est accru avec la mondialisation, qui a perdu d'autant ? ». L'éditorialiste ne disait cependant rien sur les implications de ce pouvoir accru des entreprises transnationales, et, dans un précédent article, il avait décrit les manifestants de Seattle comme « des cancres militants [exhibant] leur ignorance par les rues ».

À propos de ce qu'il y avait dans les cœurs et dans les têtes des citoyens ordinaires, une enquête d'opinion publiée dans le numéro de septembre 2000 de *Business Week* donnait un premier aperçu, souvent stupéfiant : alors que nombre d'Américains créditaient les entreprises privées de leur capacité à créer des richesses et des emplois, une fraction étonnamment importante d'entre eux étaient également préoccupés par l'« insensibilité » manifestée par le monde des affaires. Dans son article de couverture, intitulé « Trop de pouvoir des entreprises ? », le magazine rapportait que seules 47 % des personnes interrogées pensaient que ce qui était bon pour les entreprises l'était également pour l'Amérique ; 66 % estimaient que les grosses sociétés se préoccupaient davantage d'engranger des bénéfices que de mettre au point des produits sûrs auxquels les consommateurs pourraient faire confiance ; pour 72 % d'entre eux, le monde des affaires avait trop de pouvoir sur trop d'aspects de la vie américaine ; 73 % considéraient comme excessives les rémunérations des dirigeants de sociétés (salaires et stock-options) ; enfin, 74 % pensaient que les grandes entreprises avaient trop d'influence sur la politique. À la question : « Pensez-vous que les entreprises doivent avoir un seul objectif, dégager les plus gros bénéfices possibles pour leurs actionnaires, ou plus d'un objectif, en reconnaissant qu'elles doivent aussi quelque chose à leurs employés et aux communautés à l'intérieur desquelles elles opèrent ? », 95 % avaient choisi la seconde réponse !

Business Week soulignait également que la même attitude s'observait à l'égard de l'autre pilier de la mondialisation, le libre-échange. Mais, dans ce cas, nous disposons d'une autre enquête menée aux États-Unis par le Pew Research Center, laquelle montre que les réponses se répartissent selon les classes : dans les ménages dont le revenu annuel est inférieur à 50 000 dollars, seuls 37 % sont favorables au libre-échange mondial, alors que le pourcentage est de 63 % dans les ménages dont le revenu est supérieur à 75 000 dollars. Au Canada, des enquêtes récentes ont confirmé le déclin de l'adhésion de la population au libre-échange : une enquête d'Environics de janvier 1999 montre que les Canadiens, toutes provinces confondues, considèrent que l'ALENA a fait plus de mal que de bien, et une autre enquête, menée par Angus Reid/*Economist* vers la même époque, montre que l'adhésion des Canadiens au libre-échange a diminué de 13 % en un an pour ne plus atteindre que 45 %. Et une enquête de Vector, en novembre 1999, montrait qu'une forte majorité de Canadiens étaient opposés à ce que les services publics soient soumis aux règles de l'OMC.

Les grosses sociétés et les institutions financières qui se font les apôtres de la mondialisation et bénéficient d'un libre-échange planétaire délivré de tout obstacle sont désormais attaquées sur plusieurs fronts, et la plupart des économistes reconnaissent que toutes les enquêtes d'opinion confirment cette tendance. Ces puissants ont des ennuis, et ils le savent. Pour redorer leur image et la réputation de leurs institutions, ils usent de différents moyens, certains inoffensifs, d'autres dangereux.

Cherchant désormais la respectabilité dans le giron d'une institution qu'elles ne se sont pas fait faute de dénigrer dans le passé, l'ONU, plusieurs entreprises transnationales ont récemment décidé d'adhérer à un « Contrat mondial » conclu avec les Nations unies pour démontrer combien elles prennent au sérieux les problèmes des droits de l'homme et de l'environnement. La Banque mondiale et d'autres institutions bancaires, écrit le *Prague Post*, « qui s'appuyaient sur un bon fonctionnement des échanges de capitaux et sur l'approbation implicite des populations des pays riches sont profondément déçues de découvrir aujourd'hui qu'elles sont de moins en moins aimées » et « elles commencent à avoir une conscience ». Les dirigeants de la Banque mondiale évoquent publiquement les souffrances des pays pauvres et engagent des « dialogues sur des enjeux multiples » avec des ONG soigneusement choisies[1]. Mais, en d'autres circonstances, elles ont une manière tout à fait différente de se faire entendre.

---

1. Les ONG en français sont les NGOs en anglais, et certains appellent ironiquement CONGOs (pour « Coopted NGOs ») les organisations non gouvernementales qui acceptent d'entrer dans ce jeu (NdT).

Ripostes

Lors d'une réunion organisée à Jackson Hole (Wyoming) par la Réserve fédérale de Kansas City, des chefs de services économiques d'institutions financières et des banquiers centraux américains ont pu rencontrer le président de la Réserve fédérale de Washington, Alan Greenspan, et le directeur général de l'OMC, Michael Moore, pour évoquer un problème préoccupant : on pouvait craindre que les gouvernements des pays non industrialisés, effarouchés par des manifestations de colère dans les rues de leurs capitales et par des sondages d'opinion révélant une hostilité aux entreprises, n'abandonnent les politiques de libéralisation des échanges adoptées depuis cinquante ans. « En dépit d'une extraordinaire prospérité, notre capacité à avancer sur différentes questions de commerce international connaît actuellement une panne aussi claire que préoccupante », y déclarait Alan Greenspan, avant d'ajouter : « Il nous faut tous exercer une forte pression sur le processus politique pour conserver le rôle que nous avons joué dans cette avancée majeure de la civilisation. » Quant à Michael Moore, pour qui les manifestations de Seattle n'étaient qu'un « paravent pour tout ce qui va mal au XXIe siècle », il estimait que les gouvernements des pays non industrialisés avaient perdu « toute volonté politique ». Pour Nicholas Stern, chef du service économique de la Banque mondiale, l'échec de la conférence ministérielle de l'OMC à Seattle était « scandaleux ».

Mais si les hauts personnages de l'OMC et de la Banque mondiale, ainsi qu'une brochette de puissants PDG, offrent des dîners bien arrosés aux représentants des ONG sélectionnées pour tenter de les rallier à leurs

vues, ils usent de méthodes beaucoup plus sinistres pour
traiter les récalcitrants : dans certains cas, ils ont cherché
à discréditer leurs opposants, dans d'autres, même, à les
présenter comme des criminels. Après la déconfiture du
projet de l'AMI, la Chambre de commerce internationale
a choisi de riposter par une campagne d'insinuations sur
la légitimité des groupes qui avaient fait capoter le projet
de traité, thème repris par bien des éditorialistes. « Qui
avait donné à ces groupes "non élus" le droit de freiner
le progrès économique ? » disaient-ils, en oubliant de
mentionner que ni les éditorialistes de la presse économique ni les dirigeants de l'OMC n'étaient eux-mêmes
des élus.

Après Seattle, la société de conseil Burson Marsteller
(qui s'occupe, entre autres, des relations publiques de
Monsanto) a publié un *Guide de l'explosion*[1] de Seattle
dans lequel elle dressait la liste de la plupart des groupes
responsables des manifestations de rue, avec leurs
adresses et leurs sites Internet. Ce rapport, que ses rédacteurs qualifiaient « d'inquiétante fenêtre ouverte sur
l'avenir », avait pour but de permettre aux clients de Burson Marsteller de se « défendre » contre de telles
attaques. (Quelques mois plus tard, à l'occasion d'une
manifestation contre les biotechnologies organisée par
des groupes de défense des petits agriculteurs, de la sécurité alimentaire et de l'environnement, Burson Marsteller
donnera plusieurs milliers de dollars à une église baptiste
d'un quartier pauvre de Washington pour qu'elle trans-
porte en bus une centaine d'Afro-Américains sur les
lieux, à charge pour eux d'y faire entendre une voix dis-

---

1. Le titre anglais utilise le terme *meltdown*, c'est-à-dire la fusion du
cœur d'un réacteur nucléaire (NdT).

cordante, favorable aux aliments transgéniques, moins chers pour les déshérités...)

La manière de traiter tous ces groupes fauteurs de troubles sera le thème d'un séminaire de haut niveau organisé à Washington le 29 mars 2000 sous l'égide du Cordell Hull Institute, un *think-tank* de la capitale qui s'est donné pour objectif de gagner à nouveau l'opinion publique au libre-échange. Intitulé « Après Seattle : rendre son élan à l'OMC », il accueillit un « gratin » d'environ cinquante personnages parmi lesquels on trouvait des spécialistes du commerce extérieur appartenant ou ayant appartenu aux services compétents du gouvernement américain ou du Congrès, les conseillers commerciaux des ambassades des principaux partenaires des États-Unis, des avocats et des consultants au service d'entreprises transnationales engagées dans des contentieux à l'étranger. Les principaux orateurs étaient Clayton Yeutter, ancien ministre de l'Agriculture et ancien vice-ministre du Commerce extérieur sous Ronald Reagan (qui avait négocié le traité de libre-échange avec le Canada), Robert Litan, ancien directeur adjoint du bureau de la Gestion et du Budget sous Bill Clinton, Lawrence Eagleburger, ancien secrétaire d'État sous Reagan, et Luiz Felipe Lampreia, ministre brésilien des Affaires étrangères.

Un seul représentant des ONG avait été invité, Bruce Silverglade, du Center for Science in the Public Interest. Vêtu d'un complet sombre (« pour ne pas faire tache »), il était venu avec l'espoir que, dans le droit fil du discours inaugural de Bill Clinton à Seattle promettant d'« ouvrir les réunions », un véritable dialogue avec la société civile allait s'engager. En fait, comme il l'a raconté lui-même, le séminaire n'avait été qu'une réunion d'état-major sur la manière de faire mordre la poussière aux adversaires de l'OMC : prendre des gants n'était plus de mise.

Lord Parkinson, ancien ministre du Commerce et de l'Industrie dans le cabinet Thatcher, reprochera violemment à des groupes comme les Amis de la Terre ou le Sierra Club (qui, à eux deux, comptaient des centaines de milliers d'adhérents) d'être non démocratiques et donc sans aucune légitimité pour critiquer l'OMC. À ses yeux, il était « scandaleux » que le président Clinton, dans son allocution d'ouverture à Seattle, ait assuré qu'il « comprenait » les préoccupations des manifestants : aucun sommet de l'OMC, à l'avenir, ne devait plus être organisé sur le sol américain parce que les mesures de sécurité n'y étaient pas assez sévères. Après avoir proclamé qu'il ne fallait pas nommer au secrétariat général de l'OMC, dans un souci d'équilibre, des gens du tiers-monde « uniquement en fonction de la couleur de leur peau », il précisera qu'il espérait n'avoir offensé personne...

« Comment faire pour "délégitimer" les ONG ? » : telle était la première question posée par un participant américain, lequel proposait aussi de convaincre les fondations dispensatrices de subventions de ne plus leur verser un seul dollar (tactique dont la menace donnait déjà le frisson aux ONG américaines). Robert Litan était d'avis qu'il fallait leur donner « un autre tas de sable pour jouer », comme l'Organisation internationale du travail qui, à la différence de l'OMC, avait l'avantage de n'avoir aucun pouvoir de sanction. Quant à Clayton Yeutter, il se disait d'accord avec la proposition de son collègue anglais de tenir la prochaine conférence ministérielle de l'OMC en dehors des États-Unis, dans un endroit où la « sécurité serait assurée ». Il suggérait également que l'OMC n'annonce que tardivement le lieu de la conférence pour « que les protestataires ne puissent faire jeu égal ».

Au cocktail qui suivit le séminaire, un haut fonctionnaire sud-américain gémissait, un verre de champagne dans une main et un gâteau dans l'autre : si la prochaine réunion de l'OMC devait se tenir dans un coin perdu, que ce soit au moins sur un navire de croisière ! Et de se lancer dans un discours enflammé contre toute inclusion d'un droit du travail dans les critères de l'OMC et pour la défense du travail des enfants, expliquant que dans telle région du Brésil plus de 5 000 enfants « apportaient un petit revenu d'appoint à leur famille » en transportant des sacs de charbon d'un entrepôt jusqu'à une aciérie, propos dont Silverglade assure qu'ils furent accueillis par des applaudissements chaleureux.

Des opposants présentés comme des criminels

Selon le Southern Poverty Law Center, une organisation américaine de renom vouée à la surveillance du respect des droits civiques, le FBI et d'autres services policiers ont cessé de centrer leur attention sur les mouvements d'extrême droite pour s'intéresser aux opposants à la mondialisation. Ce changement d'orientation est survenu juste avant Seattle, quand la protestation planétaire a commencé à apparaître sur l'Internet. À en croire le *Seattle Weekly*, l'unité ultra-secrète du Pentagone, la Delta Force (la même qui était intervenue dans le drame de Waco) aurait installé un poste de commandement dans un hôtel du centre de Seattle et disséminé ses agents dans la ville, déguisés en manifestants. De fait, les militants qui préparaient les actions de l'étape suivante, celle de

Washington, s'apercevront que leurs réunions étaient infiltrées, leurs meetings publics chahutés, leurs téléphones écoutés et que des policiers les guettaient à la sortie de leur domicile et de leur lieu de travail.

Selon *USA Today*, des agents secrets chargés de contrecarrer la manifestation prévue contre la Banque mondiale surveillaient soixante-trois sites Internet, parfois en se faisant passer pour des militants. L'article disait aussi que la police de Washington avait adressé aux établissements d'enseignement secondaire et supérieur de la ville une circulaire demandant aux professeurs et aux élèves de surveiller l'apparition de « documents appelant à une mobilisation politique » et de rapporter tout ce qu'ils pourraient apprendre sur de telles activités. À Calgary, des policiers ont fait le tour des écoles secondaires la veille du congrès des pétroliers pour avertir les élèves d'avoir à se tenir à l'écart des manifestations. À Windsor, avant la réunion de l'Organisation des États américains, des policiers se sont rendus aux domiciles des dirigeants syndicalistes et des représentants locaux des mouvements antimondialisation, posant des questions intimidantes. Enfin, la location d'un espace destiné à accueillir cinquante associations de défense des droits de l'homme en provenance des deux Amériques fut soudainement annulée.

Les services de renseignement canadiens (CSIS, Canadian Security Intelligence Service) ont publié en août 2000 une étude intitulée *Antimondialisation : un phénomène en pleine expansion*, dans laquelle les adversaires d'un capitalisme sans loi sont appelés des « militants anarchistes » et où leur protestation légitime est assimilée à un terrorisme. Il a forgé l'expression de *social netwars* [1]

---

1. *Netwars* : néologisme signifiant « guerres appuyées sur des réseaux, et en particulier sur l'Internet » (NdT).

pour désigner la lutte non violente de groupes issus de la société civile contre les institutions financières internationales. Il est si préoccupé par la montée en puissance de tous ces groupes et par leur utilisation de l'Internet qu'il a commandé une étude sur la question au Rand Institute, un des grands *think-tanks* à financement public très lié à la Maison-Blanche.

Dans son rapport au Pentagone, le Rand Institute expose que la « révolution de l'information » a pour effet un transfert de pouvoir des États-nations vers des regroupements non gouvernementaux et des réseaux de la société civile, ce qui représente une « menace » pour tous les régimes en place. David Ronfeldt et John Aquilla, les auteurs de l'étude, mettent l'accent sur l'utilisation de l'Internet pour « déformer ou perturber ce que telle population cible sait, ou croit savoir, sur elle-même et le monde qui l'entoure ». En d'autres termes, la *netwar* serait bien une guerre, menée pour influencer l'opinion publique. Ils ont recours à l'expression « essaim d'ONG » pour rendre compte du grouillement d'associations sans statut officiel, liées par l'Internet et qui se coordonnent pour des campagnes. Si ces « essaims » posent un problème redoutable aux gouvernements, dit le rapport, c'est parce qu'ils n'ont pas de structure centrale de commandement et sont donc « impossibles à décapiter ». Et de terminer sur un avertissement : la piqûre d'un tel essaim peut être mortelle.

De l'autre côté du front, la National Lawyers Guild (association des membres des professions juridiques), basée à Washington, lance aussi un cri d'alarme devant ce qu'elle appelle « le rétrécissement de la ligne qui sépare application de la loi et démarche militaire » aux États-Unis. Son rapport sur Seattle et d'autres manifestations du même type montre que la police a agi sans vrai contrôle, en exposant la population locale et ses propres hommes à de dangereux produits chimiques, en emprisonnant des manifestants dans des conditions « qui ressemblaient souvent à la torture » et en utilisant des agents en civil sans aucun signe qui aurait permis de les identifier comme tels. Le rapport ajoute que depuis l'effondrement de l'URSS bien des ressources budgétaires jadis dévolues aux dépenses militaires ont été redéployées en faveur de la répression interne : de gros contractants de l'armée construisent désormais des prisons ou mettent au point des « armements peu légaux » pour lutter contre les opposants politiques internes, assimilés aux ennemis d'une vraie guerre.

En Europe, comme l'a clairement prouvé la répression policière tout au long de l'été si chaud de 2001, les autorités ont donné leur feu vert à tout recours à la force jugé nécessaire pour juguler les manifestations, esquiver les plaintes devant les tribunaux et discréditer le mouvement. Dans plusieurs cas, il est évident que des fascistes et des policiers en civil avaient infiltré la manifestation, avec la mission de briser des vitrines, d'incendier des voitures et d'attaquer des manifestants pacifiques afin que la police et la troupe aient un prétexte pour utiliser les gaz lacrymogènes et les canons à eau. Les manifestants arrêtés n'ont pas été autorisés à appeler un avocat, ce qui est un droit fondamental, et on leur refusait même nourriture et boisson.

Ce mépris des libertés du citoyen se retrouve dans une décision bien étrange de la Cour de justice européenne, le 25 mars 2001 : la Cour avait été saisie du cas de Bernard Connolly, un économiste anglais travaillant pour Bruxelles, que la Commission européenne avait licencié en 1995 pour avoir critiqué l'unification monétaire dans un ouvrage intitulé *The Rotten Heart of Europe* (« Le Cœur pourri de l'Europe »). Dans son jugement, la Cour donnait raison à la Commission, laquelle avait le droit de punir des employés qui « portaient tort à l'image et à la réputation de l'institution ». Et, pour ajouter l'insulte à l'injustice, elle condamnait Bernard Connolly à payer les frais de justice engagés par la Commission.

Ce n'est donc pas un hasard si, en août 2001, les dirigeants européens ont ordonné à leurs polices et à leurs services de renseignement de coordonner leurs efforts pour identifier et suivre à la trace les manifestants anticapitalistes, et soumettre leurs passages d'un pays à l'autre à une surveillance sans précédent : Europol, l'instance de coordination des polices basée à La Haye, a désormais le feu vert pour tenir à l'œil, grâce à son réseau international, policier et judiciaire, les activités de tous les manifestants et leur localisation. C'est le ministre de l'Intérieur allemand, Otto Schilly, qui, après le fiasco du sommet de Gênes, a été l'initiateur de ce projet de création d'une force de police à l'échelon européen pour affronter « la menace ».

Selon les nouveaux accords, les gouvernements des États membres sont autorisés à établir des antennes permanentes dans chaque pays pour recueillir, analyser et échanger des informations sur les manifestants avant chaque sommet européen ; un groupe d'officiers de liaison réunira des policiers des pays dont les « groupes à risque » sont originaires ; les gouvernements pourront « utiliser des policiers ou agents des services de renseignement » pour identifier les personnes ou les groupes dont on peut penser qu'ils menacent l'ordre public, et mettre en place un détachement spécial de policiers de haut rang pour organiser des « entraînements à l'attaque » contre les violences liées aux manifestations. Photos, empreintes digitales et autres informations seront immédiatement communiquées à la police de chaque pays où un suspect viendrait de pénétrer.

Mais les polices ne sont pas les seules à s'engager ainsi dans la voie de la surveillance tous azimuts. En septembre 2001, lors d'une conférence organisée à Bruxelles par l'Association européenne des technologies de l'information et de la communication, la firme Sony a exposé ses propres progrès dans la surveillance des militants des associations de défense de l'environnement qui s'en prennent à elle pour exiger une régulation plus stricte de l'industrie électronique. Parmi les groupes cités, on trouvait Greenpeace, les Amis de la Terre, le Bureau européen de l'environnement, la Silicon Valley Toxics Coalition et la Northern Alliance for Sustainability (« Alliance du Nord pour le développement durable »).

Selon les révélations de *Mother Jones* (un magazine progressiste américain), Sony proposait aux industriels de mettre au point une contre-stratégie commune, comprenant notamment « une surveillance minutieuse et un réseau d'informations sur les ONG », qui utiliserait des « services d'investigation du Web » comme Infonic Plc, lequel offre aux grandes entreprises un moyen de lutter contre les détestables critiques exprimées sur l'Internet : « Voilà que, tout d'un coup, la voix de l'entreprise ne domine plus celle de ses adversaires. Militants, journalistes et nos propres employés communiquent entre eux comme jamais auparavant, et nous avons de plus en plus de mal à rester dans la conversation. »

Pourquoi les gouvernements et les entreprises transnationales cherchent-ils à criminaliser ainsi une opposition politique ? La seule réponse possible est que ce mouvement planétaire, issu de la société civile, vient ébranler les fondements mêmes du capitalisme dérégulé, ce à quoi tous les courtiers du pouvoir entendent bien mettre un terme. Le nouveau mouvement antimondialisation ne saurait se contenter de quelques opérations cosmétiques (augmentation des salaires ici, promulgation d'une réglementation volontariste là), et les puissants du monde le savent bien, eux qui utilisent de plus en plus leurs forces de sécurité intérieure contre leurs propres citoyens, pour servir des intérêts financiers dont leur propre survie dépend désormais. Un pays comme les Philippines est allé jusqu'à voter une loi autorisant les entreprises à utiliser des milices privées pour protéger leurs installations.

Pour George Monbiot, du *Guardian*, nous sommes en passe d'entrer dans une ère de totalitarisme capitaliste, un système politique et économique qui, en mettant la main sur toutes les ressources fondamentales, appauvrit tous ceux qu'il exclut. Si cette analyse est la bonne, on voit que la survie de quelques gagnants dépend de la mise en place d'un système de sécurité planétaire autour des grands intérêts économiques. Enjeu considérable. Partout dans le monde, les systèmes de protection sociale sont voués à la privatisation (Lockheed Martin, le plus gros fabricant d'armes de la planète, gère déjà l'aide sociale dans certains États américains), tout comme l'eau, l'air, les semences et le génome humain. La lutte pour les biens collectifs et le droit démocratique d'en contrôler l'utilisation est en passe de devenir une des épreuves de force majeures de l'Histoire.

3

LA DÉMOCRATIE DÉMANTELÉE

Comment les grands intérêts économiques sapent les institutions qui protègent la démocratie et la justice

Le lieu était inhabituel. Cinquante des plus puissants patrons du monde jouaient des coudes pour attirer l'attention de la presse internationale au siège new-yorkais des Nations unies, une institution qu'ils avaient rejetée ou cherché à miner pendant des années. C'était le 26 juillet 2000. L'événement était la signature d'un « contrat mondial » entre l'ONU et quelques-unes des plus grosses entreprises transnationales, dont plusieurs étaient accusées de fautes très graves par des organisations comme le très respecté Transnational Resource and Action Center (TRAC). À côté du PDG de Shell-Royal Dutch (entreprise accusée d'avoir violé les droits de l'homme et de l'environnement au Nigeria), de celui de Rio Tinto (société minière britannique accusée de violation des droits de l'homme et du droit du travail dans plus d'une dizaine de pays) et de celui de Nike (accusée par des ONG d'exploiter les travailleurs dans le tiers-monde, et notamment des enfants), le secrétaire général des Nations unies, Kofi Annan, souriait aux anges, visiblement ravi des attentions de tous ces messieurs.

Tant pis si les « lignes directrices » qu'ils avaient signées, promettant des normes plus strictes en matière de droit du travail et de protection de l'environnement, n'avaient aucunement force de loi (lors de la conférence de presse, Kofi Annan devra admettre que l'ONU n'avait aucun moyen de vérifier qu'elles seraient appliquées). Tant pis si des dizaines d'ONG (soit bien plus que les quelques-unes qui avaient apposé leur signature à ce « contrat ») avaient déjà dénoncé dans toute l'affaire une manœuvre de ces grosses entreprises pour se refaire une virginité en s'enveloppant dans le drapeau de l'ONU : Kofi Annan avait décidé qu'il était temps que les Nations unies, désormais totalement convaincues du bien-fondé des principes de base de la mondialisation économique, aident le système à fonctionner. Et de promettre, en ce grand jour, de « continuer à défendre vigoureusement la liberté des échanges et l'ouverture de tous les marchés du monde », en « donnant un visage humain » au système.

Certaines agences de l'ONU venaient récemment de conclure des « accords de partenariat » avec des entreprises transnationales : l'ex-haut-commissaire aux Réfugiés, Sadako Ogata, avait coprésidé plusieurs réunions du Business Humanitarian Forum avec John Imle, président d'Unocal, une société que des ONG accusent de s'être rendue complice de violations des droits de l'homme en Birmanie. De son côté, l'Unesco (Organisation des Nations unies pour l'éducation, la science et la culture) avait conclu des accords de partenariat avec plusieurs grosses sociétés autorisées à utiliser son logo, et, au printemps 1999, elle avait collaboré avec la Walt Dis-

ney Company (accusée par des militants d'utiliser des sous-traitants exploités à Haïti) pour la remise du Youth Millenium Dreamer Award à Disneyland. L'Unicef (le Fonds des Nations unies pour l'enfance) était le coparrain d'UNAIDS, partenariat entre les Nations unies, l'Organisation mondiale de la santé (OMS) et cinq géants du secteur pharmaceutique (dont Johnson & Johnson, accusé par l'International Food Action Network de ne pas respecter les recommandations de l'OMS contre la vente de lait maternisé dans le tiers-monde). Quant au PNUD (Programme des Nations unies pour le développement), il faisait grand cas de ses accords avec BP Amoco, à qui Greenpeace et les Amis de la Terre reprochent de vouloir procéder à des forages (pétrole et gaz) dans cette zone très sensible qu'est le couloir Alaska-Yukon, ainsi qu'avec Chevron, accusé de violations de l'environnement au Nigeria, en Indonésie, au Texas et en Californie.

Blanchiment d'image et Nations unies

Ce flirt des Nations unies avec le *big business* avait commencé presque dix ans plus tôt. En 1992, un mois après son entrée en fonction comme secrétaire général, Boutros Boutros-Ghali (candidat des États-Unis pour le poste) s'attelait déjà à l'élaboration d'un code de conduite pour les entreprises transnationales, et il avait pratiquement supprimé le Center on Transnational Corporations (CTC) des Nations unies, créé pour aider les pays non industrialisés à traiter avec les grandes entreprises étrangères et à contrôler leur action. Avec des effectifs considérablement réduits, le CTC était désormais intégré à une nouvelle division de l'ONU et chargé d'aider les entreprises transnationales à trouver les bons pays pour leurs investissements directs à l'étranger. *The Economist* écrivait triomphalement que les Nations unies « qui n'ont cessé, pendant des décennies, de faire des reproches à ces entreprises et d'élaborer des codes de conduite pour contrôler leurs opérations, passent maintenant une grande partie de leur temps à conseiller les États sur la meilleure manière de les attirer ». Ce changement d'attitude de la part de l'ONU était recherché depuis longtemps par de nombreuses entreprises transnationales, appuyées par des *lobbies* de droite comme le Heritage Foundation. Selon Josh Karliner et Kenny Bruno, du Transnational Resource and Action Center de la région de San Francisco, c'est depuis ce virage que le monde des grandes entreprises joue un rôle important et agressif dans presque toutes les négociations internationales sur l'environnement.

Sur un autre front, le secrétaire général du sommet de la Terre, à Rio de Janeiro, en 1992, Maurice Strong, avait pris soin de créer auparavant un organisme baptisé World Business Council for Sustainable Development[1] pour favoriser la participation du secteur privé aux accords internationaux sur l'environnement. À Rio, avec l'aide de la Chambre de commerce internationale, cet organisme a réussi à éliminer du programme dit « Agenda 21 » toute référence à une réglementation obligatoire de l'environnement, et à faire mettre l'accent, au contraire, sur le rôle « autorégulateur » des entreprises transnationales. À eux deux, ces puissants *lobbies* ont pu ainsi s'assurer que les engagements pris à Rio seraient des plus minces. Karliner

---

1. Le *sustainable development*, habituellement traduit en français par « développement durable », est un choix de développement économique qui cherche à ne pas compromettre l'avenir des générations futures par une surexploitation des ressources naturelles (NdT).

et Bruno résument ainsi la situation : « L'influence des grandes entreprises est énorme dans toutes les négociations internationales sur la protection de l'environnement menées sous l'égide de l'ONU. »

Ces dernières décennies, le *big business* a constamment cherché à saper le pouvoir de l'ONU elle-même, en bloquant toute tentative d'instituer des règles internationales en matière de droits de l'homme, de droit de l'environnement et de droit du travail. Et quand Kofi Annan est devenu secrétaire général, il a aussi succédé à Boutros Boutros-Ghali dans l'art de courtiser les grandes entreprises. En juin 1997, Annan a invité les présidents de dix sociétés transnationales membres du World Business Council on Sustainable Development à une réunion avec de hauts fonctionnaires de l'ONU pour préparer une charte officialisant l'association du *big business* et des Nations unies. Tout en dégustant du homard dans la salle à manger privée du secrétaire général, ces PDG ont pu entendre Larry Summers, alors vice-ministre américain du Trésor, célébrer les vertus de la privatisation, y compris l'appropriation privée de l'environnement.

En février 1998 (au moment où l'AMI commençait à chavirer, ce qui n'est pas une coïncidence), une délégation de l'ONU conduite par Kofi Annan rencontrait la Chambre de commerce internationale à Paris, première étape d'un « dialogue systématique » entre ces deux grands acteurs mondiaux. La délégation de la Chambre (où l'on trouvait les présidents de Coca-Cola, de Goldman Sachs, de McDonald's, de Rio Tinto et d'Unilever) souscrira à une déclaration commune proclamant que les « nouveaux alliés » étaient tombés d'accord pour « bâtir un partenariat mondial très étroit destiné à permettre aux grandes entreprises de participer à la prise de décision sur les questions économiques planétaires et de promouvoir le secteur privé dans les pays les moins développés ». Quelques mois plus tard, la Chambre de commerce internationale organisera à Genève un « dialogue avec le monde des affaires », sous la houlette de son président Helmut Maucher, le PDG de Nestlé. Outre une brochette de hauts fonctionnaires de l'ONU, le colloque réunissait le commissaire européen au Commerce, le directeur général de l'OMC, Renato Ruggiero, de hauts responsables de la Banque mondiale, des hommes politiques et des hauts fonctionnaires d'Amérique et d'Europe, ainsi que 450 chefs d'entreprise venus du monde entier.

Helmut Maucher avait exposé d'emblée que cette réunion avait pour but d'obtenir des résultats concrets, en l'occurrence « des programmes d'action sur la manière d'instaurer des règles pour un libéralisme bien ordonné ». Expliquant que les problèmes planétaires exigeaient une délégation de pouvoir au niveau planétaire, Maucher en appelait à la fois à un renforcement de l'OMC et à une refonte des structures de l'ONU pour que le monde des affaires puisse s'impliquer davantage dans la gouvernance économique mondiale : « Une ONU forte est bonne pour les affaires », ajoutera-t-il, et Kofi Annan souscrira à cette idée en plaidant pour une liaison plus étroite avec la Chambre de commerce internationale.

Des débuts bien différents

Il n'en avait pas toujours été ainsi. L'Organisation des Nations unies avait été créée dans l'intention d'apporter la paix et la stabilité au monde en réglant par la négocia-

tion les différends entre États. L'institution avait été
conçue comme appartenant aux gouvernements et à leurs
citoyens. Des dizaines d'organisations citoyennes, dont
des syndicats, des groupes pour la défense des droits de
l'homme et des droits spécifiques des femmes, avaient
participé à l'élaboration de la charte fondatrice à San
Francisco en 1945. L'une des premières décisions de l'Assemblée des Nations unies avait été d'adopter un texte
destiné à protéger le monde d'un retour des horreurs qu'il
venait de connaître, la Déclaration universelle des droits
de l'homme, porteuse du vœu suivant : jamais plus, à
l'avenir, les citoyens de la planète ne seraient soumis à
des violations aussi barbares de leurs droits fondamentaux. La Déclaration marquait une ligne de partage dans
la longue histoire des tentatives internationales d'affirmer
que les droits de l'homme et du citoyen l'emportent sur
les tyrannies politiques et économiques.

LA DÉCLARATION UNIVERSELLE DES DROITS DE L'HOMME
DES NATIONS UNIES (1948) :
   • garantit la liberté, l'égalité, la vie et la sûreté de la
personne sans distinction aucune de race, de couleur, de
sexe, de langue, de religion, d'opinion politique ou de
toute autre opinion, d'origine nationale ou sociale, de fortune, de naissance ou de toute autre situation ;
   • interdit l'esclavage, la torture, ainsi que toute arrestation, détention ou exil arbitraires ;
   • reconnaît à chaque personne le droit à une nationalité, la liberté d'opinion, d'expression et de réunion ; le
droit de vote, le droit de participer librement à la vie
culturelle de la communauté, et le droit de se marier et
de fonder une famille ;
   • prononce l'égalité de tous devant la loi, la présomp-
tion d'innocence et le droit à un procès équitable ;

• garantit la liberté de mouvement et le droit de chercher asile dans un autre pays en cas de persécution dans le sien ;

• affirme le droit au travail, à des conditions de travail équitables, à un salaire égal pour un travail égal, à une rémunération conforme à la dignité humaine, le droit de s'affilier à des syndicats, le droit au repos et aux loisirs, et à une protection contre le chômage ;

• garantit à la personne le droit à un niveau de vie suffisant pour assurer sa santé, son bien-être et celui de sa famille, notamment pour l'alimentation, l'habillement, le logement, les soins médicaux, le droit à la sécurité en cas de chômage, de maladie, d'invalidité, de vieillesse, et le droit à l'éducation gratuite au moins pour l'enseignement primaire (qui est obligatoire), et accorde une même protection sociale à tous les enfants, nés dans le mariage ou hors mariage.

Par la suite, l'ONU complétera ce texte fondamental par un « Pacte international relatif aux droits économiques, sociaux et culturels » et un « Pacte international relatif aux droits civils et politiques », lesquels obligeaient les États membres à souscrire à l'obligation morale et légale de protéger et de promouvoir les droits démocratiques énumérés dans la Déclaration. Les droits des individus et les responsabilités des citoyens inscrits dans la Déclaration, ainsi que les droits collectifs et les responsabilités des États-nations inscrits dans les pactes, sont devenus les fondements de la démocratie dans le monde moderne. Ils constituent également les textes de base d'une croisade planétaire pour l'accès de tous aux soins médicaux et à l'éducation, d'une bataille contre la pauvreté et la maladie des enfants, et ils ont conduit à d'autres déclarations sur les droits des femmes, des enfants et des peuples autochtones.

Parallèlement, la petite ville de Bretton Woods, dans le New Hampshire, accueillait un rassemblement historique de délégués de 44 États, pour mettre en place les conditions du rétablissement économique mondial dès que la guerre serait terminée. On y décida la création de la Banque mondiale, pour aider à la reconstruction de l'Europe et assister les pays du tiers-monde par des programmes de développement à long terme, et celle du Fonds monétaire international, avec pour mission d'aider à la stabilité des monnaies et de superviser l'ordre monétaire et financier international. Banque mondiale et FMI avaient également pour mandat de lutter contre la pauvreté à l'échelle du globe. Les institutions de Bretton Woods, nom sous lequel elles sont restées connues, étaient à l'origine placées sous l'autorité d'un Conseil économique et social des Nations unies (CESNU), et elles étaient censées fonder leur action sur les valeurs de l'ONU : lutte contre la pauvreté, défense des droits de l'homme et des droits sociaux, recherche du plein emploi.

De la même manière, l'année 1947 voyait la création d'une Organisation internationale du commerce (OIC) destinée à promouvoir le commerce entre les nations, mais placée sous la juridiction de l'ONU et encadrée par son mandat social. Dans sa première version, le texte créant l'OIC prévoyait une réglementation contre le dumping et la constitution de monopoles à l'échelle du globe, ainsi que des mesures pour mettre un terme aux pratiques anticoncurrentielles des grandes entreprises. L'OIC pourrait même autoriser un pays à nationaliser les avoirs d'une société étrangère au nom de sa souveraineté économique s'il le jugeait nécessaire pour satisfaire aux objectifs de plein emploi et de protection sociale inscrits dans la Déclaration et dans les pactes.

Dans un rapport rédigé en 1994 pour le cinquantième anniversaire de la création des Nations unies, un ancien haut fonctionnaire de l'institution, Erskine Childers, écrit qu'il avait longtemps été dans les intentions de l'ONU de permettre à son Assemblée générale de prendre des décisions de politique économique planétaire pour assurer le maintien d'un contrôle démocratique à la fois sur les politiques commerciales et financières des différents États et sur les institutions de Bretton Woods.

Le « consensus de Washington »

Mais d'autres grands joueurs étaient aussi à l'œuvre. Les États-Unis sortaient de la guerre avec un très puissant secteur industriel qui produisait davantage que ce que le marché national pouvait absorber. D'où leur désir d'utiliser les institutions de Bretton Woods pour ouvrir les marchés internationaux aux produits américains et aider à la diffusion mondiale de l'économie de marché à l'américaine et des valeurs du pays. C'était aussi l'époque où l'Amérique devenait de plus en plus anticommuniste, la menace soviétique ayant rapidement remplacé la menace nazie dans la conscience collective. Tout était donc en place pour la naissance progressive d'un régime mondial fondé sur un modèle de développement dont le credo voulait que le libéralisme économique fût le seul choix possible pour le monde, pays pauvres compris. Cette idéologie s'est si bien implantée au fil des décennies qu'elle a finalement été baptisée « consensus de Washington » en 1990, par John Williamson, de l'Institute for International Economics, un *think-tank* conservateur de la capitale américaine.

Sous l'égide des intérêts commerciaux américains, la doctrine libérale compte bien contraindre la plupart des gouvernements dans le monde à abandonner tout contrôle sur les investissements étrangers, à abolir leurs barrières douanières, à déréglementer leurs économies nationales, à privatiser les services publics et à affronter la dure concurrence planétaire. Selon l'économiste Paul Krugman, le « consensus de Washington » associe au gouvernement des États-Unis « toutes les institutions et réseaux de leaders d'opinion pour qui Washington est *de facto* la capitale du monde (*think-tanks*, banquiers très avertis des questions politiques et ministres des Finances de tous les pays), bref tous ceux qui y tiennent périodiquement des réunions et conviennent collectivement de ce qui doit être la bonne solution du moment ».

À la fin des années 1940, quand le « consensus de Washington » n'en était qu'à sa phase embryonnaire, le secteur privé américain avait suffisamment d'influence pour que certains hommes politiques et chefs d'industrie occupant une place de premier plan aux États-Unis voient dans l'ONU une menace potentielle. En 1947, après d'intenses pressions américaines, et sans vote de son Assemblée générale, les Nations unies renoncent à leur droit de regard sur le FMI et la Banque mondiale, ce qui était une grave atteinte à leur mandat initial. La même année, les États-Unis réussissent à couler le projet de création de l'OIC en refusant que le texte soit présenté au Congrès pour ratification, ce qui équivalait à un arrêt de mort. À la place, Washington fait adopter la création du GATT (General Agreement on Tariffs and Trade), lequel sera absorbé par l'OMC, instituée en 1995 pour lutter contre les entraves au commerce des biens et des services. Rien d'étonnant à ce que le GATT, à l'instar du FMI et de la

Banque mondiale, n'ait pas à répondre de son action devant l'ONU.

L'OMC et les institutions de Bretton Woods ont toutes leur siège à Genève, et disposent de secrétariats très peuplés, financés par les pays membres. Les organes directeurs du FMI et de la Banque mondiale lèvent directement des fonds auprès des gouvernements en émettant des obligations. Les États-Unis, de loin le plus gros contribuable, doivent obtenir chaque année l'aval du Congrès sur ces sommes, au terme de débats très tendus. Dans les autres pays, en revanche, la contribution au FMI et à la Banque mondiale est le plus souvent enfouie dans une ligne budgétaire qui ne fait pas l'objet d'un débat parlementaire. Le plus gros du travail des institutions de Bretton Woods est accompli par des sous-comités sur lesquels on ne sait pas grand-chose.

Un exemple : le ministère français des Finances loge le petit secrétariat d'une très puissante institution appelée « Club de Paris » sur laquelle il est presque impossible de trouver la moindre documentation, pas même son adresse ou un numéro de téléphone. Or, c'est ce « Club de Paris » qui décide du sort des pays du tiers-monde et de leur dette : à chaque crise dans le paiement de leurs créances contractées auprès d'autres États, des réunions *ad hoc* sont organisées entre débiteurs du tiers-monde, créanciers des pays riches et représentants de la Banque mondiale et du FMI, où le rééchelonnement de leur dette est soumis à des conditions rigoureuses. Selon un initié, les pays non industrialisés en sortent « assommés ». Le Club délègue de grands pouvoirs au FMI et à la Banque mondiale, et la formule a pour avantage de se substituer à des négociations bilatérales entre débiteurs et créanciers qui pourraient déboucher sur des arrangements moins onéreux pour les premiers. Quant aux négociations entre pays pauvres et créanciers privés, elles ont lieu dans un « Club de Londres » tout aussi secret et sans adresse.

Comme le fait remarquer Victor Menotti, du Forum international sur la globalisation, c'est le découplage des institutions de Bretton Woods d'avec l'ONU qui a ouvert la voie au système actuel, lequel donne aux entreprises un droit supérieur aux droits universels de l'homme et du citoyen. Alors que la Banque mondiale et le FMI devenaient de plus en plus puissants et riches, consolidant progressivement leurs relations avec les entreprises transnationales américaines et européennes dans les décennies qui ont suivi leur création, l'ONU devait se battre en permanence pour obtenir des États membres les budgets nécessaires à ses différents programmes : depuis cinquante ans, l'histoire des Nations unies est celle de budgets serrés, de mandats inapplicables, de mauvaises relations avec le monde des grandes entreprises et d'une indécision permanente du soutien politique américain.

Les institutions de Bretton Woods à l'œuvre

Comme le montrent les manifestations de Washington et de Prague en 2000, la Banque mondiale et le FMI sont désormais, aux yeux de beaucoup, l'incarnation d'un pouvoir détestable et les zélateurs de la mondialisation dans ce qu'elle a de pire. La Banque mondiale compte aujourd'hui 11 000 employés, des bureaux dans 70 pays, et le volume de ses prêts dépasse annuellement les 20 milliards de dollars. Le droit de vote des États membres étant proportionnel à leur contribution annuelle, les États-Unis et une poignée d'autres pays riches sont maîtres de décider qui recevra l'aide financière, à quelle hauteur et sous quelles conditions. Du temps de la guerre froide, à en croire un rapport de l'Institute for Policy Studies (IPS), un *think-tank* respecté de Washington, les États-Unis ont souvent utilisé la Banque mondiale pour aider des alliés ou punir des ennemis.

Le plus gros des fonds de la Banque mondiale va à des programmes pour « pays en développement » (prêts à long terme et à taux bas pour construire des barrages et des usines électriques, ainsi que pour « moderniser » l'agriculture). Cependant, il est écrit dans les statuts de la Banque que l'un de ses objectifs principaux est de « promouvoir les investissements privés en provenance de l'étranger ». En fait, selon l'IPS, le département du Trésor des États-Unis voit dans sa contribution à la Banque un moyen de procurer des marchés aux entreprises américaines : un de ses hauts fonctionnaires a déclaré fièrement devant une commission du Congrès que, pour chaque dollar versé à la Banque mondiale par le Trésor, les entreprises américaines gagnaient 1,30 dollar en contrats.

DES POISONS TRÈS JUTEUX

Ce qui aurait dû être une banque d'aide au développement est devenu, pour une large part, un instrument destiné à faciliter les investissements à l'étranger des grandes entreprises, avec des conséquences souvent désastreuses pour l'environnement. Celles qui en ont tiré les plus gros profits sont les entreprises des secteurs de l'agroalimentaire et de l'énergie : depuis cinquante ans, plus des deux cinquièmes des prêts de la Banque mondiale sont allés à ces deux secteurs. Pendant des décennies, la Banque mondiale a été le principal promoteur, sur toute la planète, d'une agriculture intensive utilisant largement les produits chimiques. Les sociétés agrochimiques américaines et européennes en ont été les premières bénéficiaires.

Les financements de la Banque mondiale sont largement responsables de l'aggravation de l'effet de serre : ses programmes d'exploitation du pétrole, du gaz et du charbon lancés entre 1992 et 1998 ont ajouté à l'atmosphère terrestre une quantité de gaz carbonique égale à une fois et demie celle de tous les pays du monde en un an. Presque toujours, ces programmes sont destinés à fournir de l'électricité à des entreprises tournées vers l'exportation, et il est rare qu'ils s'attachent à satisfaire les besoins énergétiques des pays les plus pauvres, où deux milliards de personnes vivent encore sans électricité.

Institute for Policy Studies, Washington,
Field Guide to the Global Economy.

Quant au Fonds monétaire international, dont le mandat officiel est d'apporter une aide financière à court terme à des pays en difficulté et de prévenir les crises monétaires, son objectif principal, aujourd'hui, est de veiller à ce que les investisseurs privés et les banques créancières ne subissent pas des pertes trop lourdes quand leurs investissements dans le tiers-monde vont mal. Dans les années 1960 et 1970, les banques transnationales ont prêté des milliards de dollars aux pays les plus pauvres, souvent pour financer des programmes gigantesques de barrages, de centrales nucléaires et de stations touristiques, tous hautement nuisibles à l'environnement. Au Brésil, la route *Polonoreste* et le programme « Colonisation » ont entraîné une déforestation massive et d'importants déplacements de population. En Inde, la construction du barrage sur le fleuve Narmada a contraint à déplacer et à réinstaller ailleurs des millions de personnes parmi les plus pauvres. Trop souvent, l'argent finit dans les poches de dictateurs ou de chefs d'entreprise corrompus. Au début des années 1980, quand les taux d'intérêt ont grimpé vertigineusement, de nombreux pays se sont trouvés dans l'incapacité de rembourser les prêts auxquels ils s'étaient enchaînés pour financer ces projets mirifiques et en fait secondaires.

Des vies « structurellement ajustées »

En guise de solution aux problèmes des pays du tiers-monde écrasés par leur endettement, le FMI et la Banque mondiale leur ont fait une offre qu'ils n'étaient pas en état de refuser : « Acceptez toute une panoplie de "programmes d'ajustement structurel", et nous sommes prêts à rééchelonner votre dette, et même, en récompense de votre bonne volonté, à vous prêter de l'argent frais au titre de la procédure prévue pour l'amélioration des balances des paiements. » Quelque quatre-vingts pays ont ainsi été forcés de renoncer à certains instruments de leur souveraineté nationale et d'adopter le train de mesures chères au « consensus de Washington » : forte réduction des dépenses budgétaires (notamment pour l'enseignement, la santé et la protection sociale) ; dérégulation des secteurs des transports, de l'énergie et des télécommunications ; baisse des salaires et réduction de la protection du travail ; libéralisation du marché financier ; développement de l'agriculture d'exportation ; élévation des taux d'intérêt pour attirer les capitaux étrangers, et démantèlement de toutes les mesures protectionnistes en faveur des industries locales.

Conséquence : un désastre. Les entreprises transnationales ont accouru pour ramasser les fruits de la dérégulation de l'environnement, détruisant au passage d'innombrables emplois. Des millions de personnes se sont retrouvées sans aucune possibilité d'accès aux soins médicaux de base, à l'enseignement, voire à l'eau potable ; les ressources naturelles ont été pillées pour alimenter des exportations massives, les coûts de l'alimentation et de l'énergie ont grimpé vertigineusement. En une décennie, les dépenses pour l'enseignement public dans les trente-sept pays les plus pauvres ont baissé de 25 %. En Afrique subsaharienne, l'augmentation des frais de scolarité a eu pour conséquence un effondrement de la fréquentation des écoles.

Jubilé 2000, le mouvement œcuménique qui cherche à faire annuler la dette des pays du tiers-monde, assure que 19 000 enfants (hypothèse basse) meurent chaque jour par suite des restructurations imposées par le FMI et la Banque mondiale. Un universitaire philippin de premier plan, Walden Bello, considère que la politique des prêteurs se limite à soutenir les dictateurs qui font bon accueil aux capitaux occidentaux. Lors de la crise asiatique de 1997, la Banque mondiale a versé 40 millions de dollars à l'Indonésie pour soutenir le président Suharto et son régime d'oppression, tout en prétendant aider l'économie du pays. Mais le prêt était assorti d'une liste de plus de cent conditions, dont beaucoup étaient désastreuses pour l'économie : « La population indonésienne ne l'oubliera jamais », dit Bello.

LE DOUTEUX BILAN DES PROGRAMMES D'AJUSTEMENT
• Au Sénégal, célébré par le FMI pour l'augmentation de son taux de croissance, le chômage a augmenté de 25 % en 1991 et de 44 % en 1996.
• Le programme d'ajustement imposé au Zimbabwe l'a contraint à réintroduire la scolarité payante, d'où une baisse de la fréquentation des écoles, surtout dans le cas

des filles ; quant à la réduction d'un tiers des dépenses de santé publique, elle s'est traduite par un doublement du nombre de femmes mortes en couches.

• Au Costa Rica, premier pays d'Amérique centrale à appliquer un de ces programmes d'ajustement structurel, les salaires réels ont baissé de 19,9 % entre 1980 et 1991 ; la réduction de 35 % des dépenses de santé a entraîné une augmentation spectaculaire de la mortalité infantile et du taux de mortalité par maladies infectieuses.

• En Hongrie, dans les quatre premières années du programme d'ajustement, le chômage est passé de 0 % à 13 %. Entre 1989 et 1996, les salaires réels ont baissé de 24 %.

Institute for Policy Studies, Washington,
Field Guide to the Global Economy.

En dépit de ces gigantesques sacrifices, la dette des pays non industrialisés a augmenté de 400 % depuis 1980 : les pays du Sud envoient désormais chaque année aux pays du Nord, en remboursement de leur dette, plus d'argent qu'ils n'en reçoivent de l'aide étrangère et de leurs exportations cumulées. La Banque mondiale reconnaissait elle-même dans son rapport pour 1999 que ses programmes avaient bien des défauts. Dans les pays qu'elle a « aidés » à travers des programmes d'ajustement structurel, 54 % de la population a connu une stagnation du revenu par tête, c'est-à-dire une croissance de la pauvreté assortie d'une baisse de l'espérance de vie. Confrontées à leurs erreurs, les institutions de Bretton Woods ont alors décidé de recourir à des opérations de relations publiques.

Des « ajustements » plus doux

Pour Nancy Alexander et Sara Grusky, de la Globalization Challenge Initiative, la Banque mondiale et le FMI ont maintenant un nouveau mandat (« clandestin »), celui d'atténuer la brutalité de la mondialisation. La Banque mondiale a renforcé son département chargé de la pauvreté et, en septembre 2000, elle a publié les deux volumes d'une étude de deux ans portant sur 20 000 personnes vivant avec moins de 1 dollar par jour. Les deux institutions se présentent à l'occasion comme les alliées des pays pauvres face aux États-Unis et à l'Europe, et donnent régulièrement des conférences publiques sur la pauvreté dans le monde.

Elles ont également commencé à réinvestir dans la protection sociale, la fourniture d'eau potable et les programmes de santé, inspirées sans doute par la philosophie du chef des services économiques de l'Inter-American Development Bank, pour qui il est important d'envoyer des « ambulances » (les programmes sociaux) après le passage des « tanks » (les programmes d'ajustement). Néanmoins, ces tout nouveaux scrupules du Fonds monétaire international et de la Banque mondiale ne vont pas très loin.

Pour commencer, les deux institutions s'accrochent à leur mandat principal, promouvoir la mondialisation économique et faire taire tout débat, au nom des vertus du libre-échange tel que l'entend le « consensus de Washington ». C'est ainsi, par exemple, qu'en collaboration avec l'OMC la Banque mondiale a monté un Global Facilitation Partnership qui coordonne les efforts des gouvernements et des entreprises transnationales pour gagner les opinions publiques au soutien d'une libéralisation du commerce dans le tiers-monde. Les deux institutions sont toujours en contact étroit avec les entreprises transnationales et leurs *lobbies*, dont la Chambre de commerce internationale et le Forum économique mondial : leur avenir dépend toujours aussi fortement de leur aptitude à agir au mieux des grands intérêts privés. Mais le plus important, peut-être, c'est que les deux institutions continuent de promouvoir ces mêmes politiques de privatisation et de dérégulation qui réduisent les biens collectifs et laissent des milliards d'hommes privés de services de base.

Quand la Banque mondiale et le FMI ouvrent leurs coffres en faveur de programmes sociaux ou sanitaires, c'est toujours pour mettre en avant les modèles du secteur privé. Dans nombre de cas, ils sont prêts à financer des infrastructures pour la fourniture de l'eau, mais seulement si le pays bénéficiaire accepte d'ouvrir ses portes à des géants internationaux du secteur. Cette approche pose de multiples problèmes. Les sociétés privées dont la Banque mondiale se fait le courtier ne sont astreintes qu'à donner des informations parcimonieuses sur leurs projets. Lors du Forum mondial sur l'eau réuni à La Haye en mars 2000, un dirigeant d'une de ces entreprises a déclaré qu'aussi longtemps que l'eau coule du robinet, les citoyens n'ont droit à aucune information sur la manière dont elle est arrivée dans leurs tuyaux. De plus, la Banque mondiale soutient ces géants du secteur avec de l'argent public, et c'est souvent elle qui court les risques tandis que l'entreprise met la main sur les profits.

Quant aux pays censés être les bénéficiaires de l'opération, ils sont contraints de garantir les revenus des actionnaires de la société contractante : ainsi, dans un récent programme de privatisation de la fourniture d'eau au Chili, la Banque mondiale a-t-elle exigé de l'État qu'il garantisse une marge de 33 % à Suez-Lyonnaise des Eaux, sans considération de l'efficacité du service qui sera fourni. Ses objectifs sont également politiques, comme le dit explicitement un document annexe à un prêt de la Banque à l'État hongrois pour un programme de fourniture d'eau : il y est écrit noir sur blanc qu'un des buts du soutien financier consenti est « d'apaiser les résistances politiques que suscite le recours au secteur privé ».

QUI ACTIONNE LES ROBINETS ?

La privatisation de l'eau est un problème crucial qui devrait être au centre du débat public. Les vies humaines dépendent d'une distribution équitable des ressources en eau potable ; les populations devraient être consultées quand on se propose de confier à une entreprise transnationale le contrôle de cette ressource rare, indispensable à la vie, qui devrait rester aux mains des citoyens, et donc relever du secteur public. L'eau ne doit pas être fournie pour un profit, mais pour répondre à des besoins vitaux

South African Municipal Workers' Union,
Your Water, 1998 [1].

Le casino planétaire

De tous les agissements des institutions de Bretton Woods, le plus néfaste est l'aide apportée à la spéculation financière (les quelque 1 600 milliards de dollars des fonds de pension et d'investissement qui circulent dans le monde chaque jour, à l'affût de toute faiblesse, réelle ou supposée, des économies nationales).

---

1. *Votre eau*, rapport du Syndicat des employés municipaux d'Afrique du Sud (NdT).

À la différence de l'économie « réelle », qui produit des biens et services tangibles, l'économie « financière », au moins cent fois plus vaste, repose sur le jeu, au jour le jour, de ce qu'on appelle le « capitalisme de casino ». 90 % de toutes les transactions internationales sont des spéculations à court terme (moins d'une semaine). La plupart des capitaux étrangers qui affluent dans un pays n'y finissent jamais dans l'économie réelle des secteurs manufacturier ou agricole. En d'autres termes, investir localement et créer des emplois n'ont jamais été les buts de ce capitalisme-là : il ne cherche le plus souvent qu'à ponctionner les économies et les ressources locales avant de rapatrier ses profits à l'étranger.

La spéculation sur les monnaies est aidée et encouragée par une centaine de grandes banques privées de par le monde qui, à elles seules, gèrent plus de 21 000 milliards de dollars, soit l'équivalent des trois quarts de toute l'activité économique du globe. Le FMI et la Banque mondiale, avec le concours des banques privées, cherchent à faciliter la mobilité de ces capitaux en autorisant les spéculateurs à entrer sur un marché étranger et à en sortir avec des risques minimes : les investisseurs sont en mesure de s'enfuir rapidement d'un pays à la moindre alerte sur d'éventuelles pertes, voire dès qu'ils constatent une simple diminution de leurs profits.

En 1997, des investisseurs occidentaux soudain nerveux se sont mis à retirer des pays asiatiques des milliards de dollars placés à court terme, avec pour résultat que ces pays qui avaient suivi à la lettre les prescriptions du FMI et de la Banque mondiale sur le « passage accéléré au capitalisme » se sont retrouvés accablés de dettes énormes. Pour assurer les investisseurs étrangers que les risques courus étaient minimes, ils avaient libéralisé leur secteur financier, maintenu des taux d'intérêt élevés et arrimé leur devise nationale au dollar. Mais quand les investisseurs ont commencé à retirer leurs dollars, les devises de ces pays se sont aussitôt effondrées.

CRIMES DU CAPITAL

Une fois que les économies asiatiques se sont lancées dans la dérégulation et se sont retrouvées à peu près nues sur le marché mondial, les fonds spéculatifs se sont rués sur elles. Il s'agit d'énormes concentrations de capitaux détenus par de très riches Occidentaux, qui ont acquis une maîtrise stupéfiante dans l'art de manipuler ces instruments financiers complexes qu'on appelle les « produits dérivés ». Les sièges sociaux de ces fonds de spéculation sont le plus souvent situés dans des paradis fiscaux comme les îles Cayman, et ils font tout leur possible pour échapper aux régulations ou aux fiscalités des prétendues « démocraties de marché ». Ces fonds n'ont eu aucun mal à plumer la Thaïlande, l'Indonésie et la Corée du Sud, pour renvoyer ensuite vers le FMI les survivants tout tremblants, non pas pour qu'il les aide, mais pour qu'il s'assure qu'aucune banque occidentale n'était engluée dans des prêts « non performants » consentis à ces pays ravagés. Le FMI est aussi l'instrument favori du gouvernement américain pour « réformer » ces pays et les faire ressembler à New York.

Chalmers Johnson, président du Japan Policy
Research Institute de San Diego.

Au beau milieu de la crise, le Trésor américain a œuvré en étroite union avec le FMI et les banques privées pour élaborer un plan de sauvetage de 21 milliards de dollars, dont une bonne partie est allée aux *hedge funds* (fonds spéculatifs), ce qui a fait dire au célèbre financier George

Soros que, de nos jours, ce sont les présidents et les chefs
de gouvernement qui font la cour aux financiers et aux
industriels, et non plus l'inverse. Les banques, dont les
prêts inconsidérés étaient la cause de tout, ont pu quand
même afficher de bons résultats cette année-là.

Entre-temps, la crise a déclenché une série de dévalua-
tions en chaîne dans toute l'Asie, ainsi qu'en Amérique
du Sud, lesquelles, selon les hypothèses basses de la
Banque mondiale elle-même, ont fait basculer 10 millions
de personnes dans l'« extrême pauvreté » (1 dollar par
jour ou moins), 24 millions dans la pauvreté (moins de
2 dollars par jour), et ont privé de leur emploi quelque
27 millions de travailleurs dans les cinq pays les plus
durement touchés. Et quand bien même les choses se sont
un peu améliorées depuis (temporairement, pensent certains analystes), les conditions de vie dans les pays
frappés ne s'en sont jamais remises : de fait, le fossé entre
riches et pauvres dans la région Asie-Pacifique n'a jamais
été plus marqué.

Le Japon, qui souffrait déjà lui-même d'une crise due
à la spéculation financière et immobilière et à son rôle
dans le grand jeu de la mondialisation, a été de surcroît
affecté par cette crise asiatique qu'il n'avait plus les
moyens d'atténuer. Pour le voyageur étranger, le plus
frappant dans le Japon d'aujourd'hui est le nombre de
sans-abri qu'il découvre dans les rues de Tokyo. Dans les
gares, les parcs et jardins, le long des canaux, des milliers
d'hommes, dont beaucoup en complet veston, vivent sous
des tentes de fortune ou à même le trottoir. Les grandes
entreprises japonaises ont renoncé à leur politique de
l'emploi garanti à vie, et, depuis 1997, un million de personnes ont perdu leur poste pour cause de « restructuration ». Dans la seule ville de Tokyo, le taux des suicides

a augmenté de 53 % depuis 1991 (ils sont le plus souvent dictés par la honte qui s'attache à la perte de l'emploi). Stagnation économique, gonflement de la dette, suicides, taux de chômage record, violence des jeunes et multiplication des sans-abri constituent désormais le nouveau visage du Japon. Cette profonde dégringolade économique conduit les experts à se demander s'il ne faut pas y voir le signe que l'expansion économique mondiale a atteint son pic.

L'ours blessé

Le FMI, la Banque mondiale et le gouvernement américain sont à ce point assurés que le « passage accéléré au capitalisme » est le seul remède pour les économies malades qu'ils ont constamment refusé, tout au long des années 1990, de voir que l'économie russe était en passe de s'effondrer : ils attendaient patiemment les effets du miracle libéral sur l'ancienne puissance communiste, sans douter un instant qu'il se produirait. Dans son remarquable ouvrage intitulé *Contagion : the Betrayal of Liberty. Russia and The United States in the 1990s*, la journaliste Anne Williamson raconte une histoire qui donne le frisson. Après l'effondrement de l'URSS, les « conseillers » économiques américains, appuyés par le gouvernement Clinton et par des milliards de dollars dégagés par des banques américaines et par le FMI (qui enverra une équipe de 150 experts en Russie) ont administré une « thérapie de choc » à l'économie russe. Une poignée de fidèles de Boris Eltsine se sont vu garantir la mainmise sur les plus puissants secteurs de l'ancienne économie étatisée, pétrole, gaz, électricité, télécommunications, sur quelques-unes des plus grandes usines de papier et aciéries mondiales, sur des mines d'or, d'argent, de diamant et de platine parmi les plus riches de la planète, ainsi que sur un joli lot d'usines dans les secteurs de l'automobile et de l'aviation.

Ces pillards ont alors vendu, pour une bouchée de pain, des parts de leurs propriétés privées si fraîchement acquises aux investisseurs accourus de l'Occident, et empoché leurs bénéfices tout en gardant le contrôle des sociétés. Sous l'égide d'Iégor Gaidar, directeur de l'Institut pour la transition économique, ils sont devenus d'un jour à l'autre millionnaires et milliardaires, laissant des millions d'ouvriers russes devenir les quasi-esclaves de leurs nouveaux maîtres, leurs partenaires étrangers.

En 1999, la Russie n'était plus qu'une gigantesque passoire financière, et des milliards de dollars de prêts du FMI (sur le dos des contribuables occidentaux) s'étaient évanouis dans les comptes secrets de gangsters capitalistes, tant russes qu'américains. Dans un article acerbe du magazine *The Nation* (octobre 2000), Stephen E. Cohen, professeur d'histoire russe à l'université de New York, accusait de faute professionnelle majeure les médias occidentaux en général, et américains en particulier, pour n'avoir pas divulgué ce scandale à leur public, choisissant au contraire de se faire les porte-parole du gouvernement américain. Et d'exposer que la Russie souffre aujourd'hui de la pire dépression économique de l'histoire contemporaine, d'un tel niveau de corruption que les capitaux enfuis sont supérieurs à tous les prêts ou investissements étrangers, et d'une catastrophe démographique sans précédent en temps de paix.

Avec une impavidité stupéfiante devant ce fiasco et tant d'autres, le FMI a pourtant cherché, en 1998, à faciliter davantage encore les mouvements de capitaux entre pays membres : au lieu de répondre à l'appel des pays non industrialisés et des ONG du monde entier qui réclamaient un retour à la régulation des flux de capitaux, le FMI a fait connaître son intention d'empêcher les gouvernements d'imposer tout contrôle sur les investissements étrangers, qu'ils soient directs ou boursiers. Seules les vigoureuses protestations des ONG de par le monde l'ont contraint à surseoir temporairement à ce plan.

L'Organisation mondiale du commerce

L'OMC a été créée en 1995 au terme du cycle de négociations commerciales du GATT, dit « Uruguay Round ». Mais le GATT n'a pas été renvoyé aux oubliettes pour autant : l'OMC, institution permanente dotée d'un énorme secrétariat, est chargée d'appliquer les accords conclus au titre du GATT. Depuis la création de ce dernier, en 1948, il y a eu huit cycles de négociations, chacun consistant en une série de réunions réparties sur plusieurs années et traitant d'un ensemble de problèmes déterminé au début du cycle. Les six premiers cycles se sont occupés exclusivement d'abaissement des barrières tarifaires. Mais le septième, le « cycle de Tokyo » (1973-1979), a coïncidé avec la naissance de ce qu'on appellera par la suite le « consensus de Washington » sur le modèle économique souhaitable pour la planète, et avec la montée en puissance des entreprises transnationales géantes. Ces sociétés avaient déjà le moyen d'échapper aux réglementations de leur pays d'origine en opérant partout sur la planète, et elles voulaient que la dérégulation soit étendue au monde entier. Presque exclusivement basées dans les pays industrialisés du Nord, elles entendaient avoir accès à une main-d'œuvre non encadrée par un code du travail, à des marchés non régulés et à des ressources naturelles non protégées. Elles avaient donc un intérêt évident à voir démanteler les réglementations que de nombreux pays non industrialisés avaient mises en place pour protéger leurs travailleurs, leurs industries et leurs ressources.

C'est dans ce climat que le « cycle de Tokyo » du GATT a commencé à traiter de « barrières non tarifaires » (c'est-à-dire les réglementations, politiques et pratiques des gouvernements qui, sans être d'ordre douanier, ont des effets protectionnistes). Étant donné que la notion de « barrière non tarifaire » peut s'appliquer à presque tout ce que fait un gouvernement, y compris en matière de services sociaux, de santé publique et d'environnement, des groupes d'action civique, notamment dans le tiers-monde, ont commencé à s'intéresser au GATT.

Le « cycle de l'Uruguay » (1986-1994) a donc étendu spectaculairement le champ des négociations, en mettant sur la table les problèmes de l'agriculture et des services (une autre première pour le GATT), et des sujets qui ne relèvent pas ordinairement du commerce. Et sur ces questions prétendument « liées au commerce », il a fini par produire un ensemble de règles controversées concernant la propriété intellectuelle et les investissements. Pour les dirigeants de l'OMC, le « cycle du Millénaire », dont Seattle devait marquer le lancement, a pour programme d'accélérer fortement la libéralisation du commerce dans les domaines de l'agriculture et de la propriété intellectuelle, et de l'étendre à de nouveaux secteurs comme les services, les investissements, les aliments génétiquement modifiés et les forêts.

Les leviers du pouvoir

Avec un secrétariat de 500 personnes basé à Genève, l'OMC est chargée de faire appliquer plus de vingt traités internationaux distincts, et elle dispose d'un Organe de règlement des différends (ORD) pour trancher les contentieux qui lui sont soumis. Sur le papier, tous les pays de l'OMC sont égaux, mais, dans les faits, les grands pays ont le pouvoir économique de résister aux sanctions commerciales que l'ORD autoriserait un petit pays à leur appliquer, alors que ce dernier part toujours avec un handicap quand il réclame justice contre un grand pays. Les principaux traités sont les suivants :

• L'accord général sur les tarifs et le commerce (GATT), dont le mandat est d'éliminer toutes les barrières tarifaires et non tarifaires encore opposées à la libre circulation des capitaux et des biens à travers les frontières des États. Le GATT contient deux clauses fondamentales pour l'action de l'OMC : celle du « traitement national », qui oblige à traiter à égalité produits ou services importés et produits ou services locaux (c'est-à-dire sans considération des conditions dans lesquelles ces biens sont manufacturés et sans se préoccuper de l'impact de ces importations sur l'emploi dans le pays importateur) ; celle de « la nation la plus favorisée », qui oblige chaque pays membre à traiter de la même manière les importations en provenance de tous les pays membres, quel que soit leur respect des droits de l'homme, de l'environnement ou de la protection du travail.

• L'accord général sur le commerce des services (GATS), premier traité multilatéral assorti de sanctions judiciaires portant sur des services comme le secteur bancaire, l'assurance, les banques de données, les communications et les services financiers. Des négociations sont en cours pour étendre le champ de cet accord à tous les services, y compris les soins médicaux, l'enseignement, la protection sociale, la culture, l'environnement (dont la fourniture d'eau potable).

• L'accord sur les droits de propriété intellectuelle liés au commerce (TRIPS) qui établit des règles assorties de sanctions judiciaires sur les brevets, les droits d'auteurs, les marques déposées, et les autorisations de breveter des plantes, des animaux et des semences. Récemment, des entreprises transnationales du secteur pharmaceutique ont invoqué cet accord pour empêcher les pays du tiers-monde de fournir des médicaments génériques (moins chers) aux malades du sida.

• L'accord sur les mesures en matière d'investissement liées au commerce (TRIMS) qui dicte aux gouvernements ce qu'ils peuvent faire ou non pour réglementer les investissements étrangers. Nombre de grandes entreprises veulent utiliser l'accord TRIMS pour réintroduire dans l'OMC des dispositions de l'AMI mort-né qui leur permettraient de poursuivre des États dont la législation ferait obstacle à leur recherche du profit.

• L'accord sur les normes sanitaires et phytosanitaires (SPS) qui impose des contraintes aux gouvernements en matière de sécurité alimentaire et végétale, allant de l'interdiction des pesticides, des contaminateurs biologiques et des organismes génétiquement modifiés aux mesures d'inspection des aliments et d'étiquetage des produits. L'accord SPS spécifie que les normes d'un pays en matière de sécurité alimentaire ne doivent pas être plus sévères que celles du *Codex alimentarius* de la FAO, l'organisation internationale destinée à harmoniser les critères de qualité dans l'alimentation mondiale, laquelle est largement dominée par les grandes entreprises agroalimentaires.

• L'accord sur les services financiers (FSA), signé pour écarter tout obstacle au libre mouvement des sociétés de services financiers, dont les banques et les compagnies d'assurances. Il annonce d'énormes fusions dans le secteur financier et la perte du contrôle de leur économie par de nombreux gouvernements.

• L'accord sur l'agriculture (AOA) qui institue des règles pour le commerce international des produits agricoles et limite le droit des gouvernements à subventionner leurs agriculteurs, à constituer des stocks alimentaires pour pallier des situations d'urgence, à imposer une réglementation sur la sécurité des aliments et à veiller à ce que leurs citoyens soient convenablement nourris. Cet accord a été critiqué un peu partout parce qu'il pousse à l'exploitation intensive des ressources naturelles, au développement de l'agriculture industrielle et au démantèlement des mesures de protection de l'environnement.

• L'accord sur les subventions et mesures compensatoires (ASCM) qui pose des limites à ce que les gouvernements peuvent faire en matière de subvention, et dont certaines clauses offrent des échappatoires aux pays riches et aux industries agroalimentaires.

• L'accord sur les obstacles techniques au commerce (TBT) qui entend assurer que les pays ne recourent pas à des barrières non tarifaires, telles les lois sur l'environnement, qui pourraient interférer avec la libéralisation du commerce.

• L'accord sur les marchés publics (AGP, *Agreement on Government Procurement*) doit empêcher les gouvernements d'utiliser des procédures qui favorisent les entreprises nationales ou exiger qu'une partie des sommes reçues au titre du marché public soit réinvestie dans le pays.

Un gouvernement mondial

D'emblée, l'OMC a été conçue comme une organisation supranationale différente des autres. Ses architectes, au terme du « cycle de l'Uruguay », ont voulu mettre en place non seulement un ensemble de règles applicables à l'économie mondiale, mais aussi un gouvernement planétaire doté des instruments adéquats. À la différence du GATT, qui était un contrat entre États, l'OMC a été dotée de la personnalité juridique. Son statut international est équivalent à celui de l'ONU, mais, à la différence de cette dernière, elle est armée d'énormes pouvoirs pour faire appliquer ses décisions. Les interventions de l'OMC, ces six dernières années, montrent que sa capacité de juger des contentieux en fait *de facto* un organe de gouvernement mondial.

Pouvoir judiciaire

Le mécanisme judiciaire prévu, l'ORD, permet aux États membres, agissant au nom de leurs entreprises, de se porter partie plaignante contre les lois, les politiques et les programmes de n'importe quel autre État membre qui violerait les règles de l'OMC. Des « panels » d'experts non élus ont le pouvoir de juger ces plaintes et de décider de sanctions. Le perdant a devant lui trois options : changer sa législation pour se conformer à la décision de l'OMC, affronter des sanctions économiques sévères et permanentes, verser des compensations perpétuelles au pays gagnant.

Étant donné que leur seule mission est de juger si telle politique d'un pays est ou non « une entrave au commerce », les panels n'ont pas à prendre en compte d'autres facteurs tels que la santé publique, l'équité économique ou la souveraineté nationale. Les organisations non gouvernementales et autres expressions d'intérêts non commerciaux n'ont pas voix au chapitre. Dans le choix des membres des panels, aucune prise en compte des éventuels conflits d'intérêts n'intervient : nombre d'entre eux viennent de cabinets juridiques spécialisés dans les contentieux commerciaux ou qui bénéficient de contrats lucratifs de la part de gouvernements. Qui plus est, les panels opèrent en secret : tous les documents présentés, les audiences et les comptes rendus des débats restent confidentiels.

Pouvoir législatif

L'OMC et ses panels ont donc autorité pour condamner toute loi ou politique des États membres considérées comme une violation de ses règles et pour demander aux pays concernés d'en établir de nouvelles, conformes à ces règles, sans considération des obligations sociales contractées par les gouvernements à l'égard de leurs citoyens. Résultat : dans les décisions prises à ce jour par ces panels, l'OMC a invariablement favorisé les intérêts des entreprises au détriment des droits des citoyens et des lois démocratiques votées dans l'intérêt public. À l'exception d'un seul cas, les dizaines de lois nationales sur l'environnement et la santé publique mises en cause devant l'ORD ont été condamnées par lui. Une procédure d'appel est prévue, mais quand bien même elle rejetterait le premier jugement, seul un vote unanime des 142 États membres est en mesure d'annuler un verdict de l'OMC.

Les sanctions étant imposées par le pays qui a gagné, les verdicts de l'OMC favorisent invariablement les pays

les plus puissants. Les pays non industrialisés ne peuvent
se permettre de payer des compensations, et s'ils tentaient
d'imposer une sanction à une grande puissance, elle n'aurait que peu d'effet. Inversement, si un grand pays industrialisé transgresse un jugement de l'OMC, il lui est plus
facile de payer des compensations ou de résister aux sanctions. Il n'est donc pas surprenant que sur les 117 contentieux traités à ce jour, 50 ont été initiés par les États-Unis.

Pouvoir exécutif

Bien que les jugements prononcés par l'OMC soient le
résultat d'un vote ou d'un consensus des 142 membres de
son Conseil général, le vrai pouvoir de décision appartient de plus en plus au *QUAD* (États-Unis, Union européenne, Japon et Canada), lequel se réunit plusieurs fois
par an entre les sessions du Conseil général et prend régulièrement des positions clés sur ce que l'OMC décidera à
propos des grandes questions portées à l'ordre du jour.
Ces réunions du *QUAD* se font à huis clos, sans participation d'aucun autre pays membre, et bien que ce *QUAD*
ne soit pas officiellement reconnu comme l'exécutif de
l'OMC, sa composition lui permet d'en exercer officieu-
sement les attributions. Quand d'autres pays contestent
ses décisions, ils sont menacés d'être tenus à l'écart du
système commercial international et de voir réduire leur
accès aux prêts de la Banque mondiale ou du FMI.

Aucun autre accord international (à l'exception de
l'ALENA, *voir* chapitre 5) ne prévoit un pouvoir judiciaire comparable. Les verdicts de l'OMC ont même le
pas sur d'autres accords multilatéraux, comme la Convention sur la diversité biologique, la Déclaration universelle
des droits de l'homme et les réglementations élaborées

par l'Organisation internationale du travail (OIT). Les décisions de l'OMC s'appliquent également à tous les niveaux de gouvernement, national ou fédéral, régional, local. Si une loi ou une réglementation est contestée devant l'OMC et déclarée contraire à ses règles, elle doit être abrogée, sans considération de savoir qui l'a votée ni pourquoi.

Avec des pouvoirs judiciaire, législatif, exécutif, supérieurs à ceux de bien des États, l'OMC a tous les moyens pour exercer une domination despotique sur les peuples dont les intérêts n'ont rien de commun avec les objectifs de ce colosse, serviteur des grandes entreprises.

4

GOUVERNANCE MONDIALE

Comment l'OMC et ses alliés se comportent en pouvoir mondial, au service des intérêts privés

La Motion Picture Association, qui représente les inté-rêts d'Hollywood, est l'une des associations patronales américaines qui ont beaucoup pesé sur Washington pour obtenir la signature de l'ALENA et la création de l'OMC. Ses motifs ont été parfaitement résumés par son prési-dent, Jack Valenti, quand il a déclaré, à propos du libre-échange : « La perspective d'avoir à en souffrir doit être intégrée à l'équation, sinon la solution ne marchera jamais. » Dans un film qui a eu quelque succès à l'au-tomne 2000, L'Art de la guerre, Donald Sutherland joue le rôle d'un secrétaire général de l'ONU qui s'est laissé convaincre de recourir à une opération clandestine pour aider à la conclusion d'un accord commercial Chine-États-Unis (notons qu'au mépris de la réalité le scénario préfère confier la responsabilité des traités commerciaux à la faible ONU plutôt qu'à une OMC impopulaire). Le film présente la libéralisation du commerce comme la seule politique souhaitable pour le monde entier, Chine comprise, et ceux qui cherchent à faire capoter l'affaire sont les triades chinoises et des extrémistes de droite, mais le complot échoue.

Les scénaristes ont mis dans la bouche de Donald Sutherland une étonnante réplique sur le rôle de l'ONU : « *Vous savez, si seulement le traité avec la Chine était signé, les Nations unies pourraient détenir un vrai pouvoir mondial.* » *À l'époque où le film a été réalisé, la négociation sur une adhésion imminente de la Chine à l'OMC faisait saliver Hollywood, qui se voyait déjà déversant massivement ses produits sur cet immense marché : alors que l'importation de films américains était jusqu'alors limitée à dix par an par les autorités chinoises, c'étaient eux qui obtenaient tous les records d'entrée.*

Le secteur privé gouverne l'OMC

Pour que le capitalisme mondial puisse opérer sur une planète nivelée par la dérégulation, il est absolument nécessaire que l'OMC règne sans partage. Les entreprises transnationales, flanquées de leurs *lobbies* nationaux ou internationaux, le savent parfaitement, elles qui, dès le début, ont cherché à avoir voix au chapitre dans la création de l'OMC et l'organisation de son fonctionnement. Inversement, les groupes de pression issus de la société civile n'ont pas été invités à participer à sa création. Un haut fonctionnaire de l'OMC l'a reconnu sans détour dans le *Financial Times* : « L'OMC est le lieu où les gouvernements s'associent en privé pour lutter contre leurs groupes de pression nationaux. »

Aux États-Unis, plus de cinq cents sociétés et représentants du secteur privé ont été officiellement nommés, après examen, conseillers de la puissance publique en matière de commerce international (entre autres la Chambre de commerce américaine, nombre d'entreprises classées par *Fortune* parmi les cinq cents plus importantes du pays, la Business Roundtable, qui représente les deux cents plus grosses entreprises, et une armée de *lobbies* sectoriels). Ainsi le comité consultatif de la Maison-Blanche pour les négociations commerciales est-il composé de représentants d'AT&T, d'IBM, d'Eastman Kodak, etc. Mais l'OMC n'a nullement prévu de recourir aux bons conseils d'ONG qui militent pour la défense de l'environnement, des droits du travail, des droits de l'homme ou de la justice sociale.

Au Japon, les liens directs entre les géants de l'économie nationale et le gouvernement sont institutionnalisés dans le Keidanren, la fédération des organismes économiques japonais, avec ses différents comités de politique publique présidés par les patrons des plus grandes entreprises du pays. Ainsi le Comité sur le commerce et l'investissement est-il présidé par le patron de Mitsubishi, et celui sur l'environnement et la sécurité par le patron de Nissan. Le Keidanren présente régulièrement son programme à la Diète et aux ministères japonais.

À Bruxelles, le commissaire européen au Commerce et ses services sont en liaison régulière avec la Table ronde européenne, qui réunit des représentants des cinquante plus grosses entreprises, dont Nestlé, Unilever, Siemens, Bayer et Philips. Cette Table ronde se démène beaucoup pour revenir sur l'échec de l'AMI et faire en sorte que l'OMC parvienne à un accord « acceptable » sur les investissements internationaux. Quant à la Chambre de commerce internationale, qui défend elle aussi cette résurrection de l'AMI, elle est de tous les *lobbies* celui qui a les rapports les plus étroits avec le secrétariat de l'OMC.

> ON EST MIEUX ENTRE SOI
>
> Nous avons toujours eu des relations de travail très étroites avec l'OMC, pour une raison évidente : les problèmes dont elle a à traiter sont cruciaux pour nos intérêts. La Chambre de commerce internationale a toujours su introduire, dans les travaux de l'OMC, l'apport du monde des entreprises, comme elle l'a fait depuis sa propre création et le début des négociations commerciales multilatérales.
>
> Stefano Bertasi, coordinateur, groupe de travail
sur le commerce et l'investissement
de la Chambre de commerce internationale.

Au Canada, quatrième membre du *QUAD*, les liens entre le monde des affaires et le gouvernement sont forgés au sein du Business Council on National Issues[1] (BCNI). Conçu sur le modèle de la Business Roundtable américaine, il réunit des représentants des cent cinquante plus grosses entreprises du pays et s'est toujours fait le champion du libre-échange, de la privatisation, de la déréglementation et d'une diminution de la fiscalité des entreprises. Le gouvernement canadien le consulte régulièrement à travers plusieurs groupes de travail sur l'industrie, de même qu'il consulte les différentes associations patronales, présentes en force à Seattle (*voir* chapitre 5).

En plus de l'énorme influence qu'elles ont sur leurs gouvernements, ces grandes entreprises et leurs associa-

---

1. Conseil des entreprises sur les problèmes nationaux (NdT).

tions patronales travaillent avec leurs homologues d'autres pays à la défense d'intérêts communs. L'European-American Business Council (EABC) est une création récente réunissant quatre-vingt-cinq entreprises transnationales des deux rives de l'Atlantique. Il a reçu la mission de travailler en étroite liaison avec le Partenariat économique transatlantique, créé par l'Union européenne et le gouvernement américain en 1998, qui réunit les représentants de quelque cent entreprises et des hauts fonctionnaires des deux bords, pour initier des négociations sur la fin des barrières douanières transatlantiques, mais son objectif ultime était d'influencer conjointement l'élaboration du programme du « cycle du Millénaire » de l'OMC avant la réunion de Seattle. L'EABC était partisan d'un programme ambitieux, incluant de nouvelles règles sur les services, l'agriculture, les investissements.

Comme on l'a vu au premier chapitre, les entreprises transnationales américaines ont joué un rôle important à Seattle, à la fois pour accueillir la conférence ministérielle et pour en préparer les travaux. À l'APEC, toutes les entreprises transnationales sont traitées sur un pied d'égalité avec les gouvernements, et les pays hôtes des sommets réservent à leurs délégués les mêmes égards qu'aux ministres et diplomates. Bien entendu, le *big business* est un des grands artisans de la signature de l'ALENA (*voir* chapitre 5) et du FTAA, destiné à étendre le libre-échange à l'ensemble des deux Amériques. De même, les grandes entreprises asiatiques et australiennes sont les principaux défenseurs du projet de création d'un marché commun dans la région Asie-Pacifique, avec un accord sur les investissements élargissant celui qui a déjà été conclu entre le Japon et Singapour.

À l'hiver 2000, le Congrès américain a débattu de l'admission de la Chine à l'OMC, et, selon le *Wall Street Journal*, les grandes compagnies américaines ont fait tout ce qu'il fallait pour y pousser. Des patrons parmi les plus en vue ont lancé un avertissement des plus clairs aux législateurs fédéraux : si vous votez contre l'admission de la Chine, nous en tiendrons compte au moment de vous envoyer des chèques pour le financement de vos campagnes électorales. Le président de Boeing, Phil Condit, et celui de FMC Corp., Robert Burt, ont averti chaque membre du Congrès que leur « amitié pour le monde des affaires » serait jugée à l'aune de leur vote sur ce projet. Et de faire savoir par écrit que « nous destinons nos dons aux gens qui soutiennent la libre entreprise et ce que nous considérons comme inhérent à son système : le libre-échange en est certainement une composante ».

En février 2000, des membres de la très puissante Business Roundtable ont réuni à un petit déjeuner hautement stratégique le ministre américain du Trésor Larry Summers (ancien économiste en chef de la Banque mondiale), le ministre du Commerce William Daley, le conseiller de la Maison-Blanche Gene Sperling et la ministre américaine du Commerce extérieur Charlene Barshefsky pour faire pression sur eux en faveur de l'admission de la Chine. Dans les semaines suivantes, ils ont ratissé Capitol Hill pour convaincre individuellement sénateurs et membres de la Chambre des représentants. Les dirigeants des sociétés membres de la Roundtable ont également poussé leur personnel à entrer dans l'orchestre pour faire comprendre à leurs propres représentants au Congrès que l'ouverture du marché chinois « sauverait des emplois en Amérique ». Boeing a donné presque 2 millions de dollars aux candidats et aux partis lors des élections législatives de 1998 et promis des aides encore plus substantielles aux candidats qui s'engageaient à « bien » voter sur la question chinoise.

LES INSTRUMENTS DU POUVOIR

Dans leur infatigable ardeur à dominer les marchés mondiaux, les entreprises transnationales ont cherché à se donner de nouveaux instruments de pouvoir en faisant modifier les législations sur la propriété intellectuelle, les services financiers et les investissements à l'étranger. Sur le front de la propriété intellectuelle, plusieurs sociétés américaines de premier plan, telles que Bristol-Myers Squibb, DuPont, Pfizer, Monsanto (aujourd'hui entièrement rachetée par Pharmacia Corporation), General Motors, se sont réunies en un Comité de la propriété intellectuelle, et, au cours du « cycle de l'Uruguay », avec la collaboration fructueuse d'entreprises et associations patronales d'Europe et du Japon, elles ont réussi à faire adopter un accord international sur les droits de propriété intellectuelle.

Ces accords TRIPS (Trade Related Intellectual Property Measures) obligent chaque pays l'un après l'autre à adopter une législation à l'américaine protégeant les brevets pendant vingt ans. Comme on pouvait s'y attendre, les principales victimes sont les pays en développement, où plus de 80 % des brevets utilisés sont détenus par des entreprises transnationales. Conséquence : des millions de personnes, dans ces pays, ne peuvent avoir accès à des médicaments génériques, donc moins coûteux.

Sur un autre front, les grandes sociétés financières mondiales ont exigé que tous les pays lèvent les barrières opposées aux entreprises étrangères qui souhaitent y acquérir des banques, des compagnies d'assurances, des sociétés d'investissement ou de courtage. La masse financière détenue par les banques du monde étant estimée à 41 000 milliards de dollars, on mesure l'énormité de l'enjeu pour les grands conglomérats financiers. Après plusieurs tentatives infructueuses pour faire négocier un accord international sur les services financiers, les grands groupes américains et européens ont constitué le Financial Leaders Group, où l'on retrouve Barclay, Chase Manhattan, Bank of America, ING Group, Dresdner Bank, Citigroup, Goldman Sachs, Ford Financial Services Group, Royal Bank of Canada et quelque cinquante autres grandes banques, compagnies d'assurances et sociétés d'investissement.

Ces entreprises ont élaboré leur propre projet d'accord international et travaillé main dans la main avec les hauts fonctionnaires américains et européens pour exercer une énorme pression sur les pays d'Asie et d'Amérique latine afin qu'ils y souscrivent. En décembre 1997, soixante-dix pays membres de l'OMC, dont le Canada et plusieurs pays asiatiques ou latino-américains, ont signé cet accord, réduisant ainsi leur souveraineté sur leur secteur financier au bénéfice d'entreprises étrangères.

Les géants de l'industrie ont aussi réclamé un traité international qui leur garantirait l'entrée de tous les pays pour y installer des unités de production. Depuis le fiasco du projet de l'AMI initié par l'OCDE, des démarches ont été entreprises pour le faire revivre sous l'égide de l'OMC. Le projet, élaboré à l'origine par la Chambre de commerce internationale et soutenu par les cinq cents plus grosses entreprises classées par le magazine *Fortune*, devait donner aux compagnies transnationales toute une panoplie d'instruments non seulement pour protéger leurs investissements et opérations dans d'autres pays, mais aussi pour faire abroger toutes les législations et politiques publiques nationales susceptibles d'empêcher leur course au profit (avec un droit de poursuivre directement les gouvernements qui violeraient l'AMI). Poussée par des géants comme Nestlé, Shell et British Petroleum, l'Union européenne est bien décidée à faire renaître la négociation sur les investissements au sein de l'OMC.

L'OMC menace l'environnement

Parmi les accords que l'OMC est chargée de faire appliquer, aucun ne concerne explicitement l'environnement, mais, par de nombreux aspects de son action, cette institution internationale affecte l'environnement et limite les droits des citoyens et des gouvernements à maintenir, dans ce domaine, une réglementation adéquate. Écoutons un juriste canadien spécialisé dans le droit commercial international, Steven Shrybman : « Pour dire les choses simplement, l'objectif essentiel de l'OMC est de déréguler le commerce international. Tous ses accords comprennent des règles détaillées visant à limiter la marge de manœuvre des États en matière de réglementation du commerce extérieur ou toute autre "interférence" de leur part avec les activités des entreprises transnationales. Les accords de l'OMC contiennent de longues listes de pratiques désormais interdites aux gouvernements. »

Les deux clauses du GATT qui, indirectement, affectent le plus l'environnement sont celles du « traitement national » et de « la nation la plus favorisée » puisqu'elles empêchent les États de promulguer une réglementation favorisant les produits issus de méthodes industrielles ou agricoles protectrices de l'environnement. Ces clauses stipulent qu'aucune distinction ne peut être faite entre produits « similaires » nationaux ou étrangers, que chaque État doit traiter des produits « similaires » venant de tel pays aussi favorablement que ceux venant de tel autre, et que tout quota ou interdiction opposés aux importations au nom de la défense de l'environnement peuvent être contestés comme autant de formes de protectionnisme par ceux qui s'estimeraient lésés. Ainsi aucune objection concernant les méthodes de production ne peut-elle être mise en avant pour interdire la circulation internationale d'un produit. Et ces clauses ont pour effet immédiat de légaliser une foule de pratiques calamiteuses pour les populations et l'environnement.

Ces clauses de l'OMC ont été utilisées avec succès pour terrasser la loi américaine sur la protection des mammifères marins, qui interdisait l'importation de thons mexicains parce que les filets des chalutiers ramenaient aussi de nombreux dauphins (150 000 par an environ). Elles ont également été mobilisées contre la loi américaine sur les espèces en danger, qui prévoit que les pêcheurs de crevettes, qu'ils soient nationaux ou étrangers, doivent équiper leurs filets d'un dispositif pourtant peu coûteux empêchant les tortues de s'y prendre afin de protéger la tortue de mer d'Asie, espèce en danger.

Une autre clause de l'OMC, l'article XI, interdit de recourir à quelque contrôle que ce soit sur des exportations et supprime tout quota d'importation et d'exportation : cette clause très dangereuse supprime *de facto* le droit d'un pays à réguler l'exploitation de ses ressources naturelles, puisqu'il lui est interdit d'imposer une quelconque limite à la quantité de ressources qui peuvent être exportées. Les implications de cette clause pour le commerce de l'eau et d'autres ressources naturelles vitales sont patentes : comme les entreprises transnationales du secteur entendent obtenir la privatisation des ressources mondiales en eau douce (qui sont en diminution) pour en faire un commerce international intensif (*voir* chapitre 6), c'est la vie humaine et la santé des populations qui risquent d'être mises aux enchères. Dès lors que cette précieuse ressource naturelle est incluse dans un accord du GATT comme « bien négociable », tout quota ou interdiction imposés à l'exportation d'eau par le moyen de supertankers nuisibles à l'environnement ou de systèmes sophistiqués de pipes-lines courent le risque d'être contestés comme autant de barrières protectionnistes.

Autre menace pour les mesures nationales de protection de l'environnement, l'accord de l'OMC « sur les obstacles techniques au commerce » qui prévoit qu'un pays dont la réglementation en ce domaine serait contestée doit se mettre en mesure de prouver qu'elle est « indispensable » et a été instituée « de la manière la moins restrictive pour le commerce » dans le seul but de satisfaire à certains objectifs de protection, de sécurité alimentaire et de santé publique. C'est donc au pays en question qu'appartient la charge de prouver, négativement, qu'aucune autre mesure compatible avec les règles de l'OMC n'était raisonnablement disponible pour protéger son environnement. Inversement, le principe positif dit de « précaution », central pour tous les défenseurs de l'environnement, affirme que, dans les affaires de santé et d'écologie, c'est le bénéfice du doute qui doit primer : un pays n'aurait donc pas à prouver que ses méthodes sont compatibles avec les règles internationales du commerce dès lors qu'elles satisfont aux normes qu'il a adoptées en matière d'écologie et de santé.

On notera en outre que la formule sur « la manière la moins restrictive pour le commerce » est peu claire et donc exposée à l'arbitraire des panels de l'OMC, ce qui crée un « effet de gel » : bien des pays, surtout les plus petits, préfèrent s'abstenir de toute réglementation sur l'environnement de crainte de la voir contestée devant l'OMC. C'est ainsi qu'à la suite de pressions exercées auprès de l'OMC par de grands groupes industriels contre l'étiquetage « produit écologique », de nombreux pays hésitent à s'engager dans ce type de production.

Les défenseurs de la tactique de l'OMC mettent en avant l'article XX du GATT, qui prévoit des « exceptions générales » aux règles pour permettre aux pays de protéger « l'homme, l'animal, les plantes ou la santé [...] ainsi que des ressources naturelles épuisables », pourvu que les restrictions adoptées frappent également ses propres producteurs et consommateurs. Mais, en ajoutant une clause qui spécifie que l'article XX peut être interprété en référence à la clause sur « la manière la moins restrictive pour le commerce », l'OMC a presque vidé ces « exceptions générales » de leur substance. Le fait est confirmé par l'American Electronics Association quand elle a fait remarquer, en réponse aux nouvelles directives européennes sur les produits électroniques, qu'« à ce jour aucun panel devant qui l'article XX a été invoqué n'a accepté de reconnaître comme "indispensables" des mesures qui, par ailleurs, contrevenaient à d'autres clauses du GATT ». En d'autres termes, tous les panels ont écarté la recevabilité de l'article XX (la seule exception à cette pratique étant le contentieux franco-canadien sur l'amiante, dont on parlera au chapitre 6).

Enfin, l'OMC a réussi à saper toutes les avancées que représentent les « accords multilatéraux sur l'environnement » signés par de nombreux pays sur les questions d'espèces en danger, de réchauffement de la planète et d'autres problèmes de cette nature. Pour sauter commodément par-dessus ces accords, il a été établi des « clauses de supériorité de l'OMC » qui prévoient qu'en cas de conflit, ce sont ses règles qui l'emportent. Et si l'OMC est contestée par un État sur ce point, elle peut donner force de loi à ses règles, même si elles contreviennent aux accords multilatéraux sur l'environnement (lesquels, en revanche, ne prévoient aucune sanction pour les contrevenants). Même quand un de ces accords semble compatible avec les règles de l'OMC, elle a d'autres moyens pour le contrecarrer. On en donnera ici un exemple, exposé par le Forum international sur la globalisation dans sa publication d'avant Seattle *Invisible Government*, rédigée sous la direction de Jerry Mander et Debi Barker : il s'agit des règles de la Convention sur la diversité biologique (CDB) signée au « Sommet de la Terre » de Rio, que l'OMC a réussi à saper de trois façons.

Pour commencer, alors que la CDB a été conçue pour préserver la biodiversité et protéger les espèces en voie d'extinction, la libéralisation du commerce prônée par l'OMC encourage l'agriculture industrielle (dont l'exploitation des forêts), et donc la monoculture, ce qui conduit à une destruction de la biodiversité et menace d'extinction des millions d'espèces. Ensuite, alors que la CDB demande la protection des savoirs autochtones, les accords sur la propriété intellectuelle favorisent le brevetage des savoirs autochtones par les entreprises, processus que l'on peut appeler « biopiraterie », qui oblige les pays concernés à reconnaître la validité de brevets déposés par des firmes étrangères sur leur propre patrimoine biologique. Enfin, alors que la CDB prévoyait la signature d'un protocole sur la biodiversité, lequel a été signé à Montréal au début de 1999, les États-Unis ont refusé d'y souscrire en prétendant que les règles de l'OMC lui étaient supérieures.

> LA TERRE DÉTRUITE PAR LA MONDIALISATION
>
> Par la faute des pratiques actuelles des grandes entreprises, il n'est pas une réserve naturelle, pas un espace encore non exploité, pas une culture autochtone qui pourra survivre à la mondialisation de l'économie. Nous savons que tout le système naturel de la planète est en cours de désintégration. La terre, l'air et l'eau, ces supports de la vie, ont été fonctionnellement transformés en dépôts d'ordures. Il n'y a pas de manière courtoise de dire que les intérêts économiques sont en train de détruire le monde.
>
> Paul Hawkens, *The Ecology of Commerce :*
> *A Declaration of Sustainability.*

L'OMC menace l'alimentation des peuples

L'accord de l'OMC sur l'agriculture (AOA) est l'un des plus compliqués de tous. Ostensiblement signé pour interdire les subventions agricoles de par le monde, il sert surtout les intérêts des grandes sociétés du secteur agroalimentaire, quel que soit leur pays d'origine. L'objectif premier de l'accord, réduire ou éliminer les barrières douanières, a permis à des produits du Nord, européens et américains, peu chers parce que subventionnés, de déferler sur des pays du tiers-monde préalablement contraints de supprimer leurs propres subventions à leurs agriculteurs (ou de les réduire à des niveaux égaux ou inférieurs aux niveaux américain et européen). C'est ainsi que la viande subventionnée importée d'Europe a contribué à la destruction des économies et cultures pastorales en Afrique de l'Ouest.

Sur toute la planète, d'innombrables exploitations familiales vouées à la petite agriculture ont été détruites par la libéralisation des échanges. Même dans les pays du Nord, il est presque impossible de garantir un revenu décent aux agriculteurs en raison des flux planétaires de denrées agricoles moins chères, produites dans des conditions de moins en moins saines, et dont les critères de qualité ne cessent de baisser. Les agriculteurs ont de plus en plus de mal à négocier leurs prix collectivement, aussi bien auprès des grossistes nationaux qu'étrangers, et l'élimination recherchée ou réalisée des soutiens nationaux aux prix agricoles laisse les paysans à la merci des cours mondiaux. La réduction et l'élimination finale des aides dans un secteur soumis aux incertitudes du climat et du manque de main-d'œuvre ne sont qu'une composante supplémentaire du chaos régnant. Quand les petits agriculteurs perdent de l'argent en raison des fluctuations des cours mondiaux, ils risquent d'être rayés de la carte. Seules de très grandes exploitations, investissements de très grosses entreprises, sont assurées de survivre.

L'assaut de l'AOA contre les barrières non tarifaires (réglementation de l'environnement et constitutions de stocks) a eu des effets ravageurs sur la protection sanitaire et sur celle des agriculteurs. C'est ainsi que les États-Unis, grâce à l'OMC, sont sortis victorieux de leur contentieux avec le Japon sur le contrôle sanitaire des importations agricoles mis en place par ce pays pour mesurer l'éventuelle présence de résidus de pesticides, et des dizaines de règles japonaises en ce domaine ont dû être abolies ces dernières années.

Les exigences de l'accord sur l'agriculture signifient aussi que les nations souveraines sont désormais dans la situation grotesque de ne pas pouvoir constituer des stocks de nourriture pour pallier d'éventuelles sécheresses, des récoltes désastreuses, les effets d'une guerre. Elles sont désormais contraintes d'acheter sur le marché international tout ce dont elles ont besoin : « autosuffisance alimentaire » signifie aujourd'hui qu'on a assez d'argent pour acheter de quoi nourrir le pays et non plus la capacité nationale de le produire. Il est clair que tout cela pénalise les pays les plus pauvres, qui n'ont pas les devises fortes nécessaires à des achats sur le marché mondial. De plus, comme ils sont périodiquement menacés de famine, ce sont eux qui auraient surtout besoin de se constituer des stocks quand l'année a été relativement bonne.

Dans des pays qui sont moins exposés aux disettes, les règles de l'OMC exposent les citoyens à un autre risque, celui de trouver sur le marché des aliments présentant des dangers pour le consommateur. Le Canada et les États-Unis, par exemple, ont utilisé avec succès l'accord SPS pour obliger l'Europe à cesser d'interdire l'importation de bœuf nourri aux hormones, lesquelles peuvent causer des cancers. Quand la maladie de la vache folle a surgi dans le cheptel britannique au milieu des années 1990, l'Union européenne a interdit l'usage non thérapeutique d'hormones dans son industrie alimentaire, mettant en avant de nombreuses études scientifiques qui prouvaient leur dangerosité. Mais le panel de l'OMC, dans sa prétendue sagesse, a exigé une « certitude scientifique » sur cette question, décision qui a des implications redoutables sur la capacité des gouvernements à imposer des normes sanitaires rigoureuses : au lieu d'assurer à leurs citoyens l'accès à la nourriture la plus saine, ils sont désormais obligés de laisser entrer sur leur territoire des aliments qui sont peut-être extrêmement dangereux.

> LA NOUVELLE BOUSTIFAILLE
>
> La vision du libre-échange qu'exprime l'accord de l'OMC sur l'agriculture est celle d'une économie agricole planétaire unifiée, où chaque pays produit selon ses spécialités et supplée à ses besoins alimentaires en achetant sur le marché international. L'agriculture ne doit plus être gérée par des paysans pour la consommation locale, mais par de grandes entreprises pour le marché mondial. L'application de ce modèle sonne le glas de tout espoir d'autosuffisance alimentaire pour les pays pauvres, car l'agriculture de subsistance a perdu la partie devant la monoculture des produits exportables.
>
> À eux tous, les différents accords de l'OMC plantent le décor d'une nouvelle « révolution verte » : diffusion des biotechnologies à travers les aliments génétiquement modifiés ; gènes aux effets stérilisants, si bien que les agriculteurs sont obligés d'acheter de nouvelles semences chaque année au lieu d'utiliser les leurs ; légumes qui entraînent la mort des insectes qui s'en nourrissent ; plantes presque immunisées contre les pesticides, pour lesquelles il faut sans cesse augmenter les doses.
>
> Steven Shrybman, *The World Trade Organization,*
> *A Citizen's Guide.*

L'OMC menace la protection sociale

Le rejet patent, à Seattle, du projet de « cycle du Millénaire » n'a pas découragé les gens de l'OMC qui ont lancé un ambitieux nouveau cycle de négociations sur les services, au titre du GATS. L'objectif est de mettre radicalement en cause la fonction des gouvernements en soumettant aux règles de l'OMC un nombre croissant de décisions qu'ils peuvent être amenés à prendre. Le GATS couvre un champ immense, explique Scott Sinclair, un expert du Canadian Center for Policy Alternatives, et il entend faire passer sous sa coupe tous les services imaginables. Il s'applique à tous les niveaux de l'intervention publique, non seulement dans le domaine du commerce transnational, mais aussi dans celui des politiques publiques nationales sur l'environnement, la culture, les ressources naturelles, la santé, l'enseignement et les services sociaux. L'actuel cycle du GATS a prévu de mettre tous les services « sur la table », et il n'est que le premier d'une longue série de cycles de négociations dont l'objectif ultime est la libéralisation complète de tout le secteur.

Le secteur des services est aujourd'hui le « marché » qui connaît la croissance la plus rapide en termes de commerce extérieur. De tous, la santé, l'enseignement et la protection sociale semblent être les plus lucratifs : les dépenses planétaires pour l'enseignement et la santé dépassent respectivement les 2 000 et 3 500 milliards de dollars. Enseignement public, santé et protection sociale sont désormais dans la ligne de mire de puissantes entreprises transnationales prédatrices dont l'objectif n'est rien de moins que le démantèlement complet des services publics dans ces domaines. Pour y parvenir, il leur suffit d'obtenir que tous les services publics soient soumis aux règles de la concurrence internationale et à la discipline de l'OMC, institution qui a déjà fait ses preuves en refusant de prendre en compte les normes nationales dans les domaines de la culture, de l'environnement et du commerce.

Les gouvernements semblent avoir compris que le GATS ne fonctionne qu'au bénéfice des transnationales : sur le site Internet de la Commission européenne, on peut lire qu'il est « avant tout un instrument au service des grands intérêts privés ». Signé en 1994, le GATS ne devait initialement traiter que de problèmes qui lui seraient « soumis » : si un pays ou plusieurs demandaient que tel secteur, le commerce électronique par exemple, fasse l'objet d'une négociation, les autres devaient donner leur accord, ce qui permettait d'exclure du champ des compétences de l'accord les politiques sociales, et notamment la santé et l'enseignement. Cependant, avant Seattle, une campagne agressive a été lancée par les États-Unis pour que soit inclus automatiquement dans les compétences du GATS tout ce qui pouvait être considéré comme un service (donc l'éducation, la santé et la protection sociale).

La ministre américaine du Commerce extérieur, Charlene Barshefsky, ayant demandé au puissant *lobby* qu'est la Coalition of Services Industries ce qu'il souhaiterait voir inclus dans un GATS de grande ampleur, a reçu une liste de trente et une pages ! Ce *lobby* et ses homologues européens proposaient que la libéralisation soit étendue aux secteurs suivants : médecine, hôpitaux, soins à domicile, dentisterie, pédiatrie, gériatrie ; enseignement primaire, secondaire et supérieur ; musées, bibliothèques ; aide sociale, architecture, énergie ; eau, protection de l'environnement ; tourisme, poste, édition, radio et télévision, etc.

Les actuelles règles du GATS menacent d'ores et déjà les droits des citoyens à une protection sociale assurée par le secteur public sur des bases égalitaires, ce qui contredit les garanties proclamées par la Déclaration universelle

des droits de l'homme de l'ONU. Bien que les gouvernements aient officiellement le droit de conserver des services publics dans le secteur de la protection sociale, les
règles du GATS exigent néanmoins que ces services
soient totalement non commerciaux, et il est bien peu
d'États dans le monde qui n'autorisent pas un certain
degré d'activité commerciale dans ce secteur public. Le
nouveau cycle de négociations menace donc l'actuel système d'exemptions. Les États membres sont tombés d'accord pour que « tout soit mis sur la table », ce qui va dans
le sens des ambitions à long terme de l'OMC : étendre
au maximum le champ d'application du GATS.

Plus grave encore pour les citoyens du monde entier,
les États membres sont d'accord pour franchir les premières marches conduisant à doter le GATS de nouveaux
instruments d'influence. Voici les objectifs auxquels ils
ont donné leur approbation : étendre le nombre des services couverts par l'accord et limiter les autorités étatiques de régulation des services ; ajouter la clause du
« traitement national » aux dispositions du GATS, ce qui
permettrait à des entreprises étrangères de prétendre aux
subventions publiques, dans tous les pays, pour la mise
en place de services ; accorder une « présence commerciale » aux entreprises étrangères dans le secteur social,
leur ouvrant ainsi le droit d'y faire des investissements,
base de leur future influence ; soumettre les gouvernements à l'examen de « régulation nationale » (lire « dérégulation nationale ») sous l'égide de l'OMC, ce qui
limiterait fortement leur capacité à promulguer et à faire
appliquer des normes sur l'environnement, la santé et la
sécurité sociale.

RÉDUIRE LA CONCURRENCE

Les grands intérêts privés cherchent à faire édicter, dans le secteur des services, des règles impératives, mondiales et irréversibles. Rien de surprenant si les entreprises transnationales, au fur et à mesure qu'elles étendent leur emprise sur le monde, ont de plus en plus intérêt à réduire les coûts qu'entraînent pour elles les réglementations auxquelles elles sont confrontées dans les différents pays. Elles ont aussi tout à gagner à une réduction de la concurrence que leur font des entreprises nationales, parfois publiques, et à réclamer la privatisation de ces dernières pour accroître leurs parts de marché. Faire adopter des règles mondiales pour réduire ou éliminer les restrictions que les différents pays peuvent mettre au commerce international est, à l'évidence, la priorité absolue de bien des entreprises transnationales opérant dans le secteur des services.

Scott Sinclair, *GATS : How the World Trade Organization's New « Services » Negociations Threaten Democracy.*

Le rôle de l'OMC dans les conflits armés

L'Institut de recherche sur la paix, à Oslo, qui a procédé à une étude des principaux conflits militaires des années 1990 (presque tous des guerres civiles) leur a découvert des caractéristiques communes : ils ont eu lieu dans des pays souffrant d'un niveau élevé de pauvreté et de dégradation de la terre, où l'eau douce est rare, la dette extérieure énorme, le revenu des exportations de matières premières en forte baisse, et qui ont tous connu une vigoureuse intervention du FMI (tous handicaps renforcés, sinon entièrement causés, par la Banque mondiale, le FMI et l'OMC).

L'OMC joue également un rôle pernicieux en ce qu'il favorise le commerce des armements, comme l'explique Steven Staples, de l'International Network on Disarmament and Globalization : l'article XXI, peu connu, mais très important, exempte de toutes les règles de l'OMC les activités de la sphère militaire, y compris les programmes de recherche et les subventions des gouvernements à l'exportation d'armes. Ici, chaque pays peut adopter les mesures « qu'il considère comme indispensables pour la protection des intérêts essentiels de sa sécurité, dans le domaine du commerce des armes, des munitions et autres matériels militaires ». Cette exception (reprise dans l'ALENA) offre une couverture commode pour toute subvention liée à la sécurité nationale, fondée sur la prémisse que le rôle premier de l'État est d'entretenir une armée pour protéger le pays et une police pour assurer sa sécurité intérieure.

C'est là une exemption de taille, car elle permet aux gouvernements de définir eux-mêmes leurs « intérêts essentiels de sécurité ». Les États-Unis, par exemple, maintiennent un contrôle étatique sur la radiodiffusion parce qu'ils la considèrent comme indispensable à la sécurité nationale, alors même que Washington utilise l'OMC et l'ALENA pour contraindre le Canada à ouvrir son réseau hertzien à la concurrence internationale.

Comme l'exemption au titre de la sécurité nationale protège l'industrie des armements de tout risque de contentieux porté devant l'OMC, elle a pour effet de stimuler les dépenses militaires des États, car c'est le seul domaine où des exportations peuvent être subventionnées. À la suite de plusieurs litiges portés récemment devant l'OMC, comme ceux liés aux subventions canadiennes en faveur des technologies spatiales non militaires, les gouvernements ont trouvé la parade : inclure ces programmes civils dans des programmes militaires pour les faire bénéficier de l'exemption, ce qui a pour conséquence d'accroître leurs dépenses militaires afin de protéger l'exportation de technologies non militaires.

L'Afrique du Sud a fort bien retenu la leçon de l'« erreur » canadienne : comme elle comptait se lancer dans un programme d'achat d'armements, représentant des milliards de dollars, auprès de fournisseurs européens (hélicoptères, avions, vaisseaux et même sous-marins), elle a négocié avec les entreprises concernées pour qu'elles implantent en Afrique du Sud une partie de la production liée à ces contrats : ces investissements et les emplois qu'ils créent ont l'avantage de bénéficier de l'exemption des règles de l'OMC.

Ainsi l'OMC est-elle en train de créer un monde où les gouvernements sont incités à développer leurs programmes militaires au lieu de s'assurer que leurs citoyens auront accès à un bon système d'enseignement, à une alimentation saine et à des secours en cas de crise économique. Par une autre « entourloupe », les pays non industrialisés sont ici encore les perdants : les pays du *QUAD* totalisant les deux tiers des dépenses militaires mondiales, l'exemption au titre de la sécurité nationale leur donne un avantage compétitif par rapport aux pays du tiers-monde, que leurs budgets militaires (minuscules dans la plupart des cas) relèguent aux dernières places dans la « noble » course à la gloire matérielle et militaire.

PERDRE LE DROIT D'AGIR AU NOM DU BIEN

La leçon est claire : par la faute de l'OMC, les collectivités locales et les gouvernements nationaux ont perdu le droit de lier leurs marchés publics, investissements et autres activités économiques à la poursuite de la paix, de la justice sociale ou du respect des droits de l'homme. Étant donné que l'exemption au titre de la sécurité nationale protège l'industrie de l'armement de tout risque de contentieux devant l'OMC, elle a pour effet de pousser les gouvernements à accroître leurs dépenses militaires afin de créer des emplois, d'aider des industries nouvelles et le développement des technologies de pointe. Elle permet aux gouvernements (avant tout ceux des États-Unis, des pays de l'OTAN et du Japon) de protéger et de subventionner leurs industries d'armement et leurs exportations d'armes, ce qui est autant de perdu pour les investissements dans le secteur de la santé ou de la protection sociale.

Steven Staples, « The WTO and the Global War System »,
colloque de Seattle, novembre 1999.

Les entreprises transnationales de l'armement parcourent désormais le monde en quête de subventions gouvernementales, d'incitations fiscales, de bas salaires et de droit du travail peu contraignant. Comme le souligne Steven Staples, d'énormes concentrations ont eu lieu ces dernières années dans l'industrie de l'armement. Le Pentagone, pour préserver son influence sur le secteur, a récemment fait accorder à British Aerospace, la plus grosse entreprise d'armement européenne, le bénéfice du « traitement national » aux États-Unis, ce qui l'assimile aux entreprises américaines, avec tout ce que cela signifie en termes de privilèges et de contrôle.

De son côté, l'état-major spatial américain (US Space Command) déclare publiquement, non sans orgueil, que sa future mission, faire de l'espace le « quatrième terrain » des opérations militaires, est destinée à protéger les intérêts commerciaux et les investissements américains sur toute la planète. Son rapport *Visions of 2020* reconnaît que la mondialisation ne fera qu'accroître le gouffre entre les « possédants » et les « démunis », et assigne à cette militarisation future de l'espace le rôle jadis dévolu à la marine américaine pour protéger, par la force, les intérêts commerciaux du pays.

Le général Joseph Ashy, ancien commandant en chef du Space Command, l'a bien dit : « Le sujet est politiquement délicat, mais c'est ainsi que ça se passera. Il y a des gens qui ne veulent pas l'entendre, et on ne peut pas dire que le thème soit à la mode, mais il est absolument certain que nous allons transporter la guerre dans l'espace : nous allons opérer militairement à partir de l'espace, et à l'intérieur de l'espace. » Le nouveau mandat du Space Command, étalé sur son site Internet, lie expressément cette militarisation de l'espace aux intérêts commerciaux de l'Amérique. « En raison de l'importance du commerce et de ses conséquences pour la sécurité nationale, les États-Unis peuvent être appelés à devenir les gardiens du commerce spatial. »

Ce dernier sera donc protégé par les TRIPS, les TRIMS, le GATS, le GATT, bref par tout l'alphabet de la domination mondiale.

5

COLLUSION NATIONALE

Comment le gouvernement canadien
joue le jeu des entreprises transnationales

Fin 1998, les hauts fonctionnaires du département des Affaires étrangères et du Commerce extérieur canadien (DAECE) rédigent deux notes détaillées à l'attention du ministre du Commerce extérieur, Sergio Marchi à l'époque, pour lui proposer une stratégie de communication sur la libéralisation des échanges et répliquer à ceux qui avaient réussi à mobiliser l'opinion canadienne contre l'AMI, jusqu'à faire capoter le traité projeté. Ces deux textes confidentiels, intitulés respectivement « Après l'AMI » et « Programme d'information sur la libéralisation du commerce », exposaient sans fard l'embarras du ministère devant son échec à convaincre l'opinion canadienne des bienfaits du libre-échange, et sa détermination à rectifier le tir par le moyen d'une coûteuse campagne de relations publiques à laquelle les grandes entreprises apporteraient leur concours.

Destinées au seul ministre (appelé le « vendeur en chef du Canada »), les deux notes proposaient un plan auda-

cieux pour retourner l'opinion : « Afin de contrer les accu-
sations selon lesquelles la libéralisation du commerce n'est
pas nécessairement dans l'intérêt du Canada et/ou du reste
du monde, le DAECE aura besoin [...] de travailler avec
des partenaires du secteur privé et des institutions interna-
tionales [...]. Il faut annoncer que vous comptez lancer un
processus de "consultation" et d'"engagement citoyen"
pour la préparation du futur cycle de négociations de
l'OMC [...]. Instaurez un dialogue sur le principe même
du libre-échange. Laissez les questions litigieuses (agri-
culture, emploi, droit du travail, environnement) à vos col-
lègues des ministères compétents, qui sont déjà à la
tâche. » Les rédacteurs n'hésitaient pas à écrire que « le
monde des affaires est notre partenaire prioritaire » et que
le ministère « consacre d'importantes ressources à servir
les intérêts du monde des entreprises, qui nous apporte
un si grand soutien ». Ces bureaucrates conseillaient de
recourir massivement à une « communication ciblée », ins-
pirée de celle de la Business Roundtable américaine, et
recommandaient de faire sponsoriser le programme par les
grandes entreprises : « Le BCNI [Business Council on
National Issues, le principal lobby *patronal canadien] a*
déjà fait savoir qu'il était très intéressé, et Red Wilson
[ancien directeur général du BCNI] m'a dit que l'idée
méritait d'être étudiée. »

Dans ces deux notes, les hauts fonctionnaires du
DAECE assurent que le premier objectif est « de position-
ner le gouvernement canadien, et tout spécialement le
ministre du Commerce extérieur, comme engagés dans un
véritable dialogue avec l'opinion publique sur les questions commerciales ». Mais cette ambition apparemment

vertueuse dissimule en fait un plan cynique pour rallier l'opinion à la position gouvernementale sans la modifier substantiellement. Aucun véritable dialogue n'est envisagé, et les rédacteurs des deux notes n'imaginent pas qu'ils puissent avoir quelque chose à apprendre de la société civile. Pour être sûrs de n'avoir à entendre que ceux « qui sont intéressés à un authentique dialogue avec le gouvernement », ils adoptent la tactique suivante : donner aux groupes émanant de la société civile beaucoup de travail préparatoire, car « plus on leur demandera de partager le fardeau, plus on verra se dérober les groupes les moins intéressés au dialogue ».

Une fièvre de consultations

N'importe quelle ONG canadienne le confirmera : depuis octobre 1998 et la défaite du projet d'accord multilatéral sur les investissements, le DAECE a lancé une série de consultations sans précédent auprès des citoyens canadiens, de l'Atlantique au Pacifique. En deux ans, il ne se s'est pratiquement passé aucun mois sans quelque comité parlementaire ou consultation ministérielle sur les plus petits détails de la politique gouvernementale en matière de commerce et d'investissement extérieurs. Devant un tel déluge de sollicitations, nombre de groupes citoyens n'ont pas été en mesure de répondre à la demande. Au premier abord, on aurait pu croire que le gouvernement canadien avait tiré la leçon de ses errements passés et voulait entamer un véritable dialogue avec ses citoyens. Mais les notes déjà citées montrent bien que toutes ces réunions n'étaient que de la poudre aux yeux destinée à masquer les véritables intentions du

DAECE sur le front international. Ainsi, plusieurs mois après la rédaction des deux textes, la direction du Commerce et des Investissements extérieurs au sein du DAECE a invité un millier de participants à une série de « tables rondes » sur la politique gouvernementale en matière de marchés publics, d'investissement et de concurrence, mais 75 % des personnes conviées se sont révélés être des représentants du monde des affaires : rien d'étonnant si le gouvernement n'a guère entendu d'opinions divergentes.

Cependant, il a bien été obligé d'entendre des voix discordantes, au début de 1999, quand la commission permanente des Affaires étrangères et du Commerce extérieur de la Chambre des communes a tenu des audiences publiques sur le « cycle du Millénaire » de l'OMC, qui devait être lancé à Seattle en novembre. Des centaines d'associations pour la défense de l'environnement, du droit du travail, de l'agriculture, de la justice sociale, de la culture, du secteur public, ainsi que les différentes Églises, ont été entendues par la commission où siègent des élus de tous bords. Nombre d'entre elles étaient hostiles à l'OMC et demandaient que le Canada se retire des négociations, tandis que d'autres, tout aussi nombreuses, estimaient que l'institution pouvait être réformée, afin de devenir l'instrument plus humain et plus responsable d'un système international plus juste, et elles appelaient le gouvernement canadien à y œuvrer. Toutes, cependant, s'accordaient pour reprocher à l'OMC de ne pas inclure dans ses règles des normes minimales en matière de droits de l'homme, de protection sociale, de respect des cultures et de protection de l'environnement, menaçant ainsi la stabilité mondiale.

Et pourtant, quand la commission permanente publiera

son rapport, en juin 1999, on n'y trouvera qu'un bref hommage, du bout des lèvres, aux exposés intelligents et très documentés présentés par les différentes associations entendues. Christine Elwell, du Sierra Club, qui a étudié de près les recommandations du rapport, note qu'il appelait Ottawa à maintenir sa position traditionnelle et à profiter de Seattle pour promouvoir agressivement la libéralisation des échanges dans l'agriculture, les services et les investissements. Déçus, les groupes citoyens, désormais réunis en un « Front commun » contre l'OMC, coprésidé par le Conseil des Canadiens et le Congrès du travail canadien, se tournent alors vers le ministre du Commerce extérieur, Pierre Pettigrew. Sans résultat : au début de novembre, à quelques semaines seulement de l'ouverture de la conférence ministérielle de Seattle, ce dernier publie la position du gouvernement canadien sur les négociations de l'OMC, texte qui se contentait de reprendre les propositions de la commission parlementaire et déclarait que « rien, a priori, n'était à exclure du champ des discussions », y compris les questions « politiquement sensibles » de la santé et de l'enseignement. Bref, la délégation canadienne partait pour Seattle bien décidée à militer pour l'ouverture de nouveaux secteurs à la discipline de l'OMC, sans inclure dans son programme aucun des changements progressistes que les ONG avaient réclamés et dont elles avaient pu un moment penser, au vu du processus de consultation lancé par le DAECE, qu'ils seraient pris en compte.

Le Canada tient la corde

Cette déception des groupes citoyens se changera en colère quand ils commenceront à comprendre que, loin de se contenter d'une position suiviste sur la mondialisation des échanges et l'OMC, Ottawa était en fait un des meneurs du processus, agissant pour le compte du gouvernement américain, lequel était confronté à une opinion publique de moins en moins favorable au libre-échange et préférait ne pas monter en première ligne. En fait, le Canada jouait un rôle déterminant depuis plus de dix ans : selon Sylvia Ostry, chef de la délégation canadienne lors du « cycle de l'Uruguay », l'idée s'était peu à peu imposée que le GATT n'était plus la plate-forme adéquate pour le nouveau système de commerce international en cours de constitution, « bien plus ambitieux et bien plus vaste », si bien que le cycle de négociations avait été marqué par « un changement fondamental de gabarit politique », menant à un « programme d'unification économique bien plus profonde », avec intrusion délibérée dans l'espace des politiques nationales en matière de commerce, d'investissements, de technologie, de droits sociaux, de santé et de protection civile. Dans un texte rédigé en 1999 pour la Brookings Institution de Washington, Sylvia Ostry écrivait que si le « cycle de l'Uruguay avait marqué le lancement d'un projet d'unification économique plus profonde, il n'en représentait que la première étape. Et le mandat confié à la première institution internationale créée après la fin de la guerre froide [l'OMC] était effectivement formidable ». Ce dont on avait besoin désormais, c'était d'une organisation de pays membres avec des crocs, et non plus du système antérieur d'accords commerciaux, ainsi que d'un mécanisme de règlement des conflits qui serait « le joyau de sa couronne ». Or c'est le Canada qui avait proposé la création de l'Organisation mondiale du commerce, rapidement suivi par l'Union européenne.

GLOIRE À L'OMC ET AU CANADA SON PROPHÈTE !

La récente phase des négociations du « cycle de l'Uruguay » prouve que ses résultats sont trop importants pour rester dans le cadre d'une structure provisoire. Il est également clair que le prochain cycle de négociations sera complexe et ne pourra être mené à bien si l'on s'en tient aux limites actuelles du GATT.

Communiqué de presse du gouvernement canadien, avril 1990.

En outre, le Canada a toujours été un ardent partisan du forum de Coopération économique Asie-Pacifique (APEC) dont il a accueilli la réunion de 1997 à Vancouver, laquelle a donné lieu à des brutalités policières de sinistre mémoire (gaz au piment) contre des manifestants pacifiques, au point que l'ouverture d'une enquête n'a pu être évitée. Des documents confidentiels des services de sécurité publiés depuis montrent clairement que le DAECE et le cabinet du Premier ministre avaient garanti au dictateur indonésien, le président Suharto (responsable d'au moins un million de morts), que les protestataires seraient si bien tenus à distance qu'il ne pourrait ni les voir ni les entendre.

De même, le Canada aura été, dès le premier jour, la *pom-pom girl* de l'AMI. Le DAECE a œuvré en étroite collaboration avec le Département d'État américain et la Commission européenne pour proposer un traité sur les investissements à la première conférence ministérielle de l'OMC tout juste créée, en décembre 1996, projet résolument rejeté par les pays du tiers-monde comme relevant du néocolonialisme. Sans s'émouvoir, le Canada et les États-Unis ont confié le texte préparatoire de l'AMI, élaboré par la Chambre de commerce internationale, à un organisme plus accueillant, l'OCDE, où des négociations étaient d'ailleurs déjà en cours. Quand le projet a été connu du public, suscitant bien des controverses au Canada, le ministre du Commerce extérieur, Sergio Marchi, a qualifié les opposants de « prophètes de malheur professionnels », « incapables de comprendre et toujours prompts à dénaturer les faits ».

Le Canada s'est également montré un partisan enthousiaste du libre-échange en Amérique du Nord, que ce soit sous l'égide du gouvernement conservateur de Brian Mulroney ou de celui de son successeur du Parti libéral[1] Jean Chrétien. Quelques semaines après sa victoire électorale, en 1984, Brian Mulroney déclara à un auditoire de magnats américains à New York que le Canada était « ouvert aux affaires », et il promettait d'abattre les barrières douanières opposées aux investissements et aux produits américains. Des années plus tard, dans un entretien avec la journaliste Marci McDonald, le délégué de Washington aux négociations américano-canadiennes du milieu des années 1980, Peter Murphy (décédé depuis), confirmera que le Canada désirait ce traité bien plus encore que les États-Unis.

En 1986, la question de l'accord de libre-échange nord-américain domine toute la politique économique canadienne. Plus de cent experts, puisés dans plusieurs départements ministériels, ont été mutés vers une nouvelle entité, le Bureau des négociations commerciales, qui occupe un étage entier, luxueusement meublé, dans une tour du centre d'Ottawa. Les Affaires étrangères financent cette structure administrative et paient 1 000 dollars canadiens par jour son directeur, un diplomate à la

---

1. Dans le vocabulaire politique américain et canadien, « libéral » veut dire « social-démocrate » (NdT).

retraite, Simon Reisman. Pour les États-Unis, qui n'ont mis que trois diplomates sur l'affaire, logés dans un cagibi de Washington, ces négociations ne sont qu'une question secondaire, une simple première étape vers le véritable objectif, s'assurer que le prochain cycle du GATT inclura des mesures ardemment désirées par les entreprises américaines, mais rejetées par de nombreux pays : la capitulation du Canada sur plusieurs questions parmi les plus controversées servira de « levier », notamment contre l'Europe.

Là-dessus, Jean Chrétien et le Parti libéral accèdent au pouvoir : alors qu'ils n'ont cessé depuis neuf ans de combattre la politique de libre-échange de Mulroney, leur première décision est de ratifier ce traité très contesté qu'était l'ALENA, au grand scandale de bien des Canadiens devant cette trahison des promesses électorales. Depuis quelque temps déjà, pourtant, des signes avant-coureurs indiquaient que les libéraux se muaient en partisans agressifs de la mondialisation : en 1991, ils avaient réuni un groupe soigneusement choisi de « penseurs » (la « conférence Aylmer » à Québec), et le parti avait clairement embrassé la cause de ce que Jean Chrétien appelait l'« inévitable réalité » de la mondialisation économique. L'année suivante, un libéral jusque-là hostile au libre-échange, Roy MacLaren, publia un texte polémique, *Wide Open* (« Grand ouvert »), appelant le Canada à devenir le premier pays dans le monde à supprimer de son propre chef toutes les barrières au commerce et aux investissements, sans considération de réciprocité de la part des autres États.

Dans leur livre de 1996, *Double Vision*, les journalistes Ed Greenspon et Anthony Wilson-Smith assurent qu'à la veille des élections de 1993, le Parti libéral était prêt à signer l'ALENA. Mais une telle volte-face n'était pas sans poser des problèmes politiques, si bien que des conseillers de la Maison-Blanche rencontrèrent ceux de Jean Chrétien dans les semaines précédant le vote, pour élaborer de concert un plan qui sauverait la face, grâce à d'inoffensifs accords sur l'environnement et le droit du travail. Après cette première capitulation, Jean Chrétien et les libéraux n'ont plus jamais regardé en arrière et sont devenus les plus ardents partisans du libre-échange de tous les gouvernements des deux Amériques.

Jean Chrétien se trouvait au Chili pour y porter la bonne parole, à la fin de septembre 2000, quand il apprit la mort de Pierre Trudeau. Si sincère que fût sa douleur devant la perte de son mentor, il y avait en elle une ironie dont il n'était pas conscient : Jean Chrétien avait systématiquement ruiné la politique culturelle et économique de Trudeau et Pearson. Ce personnage sorti du rang, qui s'était élevé dans le monde politique grâce à la protection de Trudeau et à la force de sa croyance dans le destin canadien, avait choisi, une fois Premier ministre, de plier le genou devant les grands intérêts économiques et de tourner le dos aux citoyens qui l'avaient élu pour qu'il les défende.

Et la propagande pour le libre-échange continua de plus belle. En juin 2000, le Canada accueille à Windsor le sommet de l'Organisation des États américains à l'occasion de son dixième anniversaire (*voir* chapitre 2), et, en avril 2001, il se fait l'hôte enthousiaste du « Sommet des Amériques », réunissant les dirigeants de tous les pays du continent, Cuba excepté. Le FTAA (Free Trade Area of the Americas) inclura de nouvelles dispositions sur les services, l'agriculture et les investissements, intégrant ce qu'il y a de pire dans l'ALENA, ainsi que les changements proposés au GATS et les clauses du défunt AMI.

Le plus navrant, cependant, c'est de se dire qu'en dépit d'une longue tradition et du souhait très majoritaire des Canadiens de disposer d'un système public de santé et d'enseignement, Ottawa a joué un rôle déterminant pour lancer, après Seattle, un nouveau cycle de négociations du GATS destiné à libéraliser les échanges dans ces secteurs, sous l'égide de l'OMC.

ÉCOLES ET HÔPITAUX À VENDRE

Il n'est pas question d'exempter ceci ou cela. Je veux que nous, Canadiens, soyons en mesure d'exporter nos compétences dans ces domaines [santé et enseignement] partout dans le monde.

Pierre Pettigrew, ministre canadien du Commerce extérieur, en réponse à une question sur une éventuelle exemption en faveur des secteurs de la santé et de l'enseignement au cours des nouvelles négociations du GATS.

En janvier 2000, quelques semaines seulement après l'échec de l'OMC à Seattle, le DAECE a constitué vingt-six groupes de travail pour faire avancer la négociation sur la libéralisation des services, et c'est l'ancien ministre Pierre Pettigrew, désormais ambassadeur du Canada auprès de l'OMC, qui a été nommé président de cette nouvelle structure administrative, à laquelle il a fixé un ordre du jour agressif.

Tous ceux qui ont suivi la carrière politique de Sergio Marchi s'étonneront sans doute de sa dernière incarnation. Du temps où il n'était qu'un simple député libéral, il se montrait un adversaire déclaré du libre-échange et un défenseur passionné des programmes sociaux. En

1991, c'est lui qui avait demandé que l'accord de libre-échange entre le Canada et les États-Unis (FTA) soit remis sur la table, pour renégocier ses onéreuses dispositions sur l'énergie. « Quelle personne ayant toute sa tête traiterait-elle les Américains comme les Canadiens devant une crise de l'énergie ? » s'était-il exclamé au Parlement. Deux ans plus tard, il avait dénoncé dans le FTA, l'ALENA et la TVA canadienne[1] une « couronne d'épines pour le pays ». Cependant, comme bien d'autres ministres du Commerce extérieur de par le monde, il avait entièrement changé d'opinion quand il avait obtenu ce portefeuille. Devenu ministre, Sergio Marchi sera même le premier à aborder la question de la libéralisation des échanges en matière d'éducation dans un discours de 1997 devant un auditoire composé de gens de « l'industrie de l'éducation » à Toronto : l'enseignement était désormais une « industrie », pour laquelle il fallait identifier des « marchés », développer et promouvoir des « produits ». Et d'assurer son public qu'il y avait de l'argent à faire sur le marché mondial des services éducatifs, pourvu que des règles libérales, ayant force de loi, soient instituées.

Le successeur de Marchi, Pierre Pettigrew, a opéré une volte-face de même ampleur. Alors qu'il avait naguère écrit un livre alarmiste contre la mondialisation économique et les accords de libre-échange qui ne prenaient en compte aucune norme sociale ou environnementale, il était entièrement revenu sur sa position aussitôt en possession de son maroquin.

---

1. La GST (Goods and Services Tax), introduite en 1990 (NdT).

Commerce *über alles*

Les associations issues de la société civile canadienne sont elles aussi très préoccupées par l'ascendant qu'a pris le DAECE sur la politique d'Ottawa. Quand Jean Chrétien est entré en fonction en 1993, fort de son nouvel évangile sur la libéralisation du commerce, c'est lui qui a décidé de fondre en un seul le département des Affaires étrangères et celui du Commerce extérieur, créant ainsi le DAECE, et donnant au ministre du Commerce extérieur des pouvoirs accrus sur les Affaires étrangères et d'autres départements ministériels. En 1997, les priorités du nouveau département ont été clairement fixées : favoriser le développement du libre-échange et la défense des grands intérêts privés canadiens, au détriment de la politique étrangère traditionnelle du pays.

Le DAECE, le ministère des Finances et celui de l'Industrie (tous deux réorientés vers la promotion du libre-échange) forment aujourd'hui, au sein du gouvernement d'Ottawa, une « Trinité peu sainte », qui dispose d'un pouvoir considérable. Alors que les autres ministères ont vu leur budget diminuer (celui de l'Environnement n'est plus que la moitié de ce qu'il était il y a dix ans), la dotation du DAECE a presque doublé.

Une bonne partie de cette manne budgétaire est destinée à financer la surveillance que le DAECE exerce sur d'autres départements ministériels, tant fédéraux que provinciaux, pour s'assurer qu'aucune politique publique n'est envisagée qui contreviendrait aux règles de la liberté des échanges. Pour l'essentiel, ce contrôle s'exerce dans la plus grande discrétion : les projets de décret ou de loi qui n'iraient pas dans le bon sens sont tout simplement retirés, et l'opinion n'en entend jamais parler. Comme on pouvait s'y attendre, une telle pratique pousse de nombreux politiciens à s'autocensurer préventivement : craignant que telle mesure ne soit repoussée par le DAECE, ils ne se donnent même plus la peine de la proposer.

Il y a néanmoins quelques cas célèbres de mesures politiques proposées que les gardiens du libre-échange ont brutalement rejetées. En 1991, le ministre des Finances, Michael Wilson, a eu raison de son collègue de la Culture, Marcel Masse, qui voulait « canadianniser » le secteur éditorial. En 1997, le ministre du Commerce extérieur, Eggleton, a déclenché une tempête de protestations quand il s'est publiquement opposé à la ministre du Patrimoine, Sheila Copps, sur l'avenir de la culture canadienne dans une économie mondialisée : « La tendance à l'ouverture des marchés et des systèmes de communication est mondiale et irréversible », avait-il déclaré.

Un an plus tard, quand le Canada s'est vu menacé de sanctions par l'OMC pour ses mesures protectionnistes contre les magazines importés des États-Unis, le cabinet de Sheila Copps confirmera que ni la ministre ni ses collaborateurs n'avaient été conviés aux négociations avec les groupes de presse américains : celles-ci relevaient exclusivement du DAECE et de son nouveau ministre, Sergio Marchi. Janet Bax, directrice des relations publiques au ministère du Patrimoine, expliquait qu'on entendait ainsi empêcher son département de dire quoi que ce soit qui puisse « affaiblir notre position dans la négociation ».

À la suite d'une intense campagne de *lobbying* en 1992, les géants du secteur pharmaceutique américains et européens ont réussi à obtenir une durée de protection de vingt ans pour leurs brevets au Canada, mesure « bétonnée » ensuite dans l'ALENA. Il était convenu que la Chambre des communes ferait un premier bilan de la loi *ad hoc* en 1997, mais au lieu d'en confier la tâche à la commission de la Santé, on l'a donnée à la commission de l'Industrie. Ce qui n'a pas empêché cette dernière, où tous les partis sont représentés, de recommander plusieurs changements d'importance dans la législation : elle avait été impressionnée par le véritable tir de barrage opéré par des associations, documents à l'appui, pour démontrer que cette loi avait entraîné une hausse vertigineuse tant du prix des médicaments que des bénéfices des grandes sociétés pharmaceutiques. Cependant, en fin de compte, le ministre de la Santé, Dave Dingwall, décidera de ne tenir aucun compte de ces recommandations : l'ALENA interdisait au gouvernement de « revenir en arrière ».

Le DAECE est devenu si puissant au sein du gouvernement fédéral qu'il agit souvent sans consultation ni autorisation des autres ministères ou de leur ministre. Son mandat est de promouvoir la libéralisation du commerce et des investissements aussi bien au Canada que dans les négociations internationales, et non pas de chercher un équilibre entre les besoins ou les droits des citoyens canadiens et les impératifs du commerce mondialisé. Aussi, quand un secteur comme celui de la culture bénéficie d'une exemption dans tel accord, le DAECE fait-il tout son possible pour qu'elle soit supprimée lors de l'étape suivante de la négociation de ce même accord ou dans d'autres.

Ainsi, les exemptions en faveur de la culture consenties par l'ALENA, si faibles qu'elles fussent, n'ont pas été reprises dans les négociations de l'OMC, et c'est même le Canada qui a mis la culture « sur la table » des nouvelles

négociations du GATS. Le DAECE recrute ses fonctionnaires sur la base de leurs convictions libre-échangistes
et de leur expérience des questions commerciales, pour
qu'ils ne s'écartent jamais du dogme central. Quand ils
acceptent de travailler avec d'autres départements,
comme le ministère de la Condition féminine ou celui
de l'Environnement, c'est seulement pour les gagner à la
cause.

Il arrive même assez fréquemment que d'autres ministères et ministres soient laissés complètement dans
l'ombre sur les négociations que mène le DAECE, et
donc sur l'impact qu'elles pourront avoir sur leur secteur
de compétence. Ainsi, quand le projet de l'AMI a brusquement essuyé les feux de la rampe au printemps 1997,
la plupart des parlementaires, et même certains ministres,
n'étaient au courant de rien.

Les grandes entreprises contrôlent le DAECE

Les ONG canadiennes ont encore d'autres raisons
d'être inquiètes : ces deux dernières décennies, les grands
intérêts économiques ont tissé des liens très étroits avec
les fonctionnaires du DAECE ; après tout, le libre-
échange est sorti tout armé du cerveau du *big business*
nord-américain, et il a tout intérêt à avoir les fonctionnaires de son côté.

Dès 1981, le directeur général du BCNI, Tom
d'Aquino, a commencé à rencontrer régulièrement des
grands patrons américains et l'ambassadeur des États-
Unis à Ottawa, Paul Robinson (anticommuniste ardent,
ancien trésorier des républicains, un des principaux partisans de Ronald Reagan et l'un des premiers soutiens de

Mulroney). L'objectif de ces rencontres était de pousser à la signature d'un traité de libre-échange entre le Canada et les États-Unis. Le BCNI, qui réunit les cent cinquante plus grosses entreprises du pays (banque, secteur manufacturier, assurance, commerce de détail, ressources naturelles, télécommunications et énergie), dont beaucoup ne sont d'ailleurs que des filiales de sociétés transnationales américaines, avait été créé quelques années plus tôt, avec pour mission d'accroître le poids du *big business* dans l'orientation de la politique économique et sociale canadienne. Devenu une sorte de cabinet fantôme hantant celui d'Ottawa, le BNCI a exercé une forte influence sur toutes les grandes décisions gouvernementales depuis 1985 (privatisation des entreprises publiques, lois sur la concurrence, réduction des effectifs de la fonction publique, dérégulation du secteur de l'énergie, réduction du déficit, réforme fiscale en faveur des riches et coupes dans les programmes sociaux et culturels).

Dans un entretien accordé à Marci McDonald, pour son livre *Yankee Doodle Dandy* (1998), d'Aquino déclare qu'il a pris peu à peu conscience du fait que les entreprises transnationales étaient « la locomotive de l'économie mondiale », repoussant les « garde-fous » politiques opposées par les États. Il s'était assigné la mission d'introduire au Canada « ce concept entièrement nouveau de mondialisation économique ». Mais il était bien conscient que ni les hommes politiques américains, ni les représentants des grandes entreprises, ne pouvaient apparaître comme les initiateurs d'un projet de libre-échange à l'échelle du continent : « J'étais convaincu qu'il ne pouvait venir que du Canada. » Aussi, quand Brian Mulroney devient Premier ministre en 1984, le BCNI lui fait-il parvenir aussitôt un rapport célébrant les bienfaits du libre-échange et esquissant un projet de traité interaméricain.

Les quatre années suivantes, jusqu'aux élections de 1988 où toute la campagne tournera autour des attaques de John Turner contre l'enthousiasme de Mulroney pour le libre-échange, une collaboration sans précédent s'installe entre Simon Reisman et son équipe du Bureau des négociations commerciales (BNC), le BCNI, et l'American Coalition for Trade Expansion with Canada[1] (laquelle réunissait, sous la houlette d'American Express, six cents associations et firmes industrielles très puissantes, employant à elles seules 60 millions de personnes). De nombreux membres de cette alliance tissent des liens directs, financiers ou stratégiques, avec leurs homologues du *lobby* canadien et les fonctionnaires du BNC.

Pour soutenir la conclusion du traité, des entreprises phares comme Shell, IBM, Weyerhaeuser (qui a racheté le géant de l'exploitation forestière en Colombie britannique MacMillan Bloedel en 1999), Allied Signal, AT&T, Cargill, General Motors, 3M, General Electric et Dow Chemical ont non seulement dépensé secrètement des millions de dollars à Washington (où le projet n'était pas sous les feux de la rampe), mais elles ont aussi donné d'autres millions au BCNI canadien, lequel a reversé cet argent au Parti conservateur de Brian Mulroney.

COMBIEN POUR UN TRAITÉ ?

Selon les estimations les plus prudentes, les grandes entreprises canadiennes ont dépensé, en 1988, 19 millions de dollars canadiens en publicité pour le libre-échange et en donations au Parti conservateur. Ainsi

---

1. Alliance américaine pour l'expansion du commerce avec le Canada (NdT).

Alcan, la Royal Bank et Noranda ont-elles chacune déboursé 400 000 dollars. Dix-neuf sociétés filiales de grandes entreprises transnationales (dont Shell, avec 250 000 dollars, Texaco, avec 100 000 dollars et Ford, avec 30 000 dollars) ont contribué directement à cette campagne en faveur du traité de libre-échange avec les États-Unis.

Gordon Ritchie, ancien adjoint de Simon Reisman au BNC, a publié en 1998 un livre intitulé *Wrestling with the Elephant : The Inside Story of the Canada-U.S. Trade Wars*[1], dont l'un des chapitres, « Relier les leviers », décrit l'étroite association entre les capitaines de l'industrie canadienne et le Bureau des négociations commerciales, laquelle n'a fait que croître depuis cette date. Reisman et Ritchie avaient mis en place un réseau de comités consultatifs par secteur pour en recevoir des conseils sur tous les aspects de la négociation, et chacun de ces comités réunissait les dirigeants du secteur industriel en question (le financement de ces comités, comme celui du BNC, étant à la charge des Affaires étrangères).

« Rompant radicalement avec les habitudes, j'ai affecté deux fonctionnaires du BNC à chacun de ces comités », écrivait Ritchie. « Malgré l'opposition de la vieille garde, j'ai décidé de communiquer à ces comités, naturellement liés par une obligation de confidentialité, les renseignements secrets dont nous disposions à une échelle qui ne s'était jamais vue auparavant, ni, me dit-on, depuis. En échange de quoi, ils nous ont donné toutes les informations dont ils disposaient eux-mêmes, et d'excellents conseils. Mieux ils comprenaient la manière dont doit se

---

1. « Combat contre un éléphant : l'histoire des guerres commerciales canado-américaines racontée de l'intérieur » (NdT).

négocier un tel traité, et plus ils renonçaient à leur rhétorique habituelle pour nous suggérer des méthodes prag-
matiques et imaginatives permettant d'atteindre nos
objectifs nationaux [...]. Ils étaient donc en mesure d'expliquer à leurs collègues d'autres entreprises que telle ou
telle concession était inévitable pour que l'accord soit
possible [...]. Leur contribution aura été absolument indispensable et a changé pour toujours la manière dont le
gouvernement gère la politique commerciale extérieure.

« Outre les questions sectorielles, il y avait un certain
nombre de problèmes généraux sur lesquels il était essentiel de consulter le haut patronat. Aussi avons-nous créé
un autre comité de haut niveau, l'International Advisory
Committee (ITAC), présidé par le directeur général de
Northern Telecom, Walter Light [...]. On y trouvait tout
le *Who's Who* du patronat canadien, y compris des figures
emblématiques comme David Culver, d'Alcan, dont la
société avait eu beaucoup à souffrir du protectionnisme
américain, Alf Powis, de Noranda, sans doute l'homme
qui avait le plus d'influence sur Brian Mulroney, et Phi-
lippe de Gaspé Beaubien, de Telemedia [...].

« J'ai fortement encouragé les ministres du Commerce
extérieur successifs à se rendre en personne à ces réunions. J'ai moi-même participé à toutes les séances de
l'ITAC, du début à la fin [...]. Les dividendes de cette
méthode ont été substantiels. Les conseils qu'on nous a
donnés se sont révélés des plus précieux, par exemple sur
la manière d'affronter des législations protectionnistes
[...]. Mais, au bout du compte, ce qui aura été peut-être
le plus important, c'est la prise de conscience par l'ITAC
qu'il était indispensable que le monde des affaires continue à soutenir le traité une fois qu'il aurait été signé. »

Ces relations si étroites entre les fonctionnaires d'Ottawa et le haut patronat du pays n'ont plus jamais été rompues. Aussi la négociation de l'ALENA, successeur du Free Trade Agreement (FTA), ne demandera-t-elle pas une campagne aussi voyante. Sans doute les libéraux étaient-ils désormais au pouvoir, mais ils avaient été mis dans le jeu dès leur victoire électorale, et ils ont fait ce qu'on attendait d'eux. L'ALENA est entré en vigueur en 1994. (Les grandes entreprises canadiennes étaient si satisfaites du Parti libéral et de Jean Chrétien que, tout au long des années 1990, elles ont donné des sommes bien supérieures à ce qu'elles avaient versé au Parti conservateur de Mulroney, même en 1988, l'année où ce dernier avait parcouru le pays en célébrant les vertus du FTA.)

Il n'a donc pas fallu attendre longtemps pour que le DAECE, récemment créé, et partenaire si proche des grands intérêts économiques du pays, ne lance les « missions commerciales canadiennes » pour l'ouverture de nouveaux marchés en Asie et en Amérique du Sud. Et l'on verra Jean Chrétien, accompagné de la fine fleur de l'industrie canadienne, banqueter avec les dirigeants chinois responsables du massacre de la place Tienanmen, avec des dirigeants et patrons de pays latino-américains où les droits de l'homme étaient violés tous les jours, ainsi qu'avec Suharto et ses acolytes en Indonésie (pour faire avancer des contrats lucratifs en faveur d'entreprises canadiennes opérant au Timor-Oriental, déchiré par la guerre). Lors d'une mission en Corée du Sud, en 1997, où il était accompagné de plusieurs centaines de chefs d'entreprise, Jean Chrétien sera témoin d'un manifestation ouvrière sévèrement réprimée par l'armée : interrogé sur l'événement, il se contentera de répondre que c'était « une affaire intérieure ».

Ces missions commerciales canadiennes montrent à quel point Ottawa, avec son département des Affaires étrangères et du Commerce extérieur, est devenu un instrument dans la main des grands intérêts économiques. L'image internationale du Canada en a été changée du tout au tout, et un diplomate résume ainsi les choses : « Avant, nous arrivions avec des listes de prisonniers politiques dont nous souhaitions la libération. Aujourd'hui nous arrivons avec des listes d'entreprises qui veulent signer des contrats. »

Autre manifestation de ces relations de symbiose entre le DAECE et les grandes entreprises, l'accueil à Vancouver en 1997 du sommet de l'APEC. Lors du précédent sommet, en 1995, il avait été décidé de créer un forum consultatif permanent réunissant des chefs d'entreprise, l'ABAC (APEC Business Advisory Council), lequel travaillerait avec les dirigeants politiques de l'APEC et leurs fonctionnaires. Les chefs de gouvernement de l'APEC avaient contresigné un document dans lequel ils s'engageaient à « examiner les moyens d'appliquer les recommandations de l'ABAC ». Quand l'APEC se transporta au Canada, le ciment avait si bien pris entre les partenaires que le DAECE publia une liste de sponsors « de diamant, de platine, d'or et d'argent », c'est-à-dire d'entreprises récompensées à proportion de leur « sponsorisation », y compris pour avoir communiqué « des renseignements secrets à de hautes personnalités gouvernementales ».

La collusion entre le DAECE et le monde des affaires n'a jamais été aussi patente que dans l'affaire de l'AMI. Quand les associations citoyennes du Canada entendirent parler pour la première fois du projet de traité sur les investissements, fin 1996, le cabinet du ministre compétent de l'époque, en la personne de Roy MacLaren, leur assura qu'aucune négociation de ce type n'était en cours, et il faudra attendre qu'elles obtiennent un exemplaire du document préparatoire (par des voies détournées) en mars 1997 pour que le gouvernement reconnaisse que quelque chose était bel et bien en train. Mais le DAECE repoussera vigoureusement l'accusation d'avoir agi en secret, affirmant qu'il avait largement consulté l'opinion canadienne sur ce traité. Les associations demandèrent alors une liste des groupes que le gouvernement avait consultés, ce que la loi sur l'information interdisait de leur refuser, et cette liste prouva bien que le DAECE mentait effrontément : aucune réunion avec les associations de défense de l'environnement, de la culture et du droit du travail n'avait eu lieu avant 1997, c'est-à-dire *avant* que le débat sur l'AMI ait été porté sur la place publique. En revanche, le DAECE avait rencontré le monde des affaires tout au long de 1995 et de 1996. Bien plus, la Chambre de commerce canadienne et le Conseil canadien sur les questions internationales (émanation du BCNI), ainsi que des « entreprises membres », avaient bénéficié de séances d'information sur l'AMI dès 1993, quatre ans avant que le gouvernement admette qu'une négociation était en cours.

La collusion entre le DAECE et le monde des affaires dans la négociation de l'AMI sera encore plus évidente à l'été 1998, lorsque ce département publiera un texte fermant la porte à toute possibilité d'accorder aux citoyens les mêmes droits qu'aux entreprises dans le fonctionnement envisagé de l'AMI : « Il a été proposé que les syndicats aient également la possibilité, prévue par le mécanisme de règlement des contentieux, de se porter plaignant contre des États au même titre que des investisseurs qui s'estimeraient lésés. Mais ouvrir ainsi la procédure à des groupes d'intérêts particuliers ne ferait que compliquer l'élaboration du traité. »

Un Canada structurellement ajusté

La primauté accordée aux questions de commerce et de finance sur toute autre politique gouvernementale, couplée avec l'influence scandaleuse des grands intérêts économiques sur les opérations du DAECE, a de graves conséquences pour tous les Canadiens. Et la situation s'est encore détériorée avec le poids croissant des entreprises étrangères sur l'économie canadienne et donc sur la politique commerciale du pays.

En effet, une structure administrative entièrement nouvelle a été mise en place pour contourner le système traditionnel de gouvernement et la démocratie canadienne. Cette administration met son veto à toute politique publique en matière sociale, environnementale et économique qui irait à l'encontre des intérêts des entreprises transnationales, canadiennes ou étrangères, qui souhaitent disposer d'un « terrain bien dégagé » grâce à la déréglementation et à la privatisation de secteurs encore publics tels que la santé et l'éducation. Tout se passe comme si la nouvelle devise du gouvernement était : « Tout ce qui est bon pour Seagram's ou Nortel Networks [ou, plus vraisemblablement, pour Wal-Mart et Coca-Cola] est bon pour le Canada et les Canadiens. » Toute décision politique envisagée est soumise à l'inspection du DAECE, représentant les grands intérêts économiques, qui analyse ses effets sur le commerce et les bénéfices. Mieux encore, bien des projets de loi ou de décret émanent directement

du *lobby* des entreprises transnationales, textes prépara-
toires compris. Toute autre préoccupation, de politique
intérieure ou extérieure, dont les questions de justice
sociale et de droits de l'homme (où le Canada se signalait
naguère par des actions de pointe), est aujourd'hui relé-
guée tout au bas de la liste.

L'ALENA et l'OMC sont donc en train de faire subir
au Canada ce que le FMI et la Banque mondiale ont
infligé aux pays du tiers-monde ces quinze dernières
années : le Canada est en train d'être « ajusté structurelle-
ment » à une économie mondialisée où les « gagnants »
(entreprises et individus) sont soigneusement séparés des
« perdants » et raflent toute la mise.

Une frontière qui s'efface

« Et voilà qu'en cette fin d'un xxᵉ siècle censé apparte-
nir au Canada, nous nous apercevons que le Canada ne
nous appartient plus », gémissait Peter C. Newman, éditorialiste de *Maclean's*, à la veille du changement de millénaire. Il se référait aux rapports récemment publiés
montrant la spectaculaire croissance de la domination
économique américaine sur l'industrie et les ressources
naturelles canadiennes. Tout aussi lugubre, une étude de
StatsCan, publiée en mai 2000, montre que la situation
s'aggrave régulièrement : en 1997, dernière année pour
laquelle les chiffres sont connus, les sociétés étrangères,
surtout américaines, représentaient 31,5 % de toutes les
recettes des entreprises au Canada, contre 25 % en 1988.
Quant aux investissements directs en provenance des
États-Unis, 80 milliards de dollars canadiens en 1989, ils
étaient passés à 173 milliards huit ans plus tard. Au total,

les investissements étrangers directs au Canada atteignaient 240 milliards en 1997 contre 122 en 1989.

Ces chiffres sont pourtant loin d'épuiser le sujet. La boulimie n'a cessé de croître et il est certain que les pourcentages actuels sont encore supérieurs. Depuis 1997, des centaines de sociétés canadiennes parfaitement saines ont été victimes du fol appétit de concentration des compagnies transnationales : dans la seule année 1998, deux cents d'entre elles ont été avalées. En 1999, le nombre et l'ampleur des prises de contrôle étaient tels que, pour la première fois, le Canada venait en queue de tous les pays industrialisés pour la part de sa production contrôlée par des entreprises nationales.

Ameritech, une grosse société régionale de téléphonie américaine, a pris 20 % de Bell Canada ; Weyerhaeuser a racheté MacMillan Bloedel, la plus grosse société d'exploitation forestière de Colombie-Britannique ; Newcourt Credit Group, société de services financiers pleine d'avenir, a été rachetée par la CIT américaine ; Nova Chemicals d'Alberta a été transféré à Pittsburgh, etc. Sur toutes ces prises de contrôle, seuls 4 % d'entre elles sont considérés comme apportant au Canada un bénéfice net. Et depuis que Brian Mulroney, en 1985, a démantelé la Foreign Investment Review Agency (service gouvernemental chargé de donner son feu vert à toute société étrangère souhaitant investir dans le pays), aucun investissement étranger n'a été refusé par le gouvernement canadien.

Les chiffres publiés par le Bureau des statistiques cachent aussi une autre histoire : bien des sociétés à capital majoritairement canadien, qui sont comptabilisées comme canadiennes dans les statistiques, ont en fait quitté le pays. Seagram est désormais dirigée à partir de Manhattan ; quant à Notel Networks, si la société a encore des bureaux et des centres de recherche au Canada, son quartier général mondial est à Dallas, et toutes ses divisions opérationnelles sont gérées à partir des États-Unis. Plus de deux cents sociétés canadiennes (dont quelques acteurs majeurs comme Four Seasons Hotels, Gulf Canada, Newbridge Networks et Bio-Chem Pharma) sont cotées sur les bourses américaines, où plus de la moitié de leurs actions sont l'objet de transactions.

Les analystes du secteur des ressources naturelles observent avec inquiétude que la tendance mondiale aux concentrations est particulièrement forte au Canada. La fusion projetée entre Abitibi-Consolidated Inc. et Dono-hoe Inc. (États-Unis) fera rentrer la première dans la brillante liste des géants de l'industrie canadienne, comme Alcan Aluminium et Norcen Energy Resources, qui ont été absorbées ces dernières années par des partenaires étrangers. Burlington Resources, de Houston, a dépensé près de 3 milliards de dollars canadiens en 1998 pour acheter Poco Petroleum, de Calgary. Ce nouveau géant rejoint ainsi la cohorte des gros conglomérats américains qui opèrent de l'autre côté de la frontière : l'Union Pacific Resources Group de Fort Worth (Texas), l'USX-Marathon Group de Houston, Pioneer Natural Resources d'Irving (Texas) et Dominion Resources de Richmond (Virginie). Selon des sources industrielles, leurs prochaines cibles sont Placer Dome, Inco, Renaissance Energy, Fletcher Challenge Canada, Alliance Forest Products et Domtar.

UNE COURSE EFFRÉNÉE AUX RACHATS

Bien qu'elle se soit considérablement accélérée en 1999, la course au rachat de sociétés canadiennes a puisé son élan majeur dans le FTA, entré en vigueur le 1er janvier 1989. Depuis cette date, les échanges entre les deux pays ont plus que doublé, pour atteindre aujourd'hui 1,3 milliard de dollars par jour, à comparer aux 500 millions par jour de 1989. Mais le processus a complètement modifié l'axe de l'économie canadienne ; jadis orienté de l'est vers l'ouest, il va maintenant du nord vers le sud. Au lieu de perpétuer la métaphore fondatrice de notre nation, une terre d'abondance s'étendant d'un océan à l'autre, l'horizon qui nous définit est désormais situé au sud. Le FTA, aggravé encore en 1994 par un ALENA de plus grande ampleur, a soumis notre pays à la force irrésistible d'un aimant qui a transformé l'essence même du Canadien. Bon gré mal gré, nous ne sommes plus les citoyens d'un pays mais ceux d'un continent.

> Peter C. Newman, « The Year of Living Dangerously »,
> *Maclean's*, 20 décembre 1999.

Il y a bien des raisons d'être inquiet de cette évolution (même le Business Council on National Issues et quelques grands patrons canadiens s'en alarment). Comme le souligne fort bien Mel Hurtig, écrivain et homme de presse, la grande majorité de ces « investissements » sont des rachats de sociétés existantes qui n'apportent pas d'argent frais au Canada et n'y créent aucun emploi. De plus, dans ces entreprises rachetées, les hauts postes, et donc la décision, ont été transférés aux États-Unis. Rares sont les investissements de recherche effectués au Canada par les racheteurs, et tout aussi parcimonieuses sont leurs donations aux œuvres caritatives canadiennes, puisqu'ils préfèrent dépenser pour la recherche et les œuvres dans leur pays d'origine.

Le plus grave est pourtant ailleurs, dans la perte de contrôle gouvernemental sur le comportement des entreprises et les objectifs politiques et économiques de ces sociétés étrangères. Des entreprises canadiennes jadis indépendantes sont désormais contraintes d'adopter des objectifs et des valeurs venus d'ailleurs, et les gouvernements, fédéral ou provinciaux, n'ont pas la même autorité que naguère pour exiger qu'une partie des profits du secteur privé revienne à la communauté (ce qui fait parfaitement l'affaire des entreprises transnationales). Si Wal-Mart veut contourner les législations provinciales sur les conditions de travail de ses employés (pardon, de ses « associés », car c'est ainsi qu'il les appelle), il peut le faire en toute impunité, sûr que personne n'osera s'en prendre à une société aussi puissante. Tous les indicateurs vont dans le même sens : la prépondérance croissante de ce modèle économique et la disparition d'une économie canadienne autonome en Amérique du Nord.

L'énergie à l'encan

Nombreux sont les secteurs qui se retrouvent dans la même impasse, et tout spécialement celui de l'énergie. Les entreprises américaines, qui dominaient déjà largement l'industrie pétrolière canadienne, ont été parmi les plus ardents partisans du traité de libre-échange entre le Canada et les États-Unis. Elles ont œuvré en étroite collaboration avec le patronat des deux pays et avec le gouvernement Reagan pour obtenir un traité sur l'énergie qui permettrait de déréguler le secteur canadien pour toujours.

Le FTA a été négocié au milieu des années 1980 avec pour toile de fond des rapports alarmistes, repris par les médias, assurant que les États-Unis allaient manquer d'énergie. Selon un rapport de 1986 de l'American Gaz

Association, les réserves du pays étaient pratiquement épuisées dans les quarante-huit États les moins riches en gaz naturel. Un rapport du Congrès, en 1985, avait qualifié le contrôle du gouvernement canadien sur ses ressources gazières de « restriction directe des droits américains sur le gaz canadien » et demandé à la Maison-Blanche de faire de l'accès aux ressources canadiennes une question de sécurité nationale. Ann Hugues, chargée des négociations du côté américain, qui ne mâchait pourtant pas ses mots sur le gaspillage d'énergie auquel ses concitoyens sont habitués, reconnaissait qu'un accord de libre-échange ouvrant aux États-Unis l'accès aux ressources canadiennes permettrait de retarder l'adoption d'une politique d'économie de l'énergie. Edward Ney, alors ambassadeur américain à Ottawa, dira plus tard que la perspective d'un accès aux réserves énergétiques du Canada aura été déterminante dans la décision de Washington d'amorcer la négociation.

Dans son célèbre discours de New York en 1984 (« Nous sommes ouverts aux affaires »), Brian Mulroney, fraîchement élu Premier ministre, avait qualifié d'« odieuse » la constitution de réserves pour faire face à une crise, et après avoir déclaré que le Canada ne s'était pas construit en s'appropriant « le bien d'autrui », il avait promis aux entreprises américaines un accès sans restriction aux ressources énergétiques canadiennes. Son gouvernement s'était rapidement employé à déréglementer les exportations de gaz et de pétrole et à supprimer la plupart des restrictions imposées jusque-là aux investissements américains dans le secteur de l'énergie, abandonnant davantage encore les ressources du pays à la domination d'un groupe toujours plus étroit et toujours plus puissant d'entreprises transnationales qui ne se soucient nullement de l'intérêt du Canada.

Le Conseil national de l'énergie a été privé de tous ses pouvoirs, et la clause de sauvegarde exigeant que le Canada maintienne des réserves équivalentes à vingt-cinq années d'exploitation a été abrogée. Il n'existe aujourd'hui aucun service gouvernemental ni aucune législation pour garantir que les Canadiens disposeront à l'avenir d'un approvisionnement suffisant en ressources énergétiques provenant de leur propre sol. Les États-Unis, eux, ont proclamé qu'une réserve égale à vingt-cinq années d'exploitation était indispensable à leur sécurité. Les exportateurs canadiens, qu'ils soient autochtones ou américains, n'ont plus à fournir de dossier sur l'impact de leurs exportations, et le réseau de distribution de gaz sur toute l'étendue du pays a été abandonné, remplacé par la construction frénétique de gazoducs nord-sud. Toute taxe sur les exportations d'énergie a été interdite, ce qui diminue les recettes de l'État et donne aux consommateurs américains, qui n'ont pas à payer la taxe sur la valeur ajoutée, un avantage sur les consommateurs canadiens.

Plus grave encore, aussi bien le FTA, signé en 1989 que l'ALENA, signé en 1994, imposent un système de « partage proportionnel » qui garantit à perpétuité aux États-Unis la fourniture d'énergie canadienne. Par un stupéfiant abandon de souveraineté, Ottawa a accepté la clause du FTA qui lui interdit désormais de « refuser d'accorder ou de révoquer ou de modifier une licence d'exportation de produits énergétiques vers les États-Unis », même au nom de l'environnement ou des économies d'énergie.

D'où la croissance spectaculaire des ventes de gaz naturel canadien sur le marché américain : depuis la dérégulation de 1986, les exportations ont plus que quadruplé, pour atteindre 2,5 millions de mètres cubes par jour. Environ 55 % de la production canadienne de gaz sont exportés vers les États-Unis, et les distributeurs américains, qui fournissent une population beaucoup plus nombreuse, ont pu signer des contrats à long terme à des prix très bas. Quant aux consommateurs canadiens, ils se retrouvent en concurrence, pour leurs propres ressources énergétiques, avec une économie qui représente dix fois la leur, et tout cela alors que les réserves s'épuisent rapidement et que la demande ne cesse de croître.

L'histoire est la même pour le pétrole. Le Canada produit aujourd'hui 2,3 millions de barils par jour et en exporte 1,3 million vers les États-Unis, désormais autorisés à puiser dans ses réserves sans souci. En octobre 2000, quand le prix du brut a triplé, le ministre américain de l'Énergie, Bill Richardson, assurait son public que l'approvisionnement de la côte Est ne courait aucun risque grâce au Canada, « fournisseur sûr » entre tous.

Les accords de libre-échange ont engagé Ottawa dans une politique de l'énergie dominée par des exportations massives et garanties vers les États-Unis, un contrôle des gisements par les grandes sociétés, et une économie plus dépendante que jamais de l'exploitation des ressources primaires. Et comme ces accords ont exempté de toute possibilité de recours contentieux les subventions d'Ottawa à la prospection pétrolière et gazière, ce sont les contribuables canadiens qui payent ces recherches incontrôlées de gisements fossiles, et leurs effets dévastateurs sur l'environnement (d'ores et déjà, des zones d'habitation ont été détruites dans le Nord, et une autre menace pèse aujourd'hui sur des zones de frai très sensibles autour de Cap Breton et de Terre-Neuve). Les grands bénéficiaires de ces destructions et de ces prélèvements dans les poches des citoyens canadiens sont des entreprises transnationales. Et le Canada a une excuse supplémentaire pour ne pas honorer l'engagement pris à Kyoto de réduire les émissions de gaz à effet de serre (avant tout le gaz carbonique dégagé par les carburants fossiles).

Le « pacte de l'automobile » condamné

L'industrie automobile a joué une rôle déterminant dans la réussite canadienne sur les marchés extérieurs : elle compte pour un quart de la croissance des exportations du pays entre 1988 et 1998. Pour chaque emploi créé dans ce secteur, cinq emplois supplémentaires ont été créés dans les industries qui lui sont liées. Cette prospérité était la conséquence d'un système radicalement contraire au libre-échange, mis en place avant la création du FTA, de l'ALENA et de l'OMC.

Le « pacte de l'automobile », institué en 1965, était un accord conclu entre Washington et Ottawa permettant aux trois grands de l'automobile américains, Ford, General Motors et Chrysler, de vendre leurs voitures au Canada sans droits de douane, à la condition d'y créer des emplois. Le principe de base, scandaleux pour la philosophie du libre-échange, était qu'une entreprise étrangère qui prétend vendre massivement au Canada a le devoir de produire au Canada : les trois grands constructeurs s'étaient donc engagés à assembler au Canada autant d'automobiles qu'ils en vendraient, et à remplir certains critères de « valeur ajoutée » pour créer des emplois canadiens dans la fabrication des composants de ces voitures. Le Syndicat des ouvriers canadiens de l'automobile assure que, sans le pacte, il n'y aurait probablement pas aujourd'hui d'industrie automobile au Canada.

Et voilà qu'à l'automne 2000, l'OMC condamne le pacte comme discriminatoire à l'égard d'autres fabricants d'automobiles, notamment asiatiques : tous les avantages consentis aux trois entreprises américaines sont supprimés, ce qui leur impose des coûts additionnels alors que ce sont elles qui investissent le plus dans la production au Canada et sont donc créatrices d'emplois. Qui plus est, le nombre des voitures importées d'Asie va monter en flèche (tout le monde est d'accord là-dessus), ce qui aura pour conséquence de nombreux licenciements dans l'industrie automobile canadienne. Comme le dit fort bien le porte-parole de General Motors, Tayce Wakefield : « Toute augmentation des importations est une exportation des emplois. » Une fois encore, les intérêts du libre-échange mondial et le pouvoir supérieur du DAECE au sein du gouvernement canadien ont contraint Ottawa à renoncer à une politique économique conçue pour bénéficier aux citoyens.

La spécificité culturelle en ligne de mire

La même poussée irrésistible des entreprises étrangères et les impératifs des accords de libre-échange ont soumis à un nouvel assaut ce qui reste encore de spécifique dans la culture canadienne. En dépit de leur position déjà dominante au Canada, les industries culturelles américaines utilisent à la fois l'ALENA et l'OMC pour avoir raison des quelques mesures de protection qui subsistent encore dans ce domaine. Au cours de ce nouvel assaut, le DAECE s'est opposé à plusieurs reprises au ministère de la Culture, lequel a régulièrement perdu.

La question de culture a été l'une des plus discutées dès la négociation de l'ALENA et de l'OMC. Les gouvernements Mulroney et Chrétien ont prétendu qu'ils avaient obtenu une pleine protection de la spécificité culturelle canadienne dans l'ALENA en demandant que soit incluse dans le traité une exemption pour les politiques et les industries culturelles du pays. Néanmoins, cette prétendue exemption est soumise à une « réserve », qui accorde aux États-Unis le droit d'exercer des représailles par des mesures « aux effets commerciaux équivalents » dans *n'importe quel autre* secteur si le Canada invoque la clause d'exemption. En d'autres termes, le Canada devait se préparer à payer pour le droit de conserver sa spécificité culturelle. Le négociateur américain, Peter Murphy, voyait dans la clause d'exemption une « plaisanterie » et comptait bien l'utiliser pour arracher d'autres concessions au Canada.

L'OMC n'autorise aucune exemption en matière de culture, même pas la clause privée de sens prévue dans l'ALENA. Aussi les États-Unis ont-ils choisi de passer par l'OMC pour contester les modestes mesures de protection en faveur des magazines nationaux prises par le Canada, tout en continuant d'agiter la menace des représailles prévues par l'ALENA. En 1997, l'OMC a rendu son verdict : les magazines canadiens sont des « biens » et, selon la clause du « traitement national » du GATT, leur pays d'origine ne saurait entrer en ligne de compte. Par conséquent, les magazines canadiens, en tant que « biens », ne peuvent bénéficier d'aucune mesure qui les favoriserait au détriment des magazines américains sur le territoire du Canada. L'édition canadienne redoute une déferlante de magazines américains et la disparition de dizaines, voire de centaines de titres nationaux. Personne, à Ottawa, n'a jamais envisagé que le Canada puisse contester ce verdict de l'OMC. Sheila Copps, ministre du Patrimoine, a été chargée de faire avaler le « compromis » à l'opinion canadienne, soutenue quand il le fallait par le ministre du Commerce extérieur, Sergio Marchi. De l'autre côté de la frontière, la ministre américaine du Commerce extérieur, Charlene Barshefsky, jubilait : la décision de l'OMC ferait jurisprudence contre tout ce qui subsistait encore de protectionnisme culturel canadien.

Selon Christopher Sands, du Centre for Strategic and International Studies à Washington, les États-Unis ont deux raisons d'adopter une ligne aussi dure à l'égard du Canada sur la question des magazines : la première est que toute exemption canadienne créerait un précédent pour d'autres pays, notamment en Europe et dans le tiers-monde où la question de la diversité culturelle est en train de devenir une pierre d'achoppement pour la libéralisation à tout va du commerce international.

La seconde est que les États-Unis sont toujours furibonds du rôle que les militants canadiens des associations de défense des droits sociaux et des spécificités culturelles ont joué dans la bataille contre l'AMI : « Ce qui a alarmé Washington, c'est d'apprendre que l'argumentaire canadien trouvait un écho favorable en Europe et même en Asie. Dans un monde de plus en plus petit, les idées voyagent très vite, et la crainte canadienne de voir l'AMI accroître l'hégémonie culturelle américaine a touché une corde sensible un peu partout sur la planète. Pour les négociateurs américains, la leçon était claire : l'exemple canadien était capital. »

Les fonctionnaires et les politiques du DAECE n'auraient pas mieux dit.

Les agriculteurs abandonnés

Le même scénario s'est répété dans le secteur de l'agriculture. Le Canada a autorisé les entreprises transnationales de l'agroalimentaire à entrer sur son marché à leur guise, ce qui a conduit à la disparition de nombreuses exploitations familiales et à la domination complète de ces entreprises étrangères sur certaines productions. À quoi s'ajoute l'impact énorme qu'ont eu sur les paysans canadiens les clauses de l'OMC sur la sécurité des approvisionnements agricoles et l'agriculture. Aiguillonné par les entreprises agroalimentaires, le gouvernement américain a engagé plusieurs actions, au titre de la concurrence déloyale proscrite aussi bien par l'ALENA que par l'OMC, pour interdire au Canada la constitution de stocks alimentaires et son système de soutien aux prix agricoles, bien qu'ils constituent le seul moyen de garantir un revenu décent aux agriculteurs.

Une fois encore, sous l'égide du DAECE, un sinistre tournant a donc été pris, et les subventions au secteur et l'aide au revenu des exploitants ont été drastiquement réduites. En revanche, l'Union européenne et, dans une moindre mesure, les États-Unis eux-mêmes ont très justement refusé d'infliger cette injustice à leurs agriculteurs. Les subventions européennes aux céréaliers sont le triple de celles que touchent leurs homologues canadiens, et les subventions américaines le double. Ainsi le Canada, dans une sorte d'autodestruction « donquichottesque », s'est-il unilatéralement désarmé lui-même aux dépens d'un secteur de l'emploi qui compte parmi les moins rémunérés et les plus dangereux qui soient.

Les agriculteurs ont bien été obligés de suivre la voie que le gouvernement leur désignait : concentrations, diversifications, investissements dans de nouvelles technologies, passage à des produits génétiquement modifiés, agriculture tournée prioritairement vers l'exportation. Mais si leurs exportations ont augmenté (en moyenne de 5,5 % par an en dix ans), leur revenu net a chuté de 25 %. L'année 1999 a été la pire pour les paysans canadiens depuis 1926, première année pour laquelle on dispose de statistiques.

L'agriculture, appelée aujourd'hui *agribusiness*, a subi des changements plus profonds qu'aucun autre secteur. Elle n'a plus pour mission de nourrir la population locale, mais celle de grossir les profits des grandes entreprises du secteur alimentaire. En Amérique du Nord, les produits alimentaires parcourent en moyenne plus de 2 500 km avant d'arriver sur les tables : le paysan qui nourrissait la communauté locale et bénéficiait en retour de son soutien est une espèce en voie de disparition. La désertification des campagnes canadiennes en est l'inévitable et tragique conséquence.

Les soins médicaux en péril

Comme l'explique un expert des questions de santé, Colleen Fuller, le gouvernement canadien a changé de priorité en matière de santé publique dès lors qu'il a adopté comme cadre juridique de son action les engagements pris dans les traités de libre-échange. Sur l'initiative du DAECE et du ministère de l'Industrie, sa politique n'est plus de fournir un service public à l'ensemble de la population, mais de développer une industrie nationale de la santé exportable.

Dans un rapport de 1996, le ministère de l'Industrie énonçait le problème en ces termes : comment faire pour transformer en un bien économique générateur de profits à l'échelle mondiale l'excellente réputation dont bénéficie le Canada en matière de soins médicaux, à la fois pour leur qualité et leur coût, ainsi que l'expérience professionnelle et les talents mondialement reconnus de ses personnels de santé ? La conclusion était que l'industrie nationale devait se « consolider », c'est-à-dire créer des entreprises d'une taille suffisante pour affronter la concurrence sur le marché international, ce qui demandait d'attirer des capitaux étrangers, donc américains. Sans ce soutien du puissant voisin, toute l'entreprise serait vouée à l'échec, car les firmes canadiennes n'avaient pas « l'orientation requise ».

Colleen Fuller fait remarquer que si le ministre de la Santé, Allan Rock, a défendu ouvertement le système de santé publique, le DAECE, pour sa part, comme il l'explique sur son site Internet, a fait tout ce qu'il pouvait pour trouver des partenaires prêts à investir, afin de constituer une « alliance stratégique » dans les secteurs prioritaires comme la santé. À cet effet, il a mobilisé les ambassades et consulats canadiens, qui dépendent de lui, pour « arranger des mariages » entre sociétés canadiennes et entreprises étrangères du secteur. Conclure des alliances avec des entreprises américaines, explique la documentation du DAECE, aidera les investisseurs canadiens à « naviguer » dans des eaux peu familières. Au titre du Corporate Advocacy Program, les personnels diplomatiques sont appelés à agir pour « attirer les investisseurs » et, tout particulièrement, à « accroître les investissements d'entreprises américaines installées au Canada ».

Un accord de partenariat a été conclu entre la Direction des affaires internationales du ministère de la Santé, le DAECE et le ministère de l'Industrie, dont l'objectif est d'encourager une florissante industrie privée des soins médicaux au Canada, de rechercher des investisseurs étrangers et d'exporter les compétences médicales canadiennes dans le monde entier. Lors d'une conférence de presse en 1997, le directeur général de la Santé, Ed Aiston, reconnaissait ouvertement que son ministère « avait compris que les investissements privés dans la santé étaient un atout pour l'économie canadienne, et que le ministère ne devait pas se cantonner à une intervention régulatrice mais devenir un allié du monde des affaires canadien ». Et d'ajouter que ce programme devait être mené à bien « en pleine reconnaissance du rôle dirigeant du DAECE et du ministère de l'Industrie ».

CHECK-UP DANS UNE BANQUE

Dans le domaine de l'hospitalisation et des soins à domicile, de grosses sociétés comme ComCARE Alliance, Olsten Corp., ParaMed, We Care, Columbia Health Care Inc., MDS et d'innombrables autres, tant canadiennes qu'américaines, ont acquis une présence qui aurait été impensable il y a seulement cinq ans. Cette implantation a été largement soutenue par des institutions financières comme la Toronto Dominion Bank, la Canadian Imperial Bank for Commerce, et des sociétés d'investissement des deux côtés de la frontière.

Colleen Fuller, exposé devant la commission des Affaires économiques du Sénat canadien, 6 avril 2000.

Selon les clauses de l'ALENA, une fois qu'une de ces sociétés a établi une tête de pont, il est presque impossible de la déloger. Les droits reconnus aux entreprises par le traité obligeraient les gouvernements à leur verser d'énormes dédommagements s'ils voulaient faire passer ces services sous le contrôle de l'État. Et l'OMC exerce aussi sa pression sur d'autres fronts du secteur de la santé : dans un arrêt de l'automne 2000, elle a exigé du gouvernement canadien qu'il modifie sa législation pour allonger de trois ans la protection des brevets pharmaceutiques accordés à des entreprises (avant tout américaines) depuis 1989 ; si le Canada s'y refusait, il s'exposerait à de possibles sanctions économiques de la part des États-Unis. Selon la Canadian Health Coalition, cette mesure augmentera de 100 millions de dollars canadiens les dépenses médicales du pays, car le recours aux médicaments génériques en sera retardé. Les consommateurs canadiens seront d'autant plus perdants que ce surcoût viendra couronner une augmentation des produits pharmaceutiques de près de 90 % sur les dix dernières années.

Le ministère canadien de la Santé n'a pas pipé mot devant cet arrêt de l'OMC. Rien d'étonnant : comme l'explique son directeur général, Ed Aiston, l'objectif du ministère est de mettre en harmonie la régulation du secteur canadien de la santé avec les règles de l'économie mondiale, ce qui « fera de nous des partenaires clés pour l'exportation de produits pharmaceutiques et médicaux canadiens et pour attirer dans notre pays les capitaux étrangers ».

Il n'est donc pas surprenant que le ministère de la Santé encourage la poursuite des négociations du GATS menées successivement par les ministres Sergio Marchi et Pierre Pettigrew, avec pour objectif de libéraliser le plus complètement possible tous les services, y compris les soins médicaux. Déjà, les accords conclus au titre du GATS menacent la santé publique canadienne (comme son enseignement public et ses services sociaux). Les parties sont tombées d'accord pour que certaines règles s'appliquent « horizontalement », c'est-à-dire systématiquement, que le secteur ait été ou non officiellement inclus dans l'accord.

Parmi ces règles « horizontales » déjà en vigueur dans le secteur de la santé, figure la clause de « la nation la plus favorisée », ce qui signifie que dès qu'une société étrangère a commencé d'opérer sur votre marché, vous devez ouvrir vos portes à n'importe quelle autre venant d'ailleurs. En outre, toute réglementation dans un secteur donné doit « être la moins restrictive possible pour le commerce », et tous les États membres de l'OMC doivent se préparer à inclure dans leurs programmes sociaux des mécanismes d'économie de marché.

Malheureusement pour lui, le Canada a accepté d'ouvrir des discussions sur la possibilité de faire du « traitement national » une règle « horizontale » : ce qui signifierait que quand bien même les exemptions actuelles pour la santé et l'enseignement seraient maintenues (hypothèse au demeurant peu vraisemblable), les entreprises étrangères auraient néanmoins le droit d'« établir une présence commerciale » au Canada et de prétendre comme les autres aux subventions publiques.

Le plus grave, sans doute, pour les actuelles exemptions prévues par le GATS, est le fait que seul un secteur totalement financé sur fonds publics et sans aucun but lucratif peut légalement être protégé de toute concurrence des entreprises transnationales. Très peu d'activités étant totalement sans but lucratif dans les secteurs de la santé et de l'enseignement, ils sont très vulnérables. Une loi de la province de l'Alberta permettant aux sociétés à but lucratif de prétendre aux subventions provinciales ou nationales au même titre que les hôpitaux publics a déjà ouvert la porte aux entreprises américaines et autres, car il leur suffit de s'appuyer sur les clauses du GATS pour pénétrer non seulement en Alberta, mais dans toutes les autres provinces canadiennes : dès lors que des sociétés privées canadiennes sont autorisées à fournir des services énumérés dans la loi-cadre sur la santé publique, les sociétés étrangères ont, selon les règles de l'OMC, un droit inattaquable à s'installer au Canada. De plus, si un nouveau gouvernement voulait revenir au monopole du service public, comme le lui permet la règle de l'ALENA sur « l'investisseur-État », il serait contraint de verser d'énormes dédommagements aux sociétés américaines installées au Canada, et ce coût serait probablement pro-hibitif. La réalité est donc des plus simple : une fois que la possibilité de privatiser un secteur public quelconque est ouverte, elle est presque irréversible.

Si les nouvelles dispositions actuellement en cours de négociation sont adoptées, les sociétés étrangères opérant dans le secteur de la santé auront le droit de s'installer au Canada à leur guise, de concurrencer les hôpitaux pour l'accès aux deniers publics ; les normes pour le recrute-ment des personnels de santé devront respecter les règles de l'OMC et seront soumises périodiquement à examen pour vérifier qu'elles ne sont pas protectionnistes ; les services de médecine à distance basés à l'étranger devien-dront légaux, et aucun pays ne pourra empêcher que des médecins ou infirmières étrangers, aux exigences de rémunération plus faibles, ne viennent s'installer chez lui et concurrencer leurs collègues nationaux bien payés. Le GATS signera la fin de l'aide médicale aux personnes dépourvues de ressources.

Contraintes constitutionnelles

Les implications de ce processus vont bien au-delà des programmes d'aide aux individus et des services concernés, comme les soins médicaux, si importants soient-ils pour les Canadiens. Fondamentalement, cet ascendant pris sur le gouvernement par les entreprises et les questions de commerce équivaut à une récriture de la Constitution, qui se fait sous nos yeux. Par la faute de l'ALENA et de l'OMC, le modèle canadien de démocratie parlementaire est lui aussi en cours de réorientation et attiré dans l'orbite américaine. Selon un spécialiste de droit constitutionnel de l'Alberta, David Schneiderman, ces nouveaux régimes commerciaux sont ancrés dans les principes constitutionnels et le droit américains, qui donnent la primauté à la propriété privée, alors que le Canada avait jadis choisi une approche plus sociale.

L'exemple le plus frappant de cette situation est la clause de l'ALENA dite de « l'investisseur-État » (en son chapitre 11) qui autorise les entreprises, pour la première fois dans l'histoire des traités de commerce, à poursuivre directement un État membre pour toute perte de profit, voire d'un profit futur, qui résulterait de l'action d'un gouvernement. Comme l'explique un spécialiste du droit commercial, Barry Appleton : « Imaginons une entreprise qui mettrait du plutonium dans les aliments pour bébés : si vous l'interdisez, et que l'entreprise en question soit américaine, vous devrez la dédommager. »

Le chapitre 11 a déjà été brandi avec succès par la société Ethyl Corp. de Virginie, pour contraindre le gouvernement canadien à revenir sur l'interdiction d'importer un de ses produits, le MMT, un additif d'essence déjà interdit dans plusieurs pays et dont Jean Chrétien parlait naguère comme d'une « dangereuse neurotoxine ». S. D. Myers, une entreprise américaine de traitement des ordures par PCB (biphényle polychloré) a également eu recours, victorieusement, au chapitre 11 pour contraindre le Canada à revenir sur son interdiction d'importer du PCB, et elle réclame aujourd'hui 50 millions de dollars de dédommagement. Sun Belt Water Inc., une société californienne, réclame elle aussi 14 milliards de dollars canadiens parce que la Colombie-Britannique a interdit l'exportation d'eau, empêchant ainsi l'entreprise d'opérer dans cette province.

Les conséquences pour l'environnement de ces clauses du chapitre 11 sont patentes et vont très loin. Tout projet de loi parlementaire peut être contesté par des entreprises américaines qui auraient des intérêts dans le secteur en question. Les gouvernements doivent donc désormais se préparer à payer très cher pour maintenir certains droits fondamentaux de leurs citoyens, en l'occurrence le droit de vivre dans un environnement sûr et sain. Pour éviter ce scénario ruineux, les gouvernements provinciaux, comme le gouvernement fédéral, sont contraints de soumettre préalablement au DAECE tous leurs projets de réglementation dans le domaine de l'environnement ou de l'exploitation des ressources naturelles.

En octobre 2000, lors d'une séance de la commission de l'Environnement de la Chambre des communes, le député libéral Clifford Lincoln a demandé à deux hauts fonctionnaires du DAECE, Nigel Bankes et Ken Macartney, s'il était vrai que leur ministre, Pierre Pettigrew, cherchait à empêcher l'introduction du « principe de précaution » dans la législation nationale sur la santé et l'environnement, comme dans le projet de loi sur les pesticides, pour s'assurer que le Canada se pliait bien aux règles de l'OMC. Et Nigel Bankes de répondre : « Sur cette question spécifique de savoir si le ministère est opposé à toute référence au principe de précaution, je pense que vous avez raison. J'en connais au moins un exemple. »

Les ministres de l'Environnement ont beaucoup moins de pouvoir que leurs collègues du Commerce. Quand les ministres de l'Environnement des trois pays de l'ALENA ont annoncé, en décembre 1998, qu'ils comptaient autoriser la Commission pour la coopération environnementale (CEC), créée par le traité (en fait un « chien de garde » sans crocs), à étudier dans le détail tous les procès fondés sur le chapitre 11, c'était franchir de beaucoup la ligne que leur avaient imposée le DAECE et ses homologues de Washington et de Mexico. Quelques mois plus tard, ces mêmes ministres revenaient sur leur décision, et la CEC n'a désormais presque plus aucun pouvoir.

> ### LES POLITIQUES PUBLIQUES SOUMISES AU DROIT COMMERCIAL
>
> Les clauses de l'ALENA sur les investissements publics représentent une rupture radicale avec les normes juridiques nationales et internationales sur trois aspects fondamentaux. D'abord, parce qu'elles accordent à des entreprises le droit de faire appliquer un traité international dont elles ne sont pas les signataires et qui ne leur impose aucune obligation. Ensuite, parce qu'elles étendent le champ de l'arbitrage des conflits commerciaux entre nations à des plaintes qui n'ont rien à voir avec des contrats commerciaux, mais beaucoup avec les politiques publiques et les législations nationales. Enfin, parce qu'elles créent des dispositions légales contraignantes sur l'expropriation et le « traitement national » qui vont bien au-delà de celles qui sont accordées aux entreprises ou aux citoyens canadiens.
>
> Steven Shrybman, rapport au Conseil des Canadiens, juin 2000.

Qui plus est, des décisions prises au nom de l'ALENA ou de l'OMC dans un secteur peuvent avoir des implications importantes pour tous les autres. Le géant de la poste privée américaine, United Parcel Service of America (UPS), réclame actuellement à Ottawa un dédommagement de 200 millions de dollars canadiens, au titre du chapitre 11, parce que la Poste canadienne, monopole d'État, bénéficie de subventions pour ses services de courrier rapide. S'il obtient gain de cause, les conséquences pourraient être énormes pour d'autres services publics, et d'abord dans le secteur de la santé, où les soins sont assurés tantôt par des infrastructures publiques, tantôt par des établissements privés (au niveau local). Les sociétés privées américaines seraient fondées à mettre en cause l'existence de toute infrastructure médicale financée par l'État, soit pour réclamer un même accès au financement public, soit pour exiger des dédommagements.

Ces entreprises (y compris des sociétés canadiennes qui poursuivent l'État américain sur des cas voisins de réglementation sanitaire et environnementale) ont bien compris que l'ALENA et l'OMC leur donnent un droit sur la définition des politiques publiques. Comme le dit fort bien Jack Lindsay, directeur général de Sun Belt : « Grâce à l'ALENA, nous avons maintenant un droit de regard sur la politique canadienne de l'eau. »

Le DAECE et les grandes entreprises canadiennes, contrôlées par des intérêts américains, sont effectivement en train de mettre en place un système juridictionnel fonctionnant dans l'intérêt du secteur privé qui l'emporte sur celui des tribunaux canadiens, violent la tradition canadienne, le droit canadien, et sapent les fondations mêmes de notre système judiciaire et de notre héritage démocratique.

Conséquence de cet état de choses, au lieu de traiter des questions de politique économique, sociale et envi-

ronnementale à travers les parlements élus, les gouvernements provinciaux et Ottawa suivent de plus en plus une
orientation politique fondée sur le droit américain. Le
droit de propriété, et donc, indirectement, les droits politiques des sociétés privées, canadiennes ou étrangères en
sont accrus d'autant, tandis que les droits politiques des
gouvernements et des citoyens sont au mieux diminués,
au pire anéantis.

Le nouveau Canada

Quinze années passées sous cette domination nouvelle
de la mondialisation économique ont introduit dans la vie
des citoyens canadiens des changements révolution-
naires : l'économie canadienne a été attirée dans l'orbite
américaine, ce qui a affecté les structures économiques et
sociales du pays, ainsi que son système judiciaire. Socialement, le Canada ressemble de plus en plus aux États-
Unis, avec un énorme fossé entre ceux qui s'en tirent et
ceux qui ne s'en tirent pas : si la prospérité est grande
pour certains, l'extrême pauvreté augmente d'autant ailleurs.

UNE DÉGRINGOLADE

Depuis 1989, année où le traité de libre-échange avec
les États-Unis a été signé et où le Parlement, par un vote
unanime, se donnait jusqu'à 2000 pour éradiquer totalement la pauvreté enfantine :

• le nombre des enfants pauvres a augmenté de 60 % ;
• le nombre d'enfants vivant dans des familles au
revenu inférieur à 20 000 dollars canadiens a augmenté
de 65 % ;

> • le nombre d'enfants vivant dans des familles tributaires de l'aide sociale a augmenté de 51 % ;
> • le nombre d'enfants vivant dans des logements dont le loyer est excessif pour le revenu familial a augmenté de 91 %.
>
> *Rapport annuel 1999* de Campagne 2000, un regroupement d'associations et d'institutions canadiennes autour des problèmes de la pauvreté enfantine [dont le Conseil canadien pour le développement social, le Centre des statistiques internationales et le Conseil national de la protection sociale].

Au cours des dix dernières années, le nombre de millionnaires a triplé, et les rémunérations des dirigeants d'entreprise ont augmenté en moyenne de 15 % par an. En 1999, par exemple, la rémunération globale des patrons des cent premières sociétés canadiennes a augmenté de 112 %, sans considération des profits ou des pertes de l'entreprise. Pendant la même décennie, le Canada est le pays industrialisé qui a connu la plus forte croissance du taux de pauvreté des enfants. En ces mêmes années où les très hauts salaires s'envolaient, ceux des ouvriers n'ont augmenté que de 2 %, soit moins que l'inflation. Et un nombre croissant de Canadiens n'ont qu'un emploi précaire (temps partiel, travailleurs indépendants), sans protection sociale ni droit à une retraite.

Les travailleurs ont eu également à subir la chute dramatique des indemnités de chômage : des coupes d'environ 7 milliards de dollars font qu'un tiers seulement des chômeurs actuels reçoivent des allocations prises sur le fonds auxquels ils avaient pourtant cotisé, alors qu'en 1989, le pourcentage des bénéficiaires était de 80 % (évolution semblable à celle enregistrée aux États-Unis). Ottawa ayant fortement réduit la part des programmes sociaux dans les dépenses fédérales, la protection sociale est à son plus bas niveau depuis les années 1950.

Ces différentes coupes budgétaires ont atteint une telle ampleur que Standard and Poor's a pu écrire que l'idée d'un Canada « plus doux » n'avait plus de raison d'être. Et de faire remarquer qu'en 1999, pour la première fois, le Canada a moins dépensé pour les retraites et l'aide aux chômeurs que les États-Unis.

Il va de soi que ces coupes claires ont frappé davantage les pauvres que le reste de la population. Une étude récente de deux chercheurs de StatsCan, John Myles et Garnett Picot, montre que les ménages à bas revenu avec enfants, qui parvenaient naguère à se maintenir à flot, sont en train de couler. Étude après étude, il se confirme que le Canadien moyen est moins à son aise qu'il y a dix ans, et un récent rapport du Vanier Institute for the Family montre que les ménages canadiens n'ont jamais été aussi endettés depuis les années 1930.

Cette profonde dégradation du niveau de vie a beaucoup affecté le système de valeurs de la population. L'enquête annuelle de la société de sondage Environics étudie depuis dix-sept ans l'état d'esprit des Canadiens, et celle de 1999 révèle des tendances très préoccupantes à long terme : la population éprouve le sentiment croissant de vivre dans l'insécurité, sans but, sans engagement individuel ou social, et sa vitalité décroît. Les chercheurs sonnent l'alarme : chez les jeunes surtout, ce désengagement débouche de plus en plus sur le nihilisme. Quant aux générations d'âge moyen, elles méditent douloureusement sur l'héritage qu'elles laisseront à leurs enfants : fossé élargi entre riches et pauvres, croissance rapide de la pauvreté enfantine, dégradation de l'environnement.

Toutes les personnes interrogées expliquent leur sentiment d'insécurité par les mêmes causes : la réduction de la protection sociale ; les inégalités dans l'accès à l'emploi induites par les nouvelles technologies ; un système qui ne bénéficie pas aux travailleurs ordinaires, mais seulement à un petit groupe de hauts cadres du privé, et d'abord à ceux du secteur bancaire. « Ces temps-ci, ce ne sont pas tant les menaces aléatoires qui nous préoccupent, comme celle d'être victime d'un tueur fou, mais bien plutôt la menace très réelle de vivre dans un monde de loups », disent les rédacteurs. Et d'ajouter qu'il est difficile de s'enthousiasmer pour la réduction du déficit budgétaire quand la dette a été reportée sur la population.

Nombre de citoyens se souviennent que c'est la presse économique et le patronat qui avaient réclamé que le Canada réduise son déficit budgétaire sous peine de devenir un pays du tiers-monde. Selon les personnes interrogées par Environics, la conséquence en est la suivante : en 2000, ce n'est plus le Canada qui est pauvre, ce sont les Canadiens. « Au total, conclut le rapport d'enquête, les Canadiens sont convaincus que si les dernières années ont été bonnes pour le Canada et ses grandes entreprises, elles ne l'ont pas été pour les citoyens, et cette discordance pèse psychologiquement de plus en plus lourd. »

Conséquence de cette évolution : les citoyens canadiens le sont de moins en moins, c'est-à-dire qu'ils se montrent de plus en plus indifférents à la démocratie et à la politique. « Il fut un temps, écrivent les auteurs du rapport, où les Canadiens se percevaient comme détenteurs d'un pouvoir, du simple fait de leur citoyenneté : une personne, une voix. Aujourd'hui, ils considèrent qu'ils n'ont plus qu'un pouvoir de consommateur : un dollar, une voix. » Rares sont désormais ceux qui essaient de comprendre les difficultés de leur prochain, et nombreux

ceux qui se disent prêts à travailler au noir pour éviter
l'impôt, sans pour autant se sentir coupable de voler
l'État, représentant des grandes entreprises, puisque
celles-ci les volent jour après jour. Les citoyens interrogés
ne se disent pas hostiles à l'impôt, mais puisque les riches
n'en paient pas leur juste part, pourquoi devraient-ils le
faire ?

Un modèle dominant pour les deux Amériques

Des attitudes et des tendances semblables ont été
observées dans d'autres pays des deux Amériques au fur
et à mesure que la mondialisation économique y gagnait
du terrain, anticipant sur « l'unification profonde »
recherchée par le FTAA. Les politiques d'ajustement
structurel sont responsables de très grands maux dans les
pays du tiers-monde latino-américain, où les taux d'intérêt de la dette extérieure sont passés de 3 % en 1980 à
plus de 20 % aujourd'hui. De toutes les régions du
monde, l'Amérique latine est celle qui connaît la plus
forte inégalité dans la distribution des revenus, et depuis
qu'elle a avalé sa potion néolibérale, la pauvreté y est
plus forte qu'en 1980. Le pouvoir d'achat des travailleurs
latino-américains a baissé de 27 % ; 85 % de tous les nouveaux emplois sont précaires, sans couverture sociale ni
droits à une retraite.

Le Mexique, après sept ans d'ALENA, connaît aujour-
d'hui un taux de pauvreté record de 70 %, et le salaire
moyen y a perdu plus de 75 % de son pouvoir d'achat.
90 millions de Latino-Américains vivent désormais dans
l'indigence et 105 millions n'ont pas accès aux soins
médicaux. Le travail enfantin a enregistré une croissance

spectaculaire : plus de 19 millions d'enfants au total sont contraints de travailler, dans de terribles conditions, un peu partout en Amérique latine. Les énormes dégâts causés à l'environnement ont été un autre effet secondaire d'une ruée désespérée vers l'exploitation à outrance des ressources naturelles, et l'usage des pesticides et des fertilisants a triplé depuis 1996 : plus de 80 000 substances chimiques sont aujourd'hui produites et utilisées en Amérique du Sud.

Face à de telles souffrances, les Canadiens étaient en droit d'attendre de leur gouvernement qu'il joue son rôle international traditionnel et cherche à réduire ces injustices sociales et économiques qui frappent l'Amérique latine. Mais dans un pays où le DAECE a consacré tant d'énergie à organiser le Sommet des Amériques et à faire avancer le programme d'unification économique prévu par le FTAA, les affaires ont le pas sur tout. Le Canada a troqué sa devise universaliste « Partager pour survivre » (bannière de ses grands programmes d'aide sociale) pour la devise darwiniste américaine de « Survie du plus apte ». La classe dirigeante canadienne, monde des affaires et monde gouvernemental confondus, célébrera sa prospérité en compagnie de son homologue américaine, tandis que ceux qui ne peuvent s'adapter seront mis hors de vue et loin du cœur.

6

PROTÉGER L'ESSENTIEL

Comment des citoyens résistent à l'assaut des grands intérêts mondiaux contre le droit à la survie, les droits économiques et la protection de l'environnement

Ils affluaient par dizaines de milliers vers Millau, dans le Sud-Ouest de la France. On était à la mi-juin 2000. Une énième manifestation de masse contre l'OMC, le FMI, la Banque mondiale ? Non : tous venaient soutenir José Bové, un agriculteur français qui, avec neuf autres militants paysans, devait être jugé par le tribunal correctionnel local pour sa résistance à la mondialisation.

José Bové était l'un des dirigeants de la Confédération paysanne, réunissant des petits agriculteurs de la région durement frappés par la chute des prix payés aux producteurs et par la domination accrue des grandes entreprises agroalimentaires. Un événement précis avait mis le feu aux poudres : les représailles américaines frappant le roquefort, fabriqué dans la région du Larzac où se trouve Millau. L'Union européenne ayant refusé d'obéir à la décision de l'OMC condamnant son refus d'importer des produits agricoles génétiquement modifiés, les États-Unis avaient riposté en imposant un droit de douane de 100 % sur toute une gamme de produits importés d'Europe, dont le roquefort. Exaspérés, plusieurs centaines de paysans avaient choisi pour cible un McDonald's en construction à Millau, qu'ils avaient mis à sac, symbole de leur opposition à la mondialisation du secteur de l'alimentation.

Ce que la Confédération paysanne appelait un « démolissage festif » était pour la direction de McDonald's un acte de vandalisme : José Bové et ses neufs amis militants ont été promptement traînés en justice pour dommages causés avec intention de nuire, et emprisonnés. José Bové a refusé de payer une caution pour rester derrière les barreaux, d'où il multiplia les déclarations publiques : c'était pour lui une manière de mettre son intégrité personnelle au centre du mouvement de résistance et de planter le décor pour le procès des « 10 de McDo ».

Principal atout économique du Larzac, le roquefort est fabriqué à partir du lait de brebis produit par les éleveurs de la région. Dans un pays qui prend la nourriture au sérieux, et où l'on considère qu'un repas de qualité doit être préparé lentement et dégusté sans hâte, la nourriture des fast-foods est appelée la « malbouffe ». L'idée même qu'un produit de haute qualité comme le roquefort puisse être rejeté par un système économique mondialisé qui autorise McDonald's et les autres grandes chaînes de restauration rapide à fleurir partout sur la planète était un scandale pour José Bové et ses collègues.

Pour les milliers de militants européens qui avaient fait le voyage de Millau à l'occasion du procès, José Bové et ses neuf co-inculpés étaient devenus un symbole de la résistance à la mondialisation menée par les grandes entreprises. Dans tous les journaux d'Europe, les carica-

*turistes avaient rendu célèbres les moustaches en crocs
de Bové en leur donnant la forme du M doré de l'enseigne
McDonald's. Sous l'un des dessins, une légende, emprun-
tée à une déclaration de Bové lui-même, disait tout : « Le
monde n'est pas une marchandise, et moi non plus. »*

Le local est mondial

Comme le montre bien l'histoire de José Bové et des
« 10 de McDo », dimension politique et dimension culturelle coexistent dans la résistance citoyenne contre la
mondialisation marchande. Ce qui distingue en partie la
manifestation de Millau de celles de Seattle, Birmingham, Cologne, Washington et Prague, est la fusion du
local et du mondial. Même si les manifestations qui ont
eu lieu dans ces grandes villes comptaient beaucoup de
citoyens locaux, la plupart de ces grosses agglomérations
sont elles-mêmes immergées dans la mondialisation. Il
n'en va pas de même de Millau : la ville et sa région sont
les victimes de la mondialisation, et les deux dimensions
de la résistance, locale et mondiale, y ont fusionné.

Pourtant, comme l'a bien souligné Naomi Klein, la
profondeur des racines de la résistance populaire à la
mondialisation est ignorée ou calomniée par les magnats
du secteur privé et leurs alliés des médias, qui voudraient
faire croire que la protestation planétaire est fragmentée
et ponctuelle : ils font observer qu'à la différence des
anciens mouvements sociaux (pour la défense des travailleurs, la libération des femmes, les droits civiques et la
paix), il n'y a aucune idéologie ou vision cohérente derrière l'opposition à la libéralisation complète du
commerce, de la finance et des investissements de par le

monde. Et il n'y a pas non plus de figure charismatique à la tête du mouvement. Enfin (à leur grande fureur), le mouvement n'a pas non plus de quartier général sur lequel ils pourraient concentrer leurs attaques.

Comme on l'a déjà noté, le modèle d'organisation adopté à Seattle et dans la plupart des manifestations de grandes villes ne comporte aucune hiérarchie ni centre de commandement. Bien au contraire : la résistance s'y est organisée d'une manière très décentralisée et en adoptant plusieurs tactiques, même si, dans la plupart des cas, les différents groupes impliqués disposaient effectivement d'un local pour établir des liaisons. Cela ne signifie pas, bien entendu, que des organisations plus centralisées, comme les syndicats et les Églises, n'étaient pas en mesure de participer : mais quand elles le faisaient, c'était dans le cadre de ce système sans hiérarchie qui s'est révélé l'une des grandes forces des mouvements citoyens en train de naître, car la caste qui dirige la mondialisation et ses alliés ne parviennent pas identifier une cible unique contre laquelle riposter.

Est-il cependant possible qu'un mouvement caractérisé par la décentralisation et le pluralisme s'unisse autour d'une vision ou d'une idéologie communes ? La réponse semble être positive. Le thème le plus fédérateur de toutes ces résistances populaires est l'indignation devant les coups portés par la mondialisation à la démocratie et aux biens collectifs. De Birmingham à Genève, de Cologne à Seattle, de Washington à Prague, la principale cible des manifestants aura été le piratage de la démocratie et des biens collectifs par les grandes entreprises. Pour reprendre la formule d'un mouvement de résistance latino-américain antérieur, il s'agit de la « logique de la majorité ».

Dans ce mouvement général de la société civile en train d'apparaître, il existe au moins six fronts sur lesquels les gens se battent pour la défense de leurs droits fondamentaux face à la mondialisation marchande. Les sujets de préoccupation (inscrits dans la défense de la démocratie et des biens collectifs) ont tous à voir avec la protection de ce qui est essentiel à la vie (droit à la survie, droits économiques, sauvegarde de l'environnement) et avec la défense de ce qui fait l'humanité (les droits sociaux, culturels et humains). Tous ces droits sont d'égale importance, mais ceux qui concernent le bien-être physique sont les plus immédiats, et ceux dont le non-respect est le plus tangible.

Le droit à la survie en question

De tous les droits universels auxquels peuvent prétendre les habitants de la planète, certains sont essentiels à leur survie même. Qui que nous soyons, et où que nous vivions, nous ne pouvons survivre sans nourriture et sans eau. Mais alors que la Déclaration universelle des droits de l'homme reconnaît le « droit à l'alimentation », il est assez étrange qu'elle reste silencieuse sur le droit à l'eau (auquel fait cependant référence le Pacte international de l'ONU sur les droits économiques, sociaux et culturels). Mais quel que soit leur statut international, il est évident que nourriture et eau sont indispensables à la vie, d'où la profondeur de leur enracinement culturel dans mainte région du monde. Tout cela explique la montée de l'opposition à la mainmise des entreprises transnationales sur l'alimentation et l'eau dans bien des pays, les femmes étant souvent au premier rang de la lutte. Les droits fondamentaux à l'approvisionnement en nourriture et en eau potable, ainsi qu'à la sécurité de l'alimentation, sont menacés par la privatisation, encouragée par les entreprises transnationales qui les transforment en marchandises.

Droit à l'alimentation

Par leur mainmise croissante sur l'alimentation et par la mondialisation de l'agriculture, les entreprises transnationales sont en train de voler à des millions de gens leur droit à la survie un peu partout sur la planète. Avec la création d'un marché mondial des produits alimentaires, nations et populations sont de plus en plus dépendantes, pour se nourrir, de gigantesques entreprises ou consortiums commerciaux. Les denrées alimentaires ne sont plus produites par des agriculteurs pour la consommation locale, mais par de grandes entreprises pour les marchés mondiaux (Nestlé, Unilever, Sara Lee, Nabisco, Philip Morris, Cargill, ConAgra et Archer Daniels Midland, pour ne citer que les plus grandes).

De la grande exploitation mécanisée jusqu'au supermarché, les géants du secteur ont pratiquement le contrôle de la production et de la distribution sur le marché mondial de l'alimentation. Qui plus est, ils ont admirablement réussi à faire adopter par l'OMC un ensemble de règles sur les exportations agricoles, qui tendent à supprimer les barrières douanières et les subventions des États en faveur de leurs paysans et de la production nationale. Tout est prêt désormais pour le démantèlement de l'Office du blé canadien, organisme professionnel destiné à protéger les producteurs de céréales contre les trop fortes variations des cours mondiaux.

Lors de l'« enquête des citoyens sur l'AMI », à l'automne 1998, l'Union des agriculteurs canadiens déclarait : « Plus le marché devient international, plus il est difficile pour les agriculteurs d'obtenir un juste revenu [...]. Plus le gâteau des exportations devient gros, et plus la part des agriculteurs, en termes relatifs comme en termes absolus, rétrécit. » Mais si les paysans canadiens ont eu beaucoup à souffrir de cette évolution, les paysans du tiers-monde, eux, ont été ruinés : dans ces pays, de plus en plus de terres arables ont été réservées à des cultures exportatrices, afin de procurer au pays des devises pour le remboursement de sa dette extérieure, et cela au moment même où les prix agricoles chutaient sur le marché mondial. Si bien que des foules de paysans sans terre, incapables désormais de nourrir leur famille, sont venues gonfler la population miséreuse des villes, jetant les germes d'une résistance populaire.

Au Brésil, par exemple, des milliers de paysans (des femmes aussi bien que des hommes) ont rejoint le Mouvement des travailleurs sans terre pour protester contre la scandaleuse répartition de la propriété foncière dans le pays. Lancé il y a quinze ans, le mouvement soutient des écoles primaires et des coopératives alimentaires dans les zones rurales. Mais son objectif principal est d'aider les paysans à mettre la main, par la force, sur de grands domaines, pour contraindre le gouvernement à hâter sa réforme agraire. Au printemps 2000, le mouvement a entrepris sa campagne la plus ambitieuse à ce jour : 25 000 ouvriers agricoles ont participé à une « guerre éclair » contre des bâtiments administratifs dans quatorze capitales d'État brésiliennes. Pendant plusieurs jours, l'action gouvernementale est restée paralysée par ces armées de paysans qui bloquaient l'accès aux bâtiments administratifs, soit qu'ils les occupent, soit qu'ils campent autour.

Simultanément, un mouvement s'organisait à l'échelle internationale, connu sous le nom de Via Campesina (« Voie paysanne »), pour combattre la mainmise des entreprises transnationales sur l'agriculture et leur instrument, l'OMC. Composée à l'origine de syndicalistes paysans et de petits agriculteurs de cinquante pays du Nord comme du Sud, Via Campesina a ouvertement défié les chefs de gouvernement réunis en un « Sommet de l'alimentation » à Rome en 1996, pour exiger d'eux qu'ils mettent au premier rang de leur ordre du jour la « sécurité des approvisionnements » et la « souveraineté alimentaire ». En mai 1998, lors d'un sommet tenu à Genève pour fêter le cinquantième anniversaire du GATT, Via Campesina exigera que l'agriculture soit entièrement exclue du champ des négociations de l'OMC.

À l'automne 2000, les membres asiatiques de Via Campesina ont organisé toute une série de défilés de protestation en Asie du Sud-Est, menés par la caravane Global People 2000, pour réclamer la souveraineté alimentaire. Partie de l'Inde, la caravane a traversé la Thaïlande, la Malaisie, l'Indonésie, les Philippines et la Corée du Sud, donnant toute la publicité possible à sa demande d'un retrait de l'agriculture du champ de compétences de l'OMC.

Le problème de l'eau

Bien que l'accès à l'eau potable soit considéré comme allant de soi dans plusieurs parties du monde, la planète est au bord d'une crise générale de l'eau : plus d'un milliard de personnes aujourd'hui n'y ont pas un accès suffisant, et on estime qu'environ un tiers de la population mondiale devra faire face à une très grave pénurie, tandis que les deux autres tiers, bien que moins durement frappés, devront prendre des mesures de rationnement. La même Banque mondiale qui prédit que les « guerres du XXIᵉ siècle auront l'eau pour enjeu » estime que le secteur va très vite représenter un marché de 800 milliards de dollars.

On a vu soudain apparaître, un peu partout, des entreprises de distribution de l'eau potable, de vente d'eau en bouteille, de vente d'eau en gros, ou encore des sociétés spécialisées dans le détournement des cours d'eau ou la construction de barrages. Les deux plus grandes entreprises transnationales sont ici Vivendi et Suez-Lyonnaise des Eaux, respectivement au soixante-neuvième et soixante-dixième rang des cinq cents plus grosses entreprises mondiales recensées par le magazine *Fortune* en 1998. Dans le même temps, la Banque mondiale a favorisé la mainmise du secteur privé sur la fourniture d'eau dans des pays comme la Bolivie, le Mozambique et le Kenya, en faisant de la privatisation de ce secteur la condition *sine qua non* de ses prêts. Quant à l'OMC, elle entend bien profiter de l'actuel cycle de négociations du GATS pour imposer un nouvel ensemble de règles donnant aux entreprises transnationales de l'eau tous les outils dont elles ont besoin pour obliger au démantèlement des services publics du secteur et les transformer en entreprises génératrices de profit.

Partout dans le monde, la résistance des peuples commence à peine à se cristalliser. Mais nulle part, sans doute, cette résistance n'a été plus spectaculaire qu'à Cochabamba (Bolivie) où une véritable révolte populaire a éclaté au début de 2000. En 1998, la Banque mondiale avait refusé de consentir un prêt de 25 millions de dollars destiné à rénover le système de distribution d'eau à

Cochabamba tant que les autorités locales n'auraient pas vendu leur service public au secteur privé (au détriment des consommateurs), et le gouvernement bolivien était intervenu pour qu'il soit concédé à une filiale du géant de la construction, Bechtel. La Banque mondiale avait alors accordé le monopole de l'eau à ce concessionnaire, exigé qu'elle soit vendue à son vrai prix, arrimé sur le dollar, et stipulé que l'argent du prêt ne pourrait pas être utilisé pour subventionner l'accès à l'eau des plus pauvres. Les factures d'eau ayant très rapidement augmenté dans des proportions insupportables, des centaines de milliers de paysans et de citadins boliviens ont envahi les rues, exigeant l'annulation du contrat avec la filiale de Bechtel. Les enquêtes montraient que 90 % de la population de Cochabamba voulaient revenir au service public. Devant l'ampleur de la protestation, le gouvernement bolivien a dû céder et annuler le contrat de 200 millions de dollars conclu avec Bechtel.

GUERRE DE L'EAU EN BOLIVIE

Quand le prix de l'eau a augmenté de près de 35 %, à la suite d'une privatisation imposée par la Banque mondiale comme condition d'un prêt, la population de Cochabamba a bloqué la ville pendant quatre jours consécutifs en janvier 2000, et la protestation a recommencé en février quand le gouvernement est revenu sur sa promesse de faire baisser le prix de l'eau. Pendant deux jours, la police a attaqué les manifestants aux gaz lacrymogènes, blessant 175 personnes et laissant aveugles à jamais deux jeunes protestataires.

Au début d'avril, après une semaine de manifestations de plus en plus déterminées, le président bolivien, Hugo-Banzer, décrète la loi martiale et annonce que le gouvernement reviendra sur le contrat signé avec la filiale de

> Bechtel. Mais il aura fallu la mort d'un garçon de dix-sept ans, tué par balle, pour le décider.
>
> « Le sang répandu dans les rues de Cochabamba porte les empreintes digitales de Bechtel », a déclaré un des chefs de la protestation, Oscar Olivera. Le lendemain, il sautait dans un avion pour Washington afin d'affronter le président de la Banque mondiale, James Wolfensohn.

Au Canada aussi, le combat pour l'eau ne peut que s'intensifier. Si la récente campagne menée par le Conseil des Canadiens pour demander le vote d'une loi fédérale interdisant l'exportation d'eau a obtenu le soutien de dix provinces, Ottawa ne veut toujours pas en entendre parler. Des entreprises comme la Global Corporation Water of Canada guettent en coulisses toute occasion d'exporter des quantités massives d'eau potable vers des firmes asiatiques d'eau en bouteille, en s'appuyant sur l'arsenal de l'ALENA et de l'OMC.

Comme l'a montré la tragédie de l'eau empoisonnée à Walkerton, les coupes budgétaires effectuées par le gouvernement provincial de l'Ontario dans les services d'inspection des puits et réservoirs compromettent la fourniture municipale d'eau saine aux consommateurs. À Halifax et dans d'autres villes canadiennes, des municipalités à court d'argent envisagent la possibilité de sous-traiter à de grosses sociétés comme Vivendi ou Suez-Lyonnaise des Eaux la distribution d'eau.

Sécurité alimentaire

La bataille pour la sécurité alimentaire est au cœur de la lutte pour le droit à la survie partout dans le monde : absorber des aliments sains, et si possible nourrissants, est un droit fondamental, essentiel au bien-être physique des individus. Mais les avancées de la biotechnologie ont permis de mettre au point des plantes et des animaux génétiquement modifiés, et donc la production de ce que ses adversaires appellent la *frankenfood* (aliments à la Frankenstein). Ces produits alimentaires fortement suspects ont rapidement trouvé le chemin des tables familiales et des restaurants, changeant ainsi du tout au tout la qualité de la nourriture. En Amérique du Nord, on estime que près de 75 % des aliments pré-conditionnés contiennent des substances génétiquement modifiées. Et pourtant, aucune étude scientifique n'a été menée sur l'impact à long terme que peuvent avoir ces produits sur la santé humaine. En attendant, l'industrie biotechnologique (avec en tête Monsanto, désormais filiale à 100 % de Pharmacia Corporation, suivie par d'autres géants comme Novartis, Aventis, Astra Zeneca, DuPont et Dow AgroSciences) connaît une forte expansion, et s'appuie sur les décisions de l'OMC pour forcer l'entrée de tous les marchés du monde.

Une résistance tout aussi planétaire aux aliments génétiquement modifiés s'intensifie dans plusieurs régions du globe dont l'Europe, où elle a connu ses premières batailles. En France, des agriculteurs inquiets et des militants de la sécurité alimentaire sont passés à l'action directe pour empêcher Monsanto et Novartis de poursuivre leurs plantations expérimentales de maïs génétiquement modifié. Au Royaume-Uni, cinq jeunes femmes, revêtues de combinaisons protectrices et portant des sacs en plastique marqués du symbole du danger biologique, ont envahi un champ expérimental de Monsanto et entrepris d'arracher les plants génétiquement modifiés. Cette action a déclenché un mouvement connu sous le nom de

« genetiX snowball[1] » : des centaines de personnes ont constitué spontanément des groupes d'action pour arracher tous les plants génétiquement modifiés sur le territoire britannique. En Allemagne, des associations de consommateurs ont réussi à convaincre les principaux vendeurs de semences d'exclure de leur catalogue celles qui étaient génétiquement modifiées. Dans plusieurs autres pays européens, des campagnes de boycottage ont été organisées par les consommateurs pour convaincre les chaînes de *fast-food* comme Burger King, McDonald's et Pizza Hut de ne pas employer de pommes de terre génétiquement modifiées pour leurs frites. Un boycottage du même ordre a été mis en place pour obtenir des chaînes de supermarchés qu'elles renoncent à vendre des aliments génétiquement modifiés, ou tout au moins qu'elles leur réservent des rayons distincts.

En Asie, c'est l'Inde qui a initié le mouvement, lequel s'est ensuite répandu un peu partout. Une campagne sur le thème « Monsanto : Quitte l'Inde ! » a été lancée dans une région du pays par une coalition de plus de cent associations de paysans et de consommateurs qui protestaient déjà depuis des mois. (Près de cinq cents paysans de la région s'étaient suicidés après l'échec d'une autre campagne pour faire interdire le coton génétiquement modifié.) En réponse à une requête officielle de la Research Foundation for Science, Technology and Ecology, la Cour suprême indienne a décidé, en février 1999, que tous les champs expérimentaux de Monsanto devaient être fermés.

---

1. « Boule de neige antigénétique », mais l'aptitude particulière de la langue anglaise pour les formules qui font mouche se déploie remarquablement ici : le X, symbole de l'interdiction, est une graphie pour la dernière syllabe de *genetics,* « génétique » (NdT).

Dans d'autres pays d'Asie, les choses se sont passées moins dramatiquement, mais avec des résultats tout aussi décisifs. Au Japon, l'Association des consommateurs a fait circuler une pétition, signée par deux millions de personnes et près de 3 000 municipalités, demandant au gouvernement de rendre obligatoire sur les étiquettes la mention de toute présence d'OGM. En Corée du Sud, à la suite des campagnes de sensibilisation de l'opinion organisées par le Pesticide Action Network de la région Asie-Pacifique, le gouvernement a annoncé son intention d'imposer un tel étiquetage.

Même en Amérique du Nord, terre mère de cette industrie biotechnologique, la résistance prend de l'ampleur. En novembre 1998, par exemple, des citoyens du Maine ont contraint Monsanto à renoncer à ses plantations de maïs génétiquement modifié dans l'État, tandis que, sur la côte Ouest, des militants détruisaient un carré expérimental de Novartis installé sur le campus même de l'université de Californie. Des centaines de restaurants américains se sont joints à une campagne nationale pour faire connaître les dangers de ces produits et exiger un étiquetage approprié.

Au Canada, un regroupement d'associations pour la défense de l'agriculture, de la santé et de l'environnement, mené par le Conseil des Canadiens, a organisé avec succès une campagne nationale, laquelle, appuyée sur des auditions sénatoriales et des témoignages de chercheurs du service public, a contraint Ottawa à interdire l'utilisation d'hormones de croissance dans l'élevage des bovins destinés à la production laitière. Plus récemment, le Conseil des Canadiens, Greenpeace et le Sierra Club of Canada ont monté une nouvelle campagne, dirigée cette fois vers les chaînes de magasins d'alimentation, pour exiger un étiquetage spécial de tous les produits comportant des OGM. Le Conseil des Canadiens, toujours lui, a également fait circuler une pétition condamnant le gouvernement fédéral pour n'avoir pas tenu compte des exigences de protection de la santé publique et de l'environnement dans sa réglementation des organismes génétiquement modifiés.

La défense des droits économiques

Depuis la révolution industrielle, au XIXᵉ siècle, les ouvriers n'ont jamais cessé de lutter pour l'amélioration de leurs salaires et de leurs conditions de travail, non seulement pour que leur revenu réponde à leurs besoins fondamentaux, mais aussi pour y gagner une conscience de leur propre valeur et de leur dignité en tant que personnes. En constituant un mouvement syndical dynamique pour défendre leurs droits, dans bien des pays du monde ils ont opposé un défi majeur à un système économique porté par un capitalisme sauvage.

La Déclaration universelle des droits de l'homme de l'ONU reconnaît à toute personne « le droit au travail, au libre choix de son travail, à des conditions équitables et satisfaisantes de travail et à la protection contre le chômage » (article XXIII, alinéa 1). Elle affirme aussi que « toute personne a le droit de fonder avec d'autres des syndicats et de s'affilier à des syndicats pour la défense de ses intérêts » (article XXIII, alinéa 3). Le Pacte international de l'ONU relatif aux droits économiques, sociaux et culturels a non seulement réaffirmé ces principes de base, mais demandé aux gouvernements de les appliquer et de veiller à ce que chaque citoyen soit effecti-

vement en mesure d'exercer son droit de participer à la
vie économique. L'Organisation internationale du travail
(OIT) a précisé les droits des travailleurs dans plus d'une
centaine d'autres conventions, et elle publie régulièrement des données sur la situation du chômage dans le
monde et sur les conditions de travail relevant de l'exploitation. Les droits économiques des femmes, en ce qu'ils
posent des problèmes spécifiques, n'ont pas toujours été
inclus dans les débats sur l'emploi et les conditions de
travail, mais la conférence de l'ONU sur la condition de la
femme, tenue à Pékin en 1995, a bien avancé dans ce sens.

Le travail précaire, l'exploitation d'une main-d'œuvre
sous-payée, l'esclavage de la dette sont les trois fronts du
combat pour le respect des droits des travailleurs. Dans
les trois cas, les entreprises transnationales, de concert
avec les gouvernements et les institutions financières
internationales (FMI, Banque mondiale), cherchent systématiquement à ruiner les droits démocratiques à la justice
économique.

Le travail précaire

Une des principales étincelles de la résistance à la nouvelle économie mondialisée aura été la prolifération du
travail précaire, appelé parfois les *Macjobs*, par référence
aux « petits boulots » procurés par ce géant du *fast-food*
à d'innombrables jeunes. L'emploi temporaire, ou à temps
partiel, est en progression même dans les pays développés, où les emplois à plein temps, de durée indétermi-
née, avec couverture sociale, congés payés et droit
d'adhérer à un syndicat, étaient naguère la norme. Si les
entreprises sont désormais si friandes d'emploi temporaire et à temps partiel, ou de sous-traitance à des travail-

leurs indépendants, c'est parce qu'elles y trouvent une main-d'œuvre relativement moins coûteuse. Cette explosion de l'emploi précaire, qui frappe avant tout les femmes, les jeunes et les personnes de couleur, est particulièrement forte dans le secteur des services, celui où la croissance de l'emploi est la plus marquée, surtout aux États-Unis.

Parmi les grandes entreprises qui mènent le mouvement, on trouve McDonald's, Starbucks, Gap, Wal-Mart, Kmart, Kentucky Fried Chicken, Barnes & Noble, Borders Books & Music. Grâce à l'expansion du temps partiel, Wal-Mart est devenue non seulement la plus grande chaîne mondiale de vente au détail, mais aussi le plus gros employeur des États-Unis. Cependant, alors que ces entreprises violent toutes sortes de conventions sur le droit du travail, l'OIT n'a pas le poids qu'il faudrait pour faire appliquer ses normes. Et la principale instance de gouvernance mondiale, l'OMC, qui dispose, elle, des muscles nécessaires, refuse de soumettre l'économie planétaire à des normes sociales.

Une fois encore, le mouvement syndical s'est porté en première ligne dans le combat contre le travail précaire imposé par les entreprises, que ce soit avec la campagne lancée par les employés de l'United Parcel Service (UPS) contre l'« Amérique à temps partiel » ou la lutte du Syndicat des travailleurs canadiens de l'automobile contre le recours, par Ford et Chrysler, à des sous-traitants sans syndiqués. Néanmoins, comme c'est dans le secteur des services que le temps partiel prolifère le plus, les premières victimes de la tendance, femmes, jeunes et personnes de couleur, ont été aussi les premières à résister. Bien qu'il soit très difficile de syndiquer des employés à temps partiel ou en CDD, des tentatives en ce sens ont été couronnées de succès chez Starbucks et McDonald's, tout comme chez Wal-Mart ou dans d'autres grandes chaînes, le plus souvent sur l'initiative de femmes et de jeunes.

Ces campagnes contre l'emploi précaire ont permis de mettre au point de nouvelles formes d'organisation et d'action. Au Royaume-Uni, le scandaleux procès McLibel, dans lequel McDonald's poursuivait deux militants de Greenpeace qui s'en étaient pris à la politique d'emploi de la chaîne, a beaucoup fait pour révéler à l'opinion la dure réalité des *Macjobs*. Même si les accusés ont été finalement condamnés, le tribunal a reconnu, dans ses attendus, que la politique d'emploi précaire de McDonald's était un des facteurs de la baisse des salaires dans l'industrie de la restauration. De l'autre côté de l'Atlantique, une association comme Jobs with Justice (« Des emplois et la justice ») a mobilisé des réseaux d'étudiants, de gens d'Église ou de syndicalistes, et utilisé des tactiques d'action directe pour attirer l'attention de l'opinion sur le travail précaire dans les chaînes de *fast-food*, notamment chez Kentucky Fried Chicken. Une autre de ces associations créée dans les années 1990, Janitors for Justice (« Portiers[1] en quête de justice ») a réussi à bloquer le trafic dans le centre de Washington pour dénoncer publiquement l'exploitation des portiers et autres employés à temps partiel.

La main-d'œuvre exploitée

Dans les années 1990, la dénonciation de l'exploitation de la main-d'œuvre dans les pays en développement, dont bénéficient certaines grandes entreprises du Nord, a été le

---

1. Il s'agit des portiers d'immeubles, très nombreux en Amérique du Nord, et souvent recrutés avec les contrats les plus précaires (NdT).

fer de lance de la lutte pour les droits des travailleurs. En délocalisant leur production dans des pays pauvres pour profiter des faibles coûts de la main-d'œuvre, nombre d'industriels de la chaussure, de l'habillement et du jouet ont tiré profit de l'exploitation brutale d'hommes et de femmes, dans des conditions de travail dangereuses, notamment en Asie et en Amérique latine (pour la chaussure, citons Nike, Reebok, Adidas ; pour l'habillement, Gap, Levi-Strauss, Liz Clairborne et Disney, ainsi que des géants de la vente au détail comme Wal-Mart, Kmart et JCPenney ; pour le jouet, les fabricants mis en cause sont innombrables). Un exemple : un sous-traitant de Nike au Viêt-nam paie 1,60 dollar par jour ses ouvriers, alors que le seul coût de trois repas complets dans ce pays est de 2,10 dollars. Dans de nombreux cas, les manufactures sous-traitantes des grandes entreprises du Nord sont situées dans des zones franches, où elles ne sont pas soumises aux lois du pays sur le travail et l'environnement. Séparées du reste de l'économie et de la société, ces zones de travail à bas prix sont souvent entourées de hautes clôtures et surveillées par des polices privées.

Bien que les syndicats aient été traditionnellement au premier rang de la lutte contre ce type d'exploitation, des campagnes de dénonciation d'un nouveau style sont apparues dans les années 1990. Sur l'initiative d'associations comme la Campaign for Labor Rights, le National Labor Committee, et de syndicats (comme UNITE ! aux États-Unis et Labour Behind the Label[1] en Grande-Bretagne), les militants ont déployé beaucoup d'invention pour révéler au monde les honteuses pratiques des

---

1. Quelque chose comme « Il y a des travailleurs derrière la marque » (NdT).

grandes marques. En s'attaquant à leurs logos, étiquettes ou symboles, ils ont créé un brutal effet de collision entre image et réalité : ainsi, en 1999, lors d'un meeting de protestation contre Disney, un énorme rat en caoutchouc avait été installé devant un grand point de vente de la marque. Lors d'un meeting new-yorkais pour le lancement de la campagne « The Holiday Season of Conscience » (« L'été de la prise de conscience »), qui visait avant tout Nike et Disney, les orateurs s'exprimaient devant une gigantesque chaussure de sport rouge et des images en trois dimensions du Roi Lion.

MICKEY MOUSE EN HAÏTI

En produisant et diffusant un documentaire intitulé *Mickey Mouse en Haïti*, projeté dans des établissements secondaires et supérieurs un peu partout aux États-Unis, le militant Charlie Kernaghan a réussi un joli coup pour dénoncer la délocalisation de Disney vers un pays où le travail ne coûte presque rien. Une de ses grandes astuces aura été de révéler des chiffres saisissants : alors que le patron de Disney, Michael Eisner, gagne 9 783 dollars de l'heure, le salaire horaire moyen d'un ouvrier haïtien est de 28 cents, si bien qu'il lui faudra travailler 16,8 ans pour toucher le salaire horaire d'Eisner. Pire encore : les 181 millions de dollars de stock-options attribuées à Eisner en 1996 suffiraient à faire vivre les 19 000 employés de Disney à Haïti ainsi que leurs familles pendant quatorze ans.

Informations données par Naomi Klein dans *No Logo*.

Quant à Nike, elle a été la cible d'une des campagnes de dénonciation les plus réussies : chaque année, lors de la « Journée d'action internationale Nike », tous les clients des magasins portant cette enseigne sont informés des pratiques de la marque. En octobre 1997, dans 85 grandes villes réparties dans 13 pays, des manifestations ont été organisées, avec « défilés de mode *sweatshop* [1] » et un jeu intitulé « Vente aux enchères de capital transnational ».

Quand une campagne sur le thème « L'année du *sweatshop* » avait été lancée en 1995-1996, plusieurs cas d'exploitation éhontée de travailleurs du tiers-monde avaient été révélés dans le *New York Times* et dans des émissions de télévision très suivies, comme *60 minutes* et *20/20*. En cette même année, l'opinion découvrait aussi les épouvantables conditions de travail d'un sous-traitant de Gap au Salvador, quand le directeur de l'usine, face à une manifestation syndicale, avait licencié 150 ouvriers en annonçant que le sang coulerait si tout ne s'arrêtait pas immédiatement. Cette même année, un *talk-show* révélait que telle ligne de vêtements de sports de Wal-Mart était fabriquée par des enfants au Honduras et dans des ateliers clandestins aux États-Unis mêmes. Au Canada, le Maquila Solidarity Network jouait de son côté un rôle déterminant pour dénoncer les salaires de misère versés par les sous-traitants étrangers des grandes marques et pour relancer la défense des droits des travailleurs d'Amérique centrale en organisant des « défilés de mode *sweatshop* » dans tout le pays.

L'esclavage de la dette

La lutte pour le respect des droits économiques exige aussi l'annulation de la dette qui handicape à la fois les

---

1. Littéralement « atelier de sueur », terme qui désigne l'exploitation de la main-d'œuvre dans les pays pauvres (ou les ateliers clandestins des pays riches) : la drôlerie de la trouvaille tient à ce que tout anglophone entend dans *sweatshop* le mot « sueur », rarement associé à celui de « mode » (NdT).

économies de certaines communautés et celles de nations entières du tiers-monde. Bien que la Déclaration universelle des droits de l'homme et ses conventions annexes soient silencieuses sur ce problème (car elles ont été rédigées bien avant que les programmes d'ajustement structurel du FMI et de la Banque mondiale soient imposés à ces États), les pays du Sud se voient systématiquement refuser l'accès aux capitaux internationaux, ce qui équivaut à priver leur population de ses droits économiques. La politique de prêt des deux institutions, toujours couplée avec l'adoption imposée de programmes d'ajustement structurel, condition du rééchelonnement de la dette, fait que la majorité des pays du tiers-monde est dans une situation d'asservissement pour dette. Des centaines de millions de personnes sont condamnées à une pauvreté perpétuelle puisque toutes les ressources financières du pays vont au remboursement de la dette extérieure et aux restructurations imposées, au lieu d'être consacrées à ces besoins de base que sont l'enseignement, l'alimentation, la santé, l'eau potable, l'hygiène. En outre, le système financier international laisse les banques commerciales, les fonds d'investissements et les maisons de courtage spéculer librement sur les monnaies et les matières premières de ces pays, ce qui accroît encore leur instabilité financière.

Au Mexique, un mouvement baptisé El Barzón (du nom d'une lanière de cuir qui sert à lier le joug des bœufs) est apparu au milieu des années 1990, qui entendait s'attaquer aux grandes banques du pays sur toutes sortes de problèmes d'endettement des particuliers les plus vulnérables. Composé de paysans et d'Indiens, ainsi que de petits propriétaires et de commerçants, El Barzón réunira jusqu'à 500 000 personnes. Le mouvement était né dans de petites communautés rurales en lutte contre le refus des banques de consentir des prêts décents aux petits paysans : la tactique consistait à envahir les rues avec des tracteurs, à bloquer l'accès aux services fiscaux et aux agences bancaires dans tout le pays. Le mouvement gagnera ensuite Mexico et d'autres grandes villes, cette fois pour défendre ceux qui étaient menacés de perdre leur toit ou leur boutique, saisis ou mis aux enchères : chaque fois qu'une maison ou un commerce allait être saisi, El Barzón dépêchait sur place un camion blanc transportant une petite équipe d'avocats, avec leurs ordinateurs et leur documentation juridique, pour interrompre la procédure. Sur le côté du camion blanc, on pouvait lire *Debo, no niego /Pago lo justo* (« Je dois, je ne nie pas /Je ne paie que ce qui est juste ») ce qui vaudra au mouvement le surnom d'« Armée blanche ».

À l'échelle de la planète cette fois, c'est le mouvement Jubilé 2000 qui a pris l'initiative d'exiger une annulation de la dette extérieure de tous les pays pauvres. Organisé par les grandes Églises chrétiennes pour marquer l'année du Jubilé (laquelle, dans l'Ancien Testament, obligeait à une annulation des dettes), le mouvement a réussi à mobiliser bien des énergies tant dans les pays du Sud que dans ceux du Nord. Pour contraindre les dirigeants à faire entrer cette question de la dette asservissante dans le champ de leurs radars politiques, Jubilé 2000 a mis ses militants dans la rue : en mai 1998, quelque 70 000 personnes ont formé une chaîne humaine de dix kilomètres dans les rues de Birmingham en scandant : *Drop the Debt !* (« Laissez tomber la dette ! »). L'année suivante, c'était au tour de Cologne, avec une chaîne de 40 000 personnes, à l'occasion du sommet du G-8, et, en décembre 1999, celui de Seattle, avec une chaîne de

30 000 manifestants. Au total, la pétition Jubilé 2000 a recueilli plus de 17 millions de signatures dans le monde entier, et, en octobre 1999, plus de 1 million de Latino-Américains ont pris part à des manifestations dites « Le cri des exclus » pour attirer l'attention du monde sur cette injustice.

La sauvegarde de l'environnement

De toutes les batailles de la mondialisation, l'une des plus lourdes de conséquences est celle du front écologique. Si la Déclaration universelle des droits de l'homme, vieille de plus de cinquante ans, ne dit que peu de chose sur les droits environnementaux, en revanche le « Sommet de la Terre » de Rio de 1992, avec son « Agenda 21 », a posé les fondations d'une action internationale en faveur de l'environnement. Depuis cette date, plusieurs traités multilatéraux ont été signés, dont la Convention sur le commerce international des espèces en danger, la Convention de Bâle sur le contrôle des mouvements transfrontaliers de déchets dangereux (qui interdit aux pays riches de se débarrasser de leurs déchets toxiques dans les pays pauvres), et le Protocole de Montréal qui interdit la commercialisation des substances chimiques nuisibles à la couche d'ozone et des produits contenant ces substances.

Bien que ces instruments et d'autres existent pour protéger l'environnement, ils ont eu régulièrement le dessous face aux règles de l'OMC, même quand celles-ci sont censées protéger les législations sur l'environnement. Ainsi l'article XX-b du GATT autorise-t-il les États à adopter ou à conserver des législations « nécessaires pour

la protection de la vie humaine, animale ou végétale »,
mais, comme on l'a déjà signalé au chapitre 4, cet article
est lui-même soumis à une règle supérieure, celle qui veut
que les lois sur l'environnement « soient le moins restric-
tives possible pour le commerce ». De fait, jusqu'au
récent conflit sur l'amiante entre la France et le Canada
(où l'OMC a tranché en faveur de l'interdiction française
d'importer de l'amiante canadien), aucun gouvernement
n'était parvenu à utiliser l'article XX pour défendre une
loi sur l'environnement contestée auprès de l'OMC.

Il en va de même pour le recours au « principe de précaution », qui autorise les États à adopter ou à conserver
des lois qui protègent du danger que représentent certains
produits pour l'environnement ou la santé, même en l'absence de preuves scientifiques incontestables de leur
nocivité : l'OMC a si bien manœuvré sur l'application de
ce « principe de précaution » que la charge de la preuve
incombe aux États et non aux industriels qui vendent les
produits en question.

Le réchauffement du globe

La découverte d'un nouveau lac au milieu de l'Arctique canadien (jusque-là recouvert par les glaces toute
l'année) et l'observation d'un trou dans la couche
d'ozone d'une superficie égale à celle des États-Unis ont
fait du réchauffement du globe, et de ses conséquences
climatiques, un sujet central de la lutte contre la mondialisation menée par les grandes entreprises. Causés par
l'émission dans l'atmosphère des principaux gaz à effet
de serre (dioxyde de carbone, méthane, oxyde azoteux),
les profonds changements climatiques attendus dans la
première moitié du XXIe siècle apporteront sécheresse aux

uns, inondations aux autres, et faciliteront la propagation des maladies contagieuses. Le Protocole de Kyoto (1997) sur les changements climatiques planétaires a demandé, pour 2010, une réduction des émissions de gaz à effet de serre de 6 % par rapport au niveau de 1990, mais le panel intergouvernemental de l'ONU de 1995, sur le même sujet, avait déclaré, lui, que la réduction devrait être de 50 à 70 % sur les deux ou trois décennies à venir si l'on voulait que le climat du globe se stabilise. Tout cela a aussitôt provoqué l'ire des entreprises productrices d'énergie fossile (pétrole, gaz et charbon), dont les associations patronales ont fait le siège des gouvernements afin qu'ils renient les engagements pris à Kyoto (pour ne rien dire des recommandations draconiennes du panel de l'ONU).

Dans la plupart des pays industrialisés, des campagnes d'information et d'action ont été organisées, dirigées contre les grandes compagnies pétrolières et les gouvernements. Aux États-Unis, par exemple, les Amis de la Terre ont pris ExxonMobil pour cible principale. Quant à Greenpeace, il a décidé de s'en prendre tout particulièrement à British Petroleum (BP), qui aime à se présenter comme une entreprise soucieuse de protection de l'environnement : le grand enjeu était les forages de BP dans l'Arctique. À l'assemblée générale annuelle de la société, les représentants de Greenpeace ont réussi à convaincre 13 % des actionnaires de voter une résolution demandant l'arrêt des opérations dans l'Arctique. Greenpeace a également pris langue avec des compagnies d'assurances et des banques, que la perspective de graves changements climatiques inquiète, pour les convaincre d'arrêter leurs investissements dans les énergies fossiles et de s'intéresser aux sources d'énergie renouvelables, comme l'énergie solaire.

Aux États-Unis, l'Ozone Action Network a mobilisé la population étudiante pour que la question du changement climatique soit un thème majeur de la campagne présidentielle de 2000. En Grande-Bretagne, Solar Century, une entreprise « verte », s'active pour promouvoir, dans le bâtiment, l'installation de l'énergie solaire. Au Costa Rica, plusieurs associations citoyennes ont publié une déclaration commune en novembre 2000 pour demander la fin de toute exploitation et de toute recherche pétrolières dans leur pays, qui s'arracherait ainsi aux griffes des grandes compagnies. Au Canada, la fondation David Suzuki, l'une des premières à sonner l'alarme sur les dangers du réchauffement du globe, mène de grandes campagnes auprès des citoyens afin qu'ils fassent pression sur les gouvernants et les grands patrons qui seuls ont le pouvoir d'amorcer une rectification du dangereux cours des choses.

Cours d'eau et barrages

Les problèmes posés par les crues des cours d'eau et les incidences des grands barrages sont depuis longtemps au centre des préoccupations des défenseurs de l'environnement partout dans le monde. Ces dernières années, certaines organisations comme l'International Rivers Network ont réussi à sensibiliser l'opinion publique mondiale aux désastres environnementaux causés par les barrages et au rôle de la Banque mondiale dans le lancement de ces grands travaux. En Inde, une association de citoyens a mis dans sa ligne de mire le projet de développement de la vallée de la Narmada, qui devait comprendre trois énormes barrages, le Sardar Sarovar, le Narmada Sagar et le Maheshwar. Dès les années 1980, des groupes de paysans de la vallée s'étaient opposés au projet, et, en 1988, ils ont fusionné en une seule organisation de masse connue sous le nom de Narmada Bachao Andolan (NBA). Celle-ci a officiellement demandé l'arrêt de tous les chantiers le long de la Narmada, et les villageois ont refusé de quitter leur maison (ou d'y être contraints) en déclarant qu'ils préféraient périr noyés s'il le fallait. La résistance ne cessant de croître au début des années 1990, la NBA a finalement contraint la Banque mondiale à se retirer du projet et convaincu la Cour suprême indienne d'ordonner la suspension des travaux.

LA BATAILLE DE LA VALLÉE DE LA NARMADA

Quand 50 000 Indiens se rassemblent pour protester contre la construction du barrage de Sardar Sarovar, en septembre 1988, la région est aussitôt soumise à un sévère bouclage policier. La nouvelle de la résistance des villageois se répand, et la section japonaise des Amis de la Terre réussit à convaincre le gouvernement de Tokyo d'annuler le prêt de 27 milliards de yens qu'il avait prévu de consacrer au projet. Là-dessus, un groupe de sept Indiens, résolus à sacrifier leur vie pour sauver la vallée de la Narmada, se dirige vers le chantier, accompagné par une foule de 6 000 personnes, bien décidées à affronter les bataillons de policiers. Mais les projecteurs des médias du monde étaient braqués sur l'événement, et la Banque mondiale annonce qu'un réexamen du projet sera confié à des experts indépendants, lesquels concluront que le barrage projeté était dangereux pour l'environnement et blâmeront aussi bien la Banque mondiale que le gouvernement indien.

Delhi refusant la moindre concession, la Banque mondiale décide, pour la première fois de son histoire, de se retirer de l'affaire. Le gouvernement indien se met alors en quête d'autres sources de financement. Mais voilà qu'arrive la mousson, et des centaines de villageois de Manibeli refusent de quitter leur maison, en s'accrochant à des poteaux de bois, avec leurs enfants, tandis que l'eau monte. Au début 1995, au vu des graves dégâts causés par la mousson sur le site du barrage, la Cour suprême indienne ordonne la suspension des travaux. Mais le combat se poursuit encore.

D'après l'ouvrage d'Arundhati Roy, *The Cost of Living*.

Il va de soi que les Canadiens ne sont pas absents de la lutte contre ces énormes projets de barrages, si nuisibles à l'environnement. Dans les années 1970, les campagnes menées par les Indiens Cris contre les projets de barrages hydroélectriques de la baie James, dans le nord du Québec, ainsi que dans le Manitoba, ont été les pionnières d'une lutte qui s'est internationalisée quand des associations de défense d'autres pays ont apporté leur appui aux Canadiens. Mais si les Cris ont réussi à limiter certains dommages environnementaux, la réalisation des deux projets a bel et bien entraîné de très fortes inondations, une érosion du sol et des déplacements de villages entiers.

Aujourd'hui, la résistance aux projets de grands barrages est encore mieux organisée au niveau planétaire. En Asie du Sud, par exemple, des associations de citoyens d'Inde, du Pakistan, du Népal, du Bangladesh, du Sri Lanka et du Bhoutan travaillent depuis longtemps ensemble pour obtenir de leurs gouvernements respectifs et de la Banque mondiale l'abandon des grands projets au profit d'une approche de la gestion de l'eau, de l'énergie et des sols plus décentralisée, plus équitable et sans hypothèque pour les générations futures. Quand les Sindhi du Pakistan, après une longue période de résistance ardente et très créative, ont obligé Islamabad à annuler le projet de barrage du Kalabagh, très mal conçu, c'était aussi la victoire de la NBA et d'autres associations d'Asie du Sud : on peut dire qu'une nouvelle forme d'action politique du peuple était née dans la région.

Forêts et faune marine

Ces dix dernières années, des organisations comme le Rainforest Action Network et Greenpeace ont été les chefs de file d'un combat pour la préservation des plus anciennes forêts d'Amérique du Nord, d'Europe, d'Asie et d'Amérique latine. Au Canada, dans les années 1990, des associations comme Sierra Club Canada, appuyées par des militants du monde entier, ont réussi à bloquer les tentatives de MacMillan Bloedel (aujourd'hui sous le contrôle de Weyerhaeuser) pour raser plusieurs centaines de milliers d'hectares d'arbres pluricentenaires à Clayoquot Sound (au sud-est de Vancouver). Mais des victoires de ce type sont peu de chose quand on sait que les grands de l'exploitation forestière (International Paper, Georgia-Pacific, Kimberly-Clark, Stora Enso, Weyerhaeuser et Oji Paper) ne cessent d'étendre leurs opérations sur la planète, et donnent un développement considérable aux industries consommatrices de bois. Pour appuyer les ambitions du secteur, les États-Unis ont demandé la signature, dans le cadre de l'OMC, d'un « accord mondial sur la libre exploitation des forêts ».

Quand la nouvelle a commencé à se répandre que Washington souhaitait faire signer cet accord lors de la conférence ministérielle de Seattle (mettant ainsi les grandes forêts mondiales en danger de mort), des militants ont aussitôt lancé des campagnes de protestation contre l'initiative américaine et les associations patronales de l'industrie du bois. En juin 1999, le Forum international sur la globalisation et plusieurs associations pour la défense des forêts réunissent des délégués de tous les groupes militants du monde pour élaborer une stratégie commune. Les participants sont mis au courant des règles de l'OMC, des ambitions des grandes sociétés du secteur et du rôle du FMI et de la Banque mondiale. On délibère en groupes sur les actions à mener dans différentes régions du globe, Canada, Japon, Union européenne, Indonésie, Brésil et Chili. Une formidable opposition était donc mobilisée, mais le projet d'accord sur la liberté d'exploiter les forêts sombrera avec le reste dans le naufrage de Seattle.

L'industrie de la pêche traverse une zone de turbulence du même ordre. De même que les pêcheurs de morues canadiens opérant au large de la côte est du pays, d'énormes chalutiers arpentent les zones côtières d'autres États, avec de lourds filets qui ratissent les poissons recherchés et détruisent à peu près tout le reste sur leur passage. Cette pratique insane menace d'extinction de nombreuses espèces. Lors de la phase préparatoire de la conférence de Seattle, certains signes permettaient de penser qu'on pourrait également y signer un traité mondial sur la liberté de la pêche, en parfait accord avec les intérêts des grandes entreprises de pêche au chalut, mais redoutable pour toutes les autres espèces de poissons. Les petits pêcheurs avaient déjà commencé à protester (et criaient de plus en plus fort) non seulement contre la mainmise de sociétés étrangères sur le saumon de la côte ouest du Canada, mais aussi contre les intrusions de chalutiers étrangers dans les zones de pêche d'autres pays. En Inde, les pêcheurs des villages côtiers s'étaient lancés dans une longue guerre (avec blocage des ports), si bien que le gouvernement avait fini par abroger l'autorisation donnée en 1977 à la pêche hauturière au large de ses côtes. Si on avait proposé à Seattle un accord sur la liberté de la pêche, nul doute qu'il aurait trouvé en face de lui un vaste front international de résistance.

Alors que bien des grandes entreprises inscrivent leurs plans à long terme dans le fantasme d'une expansion infinie du marché mondial, l'environnement planétaire, déjà bien atteint, est soumis à des pressions de plus en plus dangereuses, dont il ne se remettra peut-être jamais. Avec une folle arrogance, qui relève plus d'une farce tragique que d'une société prétendument « éclairée », les gouvernements cèdent aux exigences de l'OMC et effacent d'un trait de plume les lois et règlements qui régissent l'alimentation et l'eau, indispensables à la vie. Il n'est donc guère surprenant que les travailleurs soient devenus les pions des entreprises transnationales qui arpentent le globe en quête de la main-d'œuvre la moins chère pour produire des biens qui seront vendus aux consommateurs déjà repus du monde que l'on dit « développé ».

C'est seulement par une action concertée et mondiale des mouvements issus de la société civile que ce raz de marée de cupidité et d'accumulation de profits à courte vue pourra être affronté victorieusement.

7

DÉFENDRE L'HUMANITÉ

Comment les citoyens résistent aux attaques
de la mondialisation marchande contre les droits
sociaux, les droits culturels et les droits de l'homme

En 1999, des associations de paysans et de consomma-
teurs indiens lançaient la campagne « Monsanto : Quitte
l'Inde ! », à la suite des centaines de suicides entraînés par
de désastreuses récoltes de coton génétiquement modifié. Ce
n'était là qu'une des nombreuses manifestations de résis-
tance communautaire face à des entreprises transnationales
qui représentent une sérieuse menace pour les droits démo-
cratiques et les moyens d'existence du peuple indien.

Au début des années 1990, quand DuPont avait voulu
délocaliser une de ses dangereuses usines de nylon dans
l'État de Goa, région essentiellement agricole, les pay-
sans s'y étaient déjà vigoureusement opposés. Le minis-
tère indien de l'Environnement ayant refusé à DuPont
l'autorisation de s'implanter (au vu d'un rapport
commandé par l'Assemblée de l'État de Goa sur l'impact
social, économique et environnemental du projet), le
ministre américain du Commerce extérieur avait été

dépêché à Delhi pour faire pression sur les hautes sphères gouvernementales : non seulement l'interdiction avait été reportée au début 1992, mais le gouvernement indien était allé jusqu'à acheter le terrain nécessaire à l'usine dans le village de Tamil Nadu et à en autoriser la construction sans consulter le gouvernement local.

Les villageois s'étaient insurgés de nouveau et avaient formé un comité anti-DuPont. Quand un blocus du site fut organisé, les gens de DuPont et la police locale entreprirent de le forcer, et un jeune homme fut tué à bout portant. Il y eut aussi des dizaines de blessés. Le gouvernement local annula alors l'autorisation donnée à DuPont. Entre-temps, les paysans avaient entrepris de reprendre possession du terrain acheté pour l'usine en y menant leurs chèvres et leurs vaches. L'affaire remonta alors jusqu'à la Cour suprême indienne, qui approuva la décision locale de refuser le permis de construire.

Les habitants de ce village indien avaient donc démontré qu'il est possible, en s'organisant, de résister au pouvoir planétaire d'une entreprise de la taille de DuPont, appuyée de surcroît par le gouvernement américain et les autorités de Delhi, gagnées à sa cause.

Cette révolte locale n'est pas un cas isolé. Depuis que l'explosion de l'usine d'Union Carbide à Bhopal a causé la mort de milliers de personnes, bien des citoyens indiens sont désormais décidés à faire quitter le pays aux sociétés étrangères indésirables : ces dernières années, Coca-Cola et Kentucky Fried Chicken ont été deux cibles parmi d'autres de cette résistance populaire déterminée.

La défense de la démocratie et des biens collectifs ne concerne pas seulement les droits à la survie, au travail, et à la protection de l'environnement, elle porte aussi sur d'autres dimensions vitales de notre commune humanité : les droits de l'homme, les droits sociaux, les droits culturels. Le piratage de ces droits par les grandes entreprises est une menace croissante pour la démocratie et les biens collectifs partout dans le monde. De plus en plus, des sociétés en quête de profits mettent la main sur des secteurs de la vie sociale qui, dans de nombreux pays, relevaient jusque-là de la responsabilité de l'État et d'un secteur public au service de la communauté.

Les épisodes de résistance populaire en Inde sont à coup sûr une précieuse leçon pour tous ceux qui sont engagés dans un combat contre les empiétements des entreprises transnationales dans ce secteur des droits sociaux, culturels et humains. Mais les batailles déjà engagées sur ce front se heurtent une fois encore aux règles de l'OMC (créée avant tout, rappelons-le, pour ouvrir un marché mondial aux produits et aux services des entreprises transnationales).

Le combat pour les droits sociaux

La reconnaissance des droits sociaux de base comme le droit au logement, à l'éducation, à la protection sociale et à un revenu minimum est une priorité pour les associations de citoyens dans la plupart des pays. Tout au long du XXe siècle, les syndicats de travailleurs et diverses associations ont mené le combat pour la reconnaissance de ces droits (surtout à partir de la crise économique mondiale des années 1930, avec son cortège de souffrances). Faute de protection sociale, cette décennie tragique a été celle du chômage, de la faim, de la misère dont on ne remonte pas : au sortir de la Seconde Guerre mondiale, les gouvernements de la plupart des pays industrialisés du Nord étaient bien décidés à ce que cela ne se reproduise plus.

La Déclaration universelle des droits de l'homme de 1948 reconnaît à chaque individu le droit « à un niveau de vie suffisant pour assurer sa santé, son bien-être et celui de sa famille, notamment pour l'habillement, les soins médicaux ainsi que pour les services sociaux nécessaires », et précise qu'il a également droit « à la sécurité en cas de chômage ». Sur ces bases, nombre de gouvernements ont entrepris de développer la capacité du secteur public à fournir aux citoyens les services sociaux indispensables.

En revanche, ces quinze dernières années, ces droits sociaux de base ont été l'objet d'une attaque en règle des gouvernements, avec coupes budgétaires, privatisations, dérégulation. Dans les pays pauvres du Sud, les programmes d'ajustement structurel du FMI et de la Banque mondiale ont porté un coup fatal à ce que ces pays pouvaient avoir de services publics et de systèmes de protection sociale. Dans les pays du Nord, l'enseignement, les soins médicaux et les services sociaux sont en passe d'être transformés en biens de consommation, marché où les entreprises transnationales voient des milliards de dollars à engranger. Et les nouvelles règles du GATS en cours de négociation à l'OMC ont pour but d'ouvrir tout grand aux entreprises en quête de profits les portes de l'enseignement public, des services médicaux et des services sociaux. Comme les femmes sont très nombreuses dans tous ces services visés, ce sont souvent elles que l'on trouve au premier rang de la résistance.

Enseignement public

La mainmise du secteur privé sur l'enseignement, à tous ses niveaux, est devenue un des grands enjeux de la lutte pour les droits sociaux. L'idéal démocratique d'un accès de tous à l'éducation est en passe de disparaître quand des établissements d'enseignement, en quête de financements, se jettent dans les bras des entreprises pour qu'elles leur donnent les fonds nécessaires à toutes sortes de dépenses (cafétérias, ordinateurs, manuels scolaires, matériel pédagogique, laboratoires et corps enseignant). La Banque mondiale a déjà averti les pays du tiers-monde qu'il leur fallait privatiser leur système éducatif s'ils voulaient résoudre la question de son financement. Dans un pays industrialisé comme le Canada, des accords de partenariat entre entreprises et établissements d'enseignement se signent tous les jours. Des fabricants d'ordinateurs comme IBM et Hewlett Packard, des géants de la communication électronique comme AT&T, Unitel et Notel, des chaînes de *fast-food* comme McDonald's, Burger King et Pizza Hut, des fabricants de boissons comme Coca-Cola et Pepsi-Cola ont déjà pris pied dans les écoles secondaires et dans les universités, où les jeunes passent plus de 40 % de leur temps, ce qui en fait un merveilleux marché captif. Aux États-Unis, une toute nouvelle industrie privée de l'enseignement a commencé à produire des matériaux éducatifs et des services techniques, et elle a bien l'intention d'utiliser les futures règles du GATS en cours de négociation à l'OMC pour s'ouvrir un marché planétaire.

Élèves et enseignants ont commencé à s'organiser pour faire face à cette mainmise grandissante du secteur privé. Aux États-Unis, ils ont organisé des manifestations de protestation contre les concessions exclusives accordées par certains établissements secondaires à des marques comme Pepsi-Cola, Coca-Cola et McDonald's (au point qu'un élève portant un tee-shirt Pepsi-Cola lors d'une « journée Coca-Cola » a été renvoyé chez lui et suspendu pour quelques jours !). Les élèves du secondaire canadien connaissent aussi ces batailles : quand un canal de télévision scolaire, le Youth News Network (YNN), a été introduit dans les écoles de l'Ontario, avec obligation pour les élèves de regarder quotidiennement certaines émissions, ceux de Meadowvale ont décidé de faire grève le 1er mai 2000, en arborant des tee-shirts *Not for sale* (« Pas à vendre ») et en distribuant des petits gâteaux de leur fabrication portant sur leur glaçage des logos hostiles au YNN. En ce même printemps 2000, les élèves de Nouvelle-Écosse ont quitté leurs salles de classe pour rejoindre leurs professeurs et leurs parents dans des manifestations de protestation contre les coupes budgétaires.

Même résistance dans le monde étudiant. À l'université nationale autonome du Mexique, la plus importante de toute l'Amérique latine avec ses 260 000 inscrits, de jeunes militants se sont lancés, en 1999, dans un mouvement de grève et d'occupation des locaux qui aura duré neuf mois et demi, bloquant ainsi le fonctionnement normal de l'institution. Au départ, ils entendaient protester contre le niveau des frais de scolarité, et l'administration avait plus ou moins cédé à leurs exigences. Mais l'occupation a été maintenue par un groupe plus réduit d'étudiants pour qui l'objectif véritable du gouvernement était de privatiser l'université, afin de satisfaire les exigences de la Banque mondiale sur la suppression des subventions à l'enseignement supérieur. L'occupation ne prendra fin qu'après une intervention policière, à l'aube.

De même, la Fédération des étudiants canadiens est engagée depuis 1995 dans une bataille contre la forte augmentation des frais de scolarité consécutive aux massives coupes budgétaires dans le financement fédéral de l'enseignement supérieur. Comme leurs camarades des autres pays du monde, les étudiants canadiens ont organisé des manifestations contre la présence croissante des entreprises sur les campus et la domination des représentants du patronat dans les conseils d'administration des universités (dont Toronto, York, McGill et Dalhousie).

Soins médicaux

Le droit à l'accès de tous aux soins médicaux est un autre thème central des opposants à la mondialisation marchande. Ces dernières années, le prix des médicaments vendus sur ordonnance a augmenté vertigineusement quand les grandes sociétés pharmaceutiques (telles Eli Lilly, Merck, Pfizer, Bristol-Myers Squibb) ont obtenu une protection monopolistique de leurs brevets de médicaments et de technologies médicales grâce aux règles de l'OMC et de l'ALENA sur la propriété intellectuelle. Elles ont ainsi contribué à la faillite des services publics de santé dans de nombreux pays. À ce jour, le Canada a réussi à résister à ces effets destructeurs et demeure l'un des rares pays au monde où tous les citoyens ont accès à un service public de santé de qualité en fonction de leurs besoins et non pas de leur capacité à payer. Mais tout le monde sait que les entreprises du secteur guignent ce marché canadien de la santé, où il y a des milliards de dollars à gagner.

SALVADOR : LE SERVICE PUBLIC DE SANTÉ EN DANGER

En novembre 1999, plus de 10 000 employés du secteur de la santé au Salvador, médecins et infirmières, se sont mis grève, non seulement pour protester contre l'incapacité du gouvernement à respecter les engagements pris dans les négociations collectives, mais aussi pour défendre le service public en exigeant sa modernisation sans recours à la privatisation. Le gouvernement et les administrateurs des hôpitaux ont riposté en licenciant 221 employés et en envoyant la police occuper les lieux de travail et traiter avec les grévistes et protestataires. Des dizaines de milliers d'ouvriers, de paysans, d'enseignants, d'étudiants, de petits commerçants, ainsi que des employés du secteur public, se sont joints au mouvement de protestation, avec arrêts de travail, meetings et manifestations. Les syndicats américains et d'autres associations ont créé une caisse de secours pour les grévistes. Finalement, en mars 2000, le gouvernement du Salvador a accepté de négocier sur le maintien d'un service public de santé.

Des chaînes d'hôpitaux privées comme Columbia/HCA, et d'autres entreprises du secteur médical (dites *Health Maintenance Organizations*, en abrégé HMO) comme Kaiser Permenante et Aetna US Healthcare, sont bien décidées à s'appuyer sur les règles du GATS en cours de négociation à l'OMC pour prendre pied au Canada et ailleurs, et s'y ouvrir des marchés. Comme les Canadiens ne le savent que trop bien, la bataille pour le maintien d'un service de santé accessible à tous est engagée. Quand le gouvernement de la province de l'Alberta a envisagé de faire voter une loi l'autorisant à sous-traiter au secteur privé les services hospitaliers qui relèvent aujourd'hui du secteur public, un mouvement de résistance s'est aussitôt organisé. Tout a commencé avec une petite association de citoyens, The Friends of Medicare[1], et une manifestation silencieuse devant le parlement provincial. Très vite, la protestation s'est étendue à tout l'Alberta : non seulement le gouvernement local n'a pas été en mesure de faire voter son projet de loi, mais il a réussi, contre son gré, à créer un solide mouvement d'opposition à tout service de santé à deux étages, le premier pour les riches, le second pour les pauvres.

En France, les employés du secteur médical, avec l'appui de Médecins sans Frontières, ont monté des campagnes de protestation contre la menace que le GATS fait peser sur le service public. Et dans bien des pays qui ont déjà cédé, et ouvert la porte à un système à deux étages, la résistance s'organise. Aux États-Unis, la mauvaise qualité des soins délivrés par les HMO a déclenché une vague de protestation, non seulement chez les malades et les infirmières (dont l'Association des infirmières de Californie), mais aussi chez certains médecins. Le Center for National Health Program Studies de l'école de médecine de Harvard a réuni tout un dossier (avec diapositives et diagrammes) sur les échecs du système de santé aux États-Unis, ce qui a poussé bien des citoyens américains à rejoindre le combat pour que soit enfin créé un véritable système public de santé dans le pays. En Grande-Bretagne, où le gouvernement Thatcher avait créé un système à deux étages, le gouvernement actuel, celui de Tony Blair, est de plus en plus confronté à un mouvement de protestation contre cette iniquité.

Depuis que les programmes d'ajustement structurel du FMI ont anéanti ce qui existait de service public de santé

---

1. *Medicare* : assistance médicale gratuite pour les plus démunis (NdT).

dans les pays du tiers-monde, les soins ne sont plus assurés que par des coopératives, des syndicats, des Églises et des organisations caritatives au niveau local. La People Health Assembly, au Bangladesh, a réuni en décembre 2000 une conférence où étaient invitées toutes les organisations qui, dans le monde, assurent de tels soins médicaux au niveau local : l'objectif était de dresser un plan d'action pour améliorer la qualité de ces services communautaires dans les pays du Sud. En Afrique, les militants de ces services médicaux locaux ont dû consacrer énormément de temps et d'énergie à se battre contre les prix exorbitants réclamés par les fabricants des médicaments contre le sida. Associés à des organisations comme Médecins sans Frontières, ils se sont lancés dans un long combat pour convaincre les géants du secteur d'assouplir leur protection des brevets et d'abaisser substantiellement le prix des médicaments indispensables pour vaincre cette épidémie meurtrière. Comme on l'a vu, une petite victoire sur ce point vient d'être remportée lors de la conférence ministérielle de l'OMC à Doha.

En Argentine, le docteur René Favaloro, chirurgien de réputation mondiale, pionnier des pontages coronariens, s'est suicidé au début de 2000, en un geste de protestation contre l'incapacité de son pays à organiser un système de santé conforme à la justice sociale. La clinique qu'il avait créée à Buenos Aires, et qui offrait les mêmes soins aux riches et aux pauvres, avait fait faillite devant un brusque afflux de patients démunis, car des millions d'Argentins, réduits au chômage par les très fortes coupes budgétaires, avaient perdu toute couverture sociale. En outre, les dons privés à la clinique avaient également connu une forte baisse et les subventions gouvernementales avaient été supprimées. Dans les semaines précédant son suicide (une balle dans le cœur), Favaloro avait déclaré à son équipe que la cause première du désastre du service de santé national était l'économie de marché mondialisée.

Protection sociale

Tous les jours, des paysans, des squatters et des habitants des taudis urbains dans les pays du Sud se battent pour l'accès à des conditions de logement décentes, à l'eau courante, au tout-à-l'égout, sans parler de l'accès à l'emploi et à un revenu minimum. Dans les pays industrialisés du Nord, les sans-abri, les gens qui n'ont que l'aide sociale pour vivre et les travailleurs pauvres sont depuis longtemps engagés dans une lutte pour leur droit à une protection sociale, constamment érodée par les coupes budgétaires, la privatisation et la dérégulation. Malheureusement, en cette époque de mondialisation marchande effrénée, les mouvements de résistance doivent affronter de nouveaux obstacles : de plus en plus, l'État renonce à sa responsabilité propre en matière de sécurité sociale assurée par un secteur public, en autorisant des entreprises privées à investir les secteurs de la sécurité sociale, du *workfare*[1], des établissements pénitentiaires, marché qui se mesure en milliards de dollars. Aux États-Unis, une nouvelle industrie de la sécurité sociale est en train de naître, où l'on trouve aussi bien des géants comme Andersen Consulting, Electronic Data Systems, Unisys, Lockheed Martin (qui travaille pour l'armement) qu'une foule de petites entreprises. Les nouvelles règles du GATS leur permettront de s'ouvrir de

---

1. Obligation pour les chômeurs, en échange de leurs allocations, de travailler pour la municipalité ou de suivre une formation professionnelle (NdT).

semblables « marchés » dans tous les pays où elles le souhaiteront.

Aussi les militants des droits sociaux ont-ils été obligés d'élaborer de nouvelles stratégies pour affronter l'irruption de ces nouvelles forces marchandes dans ces secteurs essentiels à la vie de la collectivité. Aux États-Unis, la Kensington Welfare Rights Union a organisé des « tournées de bus de la liberté » dans toutes les grandes villes du pays, pour rappeler que l'article 25 de la Déclaration universelle des droits de l'homme garantit l'accès de tous à un « niveau de vie suffisant » et « aux services sociaux nécessaires ». Food First (« Nourriture d'abord »), basé à San Francisco, a choisi une approche voisine pour aider les chômeurs, les immigrés et ceux qui n'ont que l'aide sociale pour vivre à se battre pour leurs droits. Au Tennessee, la privatisation du système pénitentiaire a connu les feux de la rampe quand des syndicats du secteur public, des hommes d'Église, des étudiants et des associations de familles de détenus ont monté une campagne d'action auprès des actionnaires de Corrections Corporation of America, la plus grande entreprise mondiale du secteur des prisons gérées par le privé.

À Paris, des immigrés contraints à vivre dans des squats ont monté une opération spectaculaire, en mai 2000, en occupant le Louvre, où se tenait une exposition sur les « civilisations perdues » : c'était l'occasion parfaite de faire connaître leur souffrance de déracinés, non seulement coupés de leur civilisation d'origine, mais privés de tout droit à une aide sociale dans la société *high tech* du début du XXIᵉ siècle. Au Costa Rica, quand le gouvernement a annoncé la privatisation des secteurs des transports et de l'énergie, citoyens et ouvriers ont déclenché une grève générale en mars 2000 : au bout de deux semaines, le gouvernement a été contraint de faire marche arrière.

Au Canada, l'association Low Income Families Together (« Familles à bas revenu toutes ensemble ») a brandi la Déclaration universelle des droits de l'homme pour mobiliser l'opinion contre le programme de *workfare* du gouvernement de l'Ontario, ajoutant qu'aussi bien le gouvernement canadien que celui de l'Ontario violaient le Pacte international de l'ONU relatif aux droits économiques, sociaux et culturels. Et quand le gouvernement de l'Ontario a effectué des coupes dans le budget de l'aide sociale en 1997, des militants ont envahi la Bourse de Toronto. Dans le même temps, l'Ontario Coalition against Poverty montait une opération ingénieuse pour attirer l'attention de l'opinion sur les malheurs de ceux qui ont faim : des militants se sont rendus dans les magasins de la chaîne Loblaws, où chacun a rempli à ras bord un chariot avant de rejoindre les autres aux caisses, créant un énorme embouteillage.

La défense de la diversité culturelle

Presque tout le monde s'accorde à reconnaître que chaque peuple a le droit de préserver sa langue, ses valeurs, ses coutumes, ses traditions, son patrimoine culturel. La Déclaration universelle des droits de l'homme, notamment ses articles 22 et 27, aborde quelques-unes de ces dimensions, mais ce n'est que dans le Pacte international sur les droits économiques, sociaux et culturels que ces derniers sont pleinement reconnus. Ce qui n'empêche pas qu'ils soient violés tous les jours. Sur toute la planète, la sous-culture des grosses productions hollywoodiennes et la mondialisation de la musique, des programmes télévisés et des livres pour le grand public sont en train de créer une culture unique, dominée par une langue unique, et un ensemble unique de coutumes et de traditions. En Amérique latine, en Asie, en Afrique, aussi bien qu'en Europe, la jeunesse est prise au piège d'une culture de consommation soigneusement élaborée à son intention, dont les valeurs suprêmes sont la possession de chaussures de sport Nike, de vêtements Gap, de tee-shirts Michael Jordan, de casquettes de baseball, et des tout derniers CD produits le plus souvent par des entreprises américaines. Ce raz de marée commercial est en passe de détruire ce qui reste de traditions, de connaissances, de talents, de techniques artisanales et de valeurs spécifiques chez les individus et les collectivités. C'est en partie contre cette tendance lourde que José Bové et les « 10 de McDo » entendaient protester en s'attaquant au McDonald's de Millau.

On ne s'étonnera pas que les règles régissant le commerce international soient mobilisées pour accroître encore ce processus de domination culturelle. Les clauses des accords sur la propriété intellectuelle (TRIPS) et sur les services (GATS) sont invoquées pour faire abroger les législations, les politiques publiques et les pratiques que les nations souveraines ont mises en place pour protéger leur culture spécifique. Le Canada a subi, dans ce domaine, un cuisant revers sur la question des magazines : il existait une loi fédérale obligeant tous les magazines américains vendus sur le territoire canadien, tel *Time*, à contenir des pages spéciales sur le Canada, mais l'OMC a fait valoir que cette disposition revenait à établir une barrière douanière. Désormais, tous les pays qui tenteraient de prendre des mesures analogues de protection culturelle s'exposent à une même condamnation de l'OMC : on a mis des menottes à la diversité culturelle, et un mouvement de résistance est en passe de naître.

Les parcs d'attractions

L'un des grands symboles de la nouvelle « monoculture » mondiale est le parc d'attractions moderne, destiné à vendre au monde entier le prétendu « rêve américain ». La compagnie Walt Disney, créatrice de la formule, et la plus importante du secteur, utilise en virtuose la technologie la plus avancée pour proposer à des centaines de millions de personnes d'entrer dans des mondes de fantaisie qui sont avant tout une version féerique des idéaux et des valeurs de l'Amérique : avec Mickey Mouse et Blanche-Neige, Disney vend le rêve américain dans une version soigneusement calibrée et dont tous les effets sur le jeune public ont été préalablement testés. Quand les premiers parcs Disney, à Anaheim (Californie) et à Orlando (Floride), se sont révélés d'énormes succès, la formule a été exportée en France, en Allemagne, au Japon, et dans plusieurs autres pays. Outre le fait que Mickey Mouse parle japonais et que Blanche-Neige a amélioré son allemand, les Disneylands implantés hors des États-Unis ne sont rien d'autre que des tapis roulants pour la monoculture américaine. C'est pour cette raison qu'ils focalisent la résistance culturelle, surtout en France.

Quand Eurodisney a entrepris de s'implanter dans des champs de betteraves à une quinzaine de kilomètres de Paris en 1992, les intellectuels parisiens y ont aussitôt vu une attaque directe contre la culture française. Un directeur de théâtre parisien a même parlé de « Tchernobyl culturel ». Le ministre français de la Culture a refusé

d'assister à la cérémonie d'ouverture de ce qu'il considé-
rait comme un symbole de « l'Amérique des clichés et de
la société de consommation ». Peu de temps après l'inau-
guration, des agriculteurs sont venus bloquer l'entrée
d'Eurodisney avec leurs tracteurs : ils entendaient avant
tout protester contre le gouvernement américain qui
réclame depuis longtemps la fin des subventions européennes à l'agriculture, mais la présence de la télévision
a aussi fait de l'épisode une manifestation de refus devant
la domination de cette sous-culture américaine.

Les empires médiatiques

De nos jours, les grands moteurs de la monoculture
mondialisée sont les empires médiatiques nés d'énormes
fusions. Comme si Time Warner n'était déjà pas assez
gros, sa fusion avec America Online (la plus importante
société présente sur l'Internet) a engendré le plus puissant
empire médiatique de la terre : désormais, Time Warner/
AOL, Disney/ABC, News Corporation (de Rupert Murdoch) et Viacom contrôlent une part très importante de
l'industrie de l'information et de la communication sur la
planète.

Il n'y a pas si longtemps encore, la diffusion de
l'information était considérée comme un enjeu stratégique pour guider l'opinion, et les gouvernements faisaient tout leur possible pour conserver une part au
secteur public dans les domaines de la radio et de la
télévision. Pour les hommes politiques, il était essentiel
que l'information soit indépendante de toute considération commerciale et que la diversité culturelle soit sau-
vegardée. Ainsi la Canadian Broadcasting Corporation
avait-elle reçu mandat, à sa création, de préserver

l'identité culturelle de la nation et sa diversité, aussi bien à l'intérieur du pays que dans ses relations avec les États-Unis. Aujourd'hui, tout a radicalement changé. Les récentes fusions entre CanWest Global (une société de télévision) et le *National Post* d'une part, entre BCE, CTV et le *Globe and Mail* de l'autre, ont donné naissance à des entreprises de communication géantes qui dominent les ondes, la presse, la télévision et l'Internet au Canada[1]. L'information est devenue un spectacle monoculturel largement conçu à l'image du *big business*. Simultanément, les négociations en cours à l'OMC pourraient déboucher sur l'imposition d'un ensemble de règles planétaires, dessinées sur mesure pour favoriser la domination du privé sur tout ce qui relève de la communication à distance. Et les gouvernements auront les mains encore plus liées si l'OMC leur interdit de subventionner radios et télévisions publiques ou de leur apporter toute autre forme de soutien.

Cette énorme montée en puissance du secteur privé a rencontré peu de résistance. Les géants des médias disposent d'un pouvoir formidable, et les changements intervenus dans les industries de la communication et de l'information se sont produits avec une telle rapidité que la communauté culturelle (artistes, acteurs, écrivains, cinéastes, éditeurs) s'est brusquement retrouvée sur la défensive. Néanmoins, elle a aussitôt entrepris de forger des liens par-delà les frontières pour défendre le droit à

---

1. L'appétit de CanWest n'a cessé de grandir : en 2000, le groupe a acheté quatorze quotidiens régionaux et une centaine de magazines, si bien qu'il contrôle désormais plus du tiers du tirage anglophone au Canada. En décembre 2001, les quatorze quotidiens régionaux du groupe ont publié un même éditorial imposé par la direction de Can-West (voir *Libération* du 25-12-2001), ce qui a causé un grand émoi tant chez les journalistes que dans l'opinion (NdT).

la diversité. En septembre 2000, des représentants de 160 associations issues de la société civile de trente pays se sont réunies à Santorin, en Grèce, pour créer le Réseau international pour la diversité culturelle. La discussion a porté sur toutes sortes de problèmes, dont le pouvoir des empires médiatiques, les menaces qui pèsent sur le secteur public de la radiotélévision, et les délégués ont travaillé à l'élaboration d'une charte internationale qui pourrait être l'instrument juridique d'une protection de la diversité culturelle. Diverses propositions ont été présentées aux ministres de la Culture de vingt pays, également réunis à Santorin sous la présidence de Sheila Copps, ministre canadien du Patrimoine.

LA COMMUNAUTÉ CULTURELLE FRANÇAISE À L'ASSAUT DE L'AMI

Au plus fort des négociations sur l'AMI (traité sur les investissements internationaux) en 1998, le monde français du spectacle et du cinéma a décidé d'utiliser les ondes pour affirmer publiquement son opposition. L'occasion était la cérémonie annuelle de remise des Césars du cinéma français, suivie par de très nombreux téléspectateurs : à un moment clé de la soirée, le présentateur a dénoncé ouvertement dans le projet de l'AMI une menace pour la diversité culturelle puisqu'il permettrait à Hollywood d'envahir la totalité du marché français du cinéma. L'incident provoquera un beau tumulte dans les milieux officiels de Paris (où siège l'OCDE, lieu des négociations de l'AMI) et galvanisera bien des citoyens dans tout le pays. Un peu plus tard, c'est la France qui fera capoter le projet de l'AMI en se retirant la première de la négociation.

Les savoirs autochtones

Certains savoirs autochtones ancestraux sont désormais exploités par les entreprises transnationales pour accroître leurs profits, en s'appuyant sur l'OMC et sur les accords régissant la propriété intellectuelle : les entreprises agrochimiques et pharmaceutiques brandissent les règles de protection des brevets pour prétendre à un droit de propriété sur certaines semences ou plantes médicinales, avant tout dans les pays non industrialisés où la biodiversité est particulièrement riche. C'est ainsi que le gouvernement américain, agissant pour le compte de ces deux secteurs industriels, a récemment fait valoir les accords TRIPS contre la Thaïlande, accusée d'avoir promulgué une loi protégeant les droits culturels et les techniques des guérisseurs locaux. Pour des peuples dont la connaissance de la nature s'est constituée collectivement tout au long des générations, une telle prétention est ahurissante. Lors de la Conférence internationale des peuples autochtones réunie aux Philippines en juillet 1999, les délégués ont déclaré que « les droits de propriété intellectuelle des Occidentaux sont une menace directe pour les cosmologies et les valeurs autochtones [...]. Aucune entreprise et aucun individu ne peut prétendre être l'inventeur d'une plante médicinale, d'une semence ou de tout autre élément du vivant. »

Le cas d'un arbre indien, le *neem*, est devenu classique. Révéré par les populations locales depuis des siècles pour sa valeur médicinale et son efficacité de biopesticide, le *neem* a été baptisé la « pharmacie du village ». Des produits tirés de cet arbre merveilleux sont utilisés pour toutes sortes d'usages, du nettoyage des dents au traitement de l'acné et des ulcères. Or, depuis le début des années 1970, plusieurs entreprises japonaises et américaines (dont W.R. Grace) ont fait breveter de nombreux produits extraits de cet arbre, alors qu'il est utilisé à des fins médicinales ou agronomiques depuis des siècles. En mai 2000, cependant, des associations indiennes et européennes ont réuni leur force, sous la direction de Vandana Shiva, écrivain et physicienne au Research Institute for Science, Technology and Ecology, et ils ont remporté une grande victoire juridique contre l'un des brevets : après avoir subi de considérables pressions, l'Office européen des brevets a décidé d'annuler celui qu'il avait accordé à W. R. Grace pour une formule chimique dérivée du *neem*, créant ainsi un précédent majeur.

Sauvegarder les droits de l'homme

Les violations des droits de l'homme ont été condamnées sans détour par la Déclaration universelle de l'ONU, les pactes internationaux qui la complètent, les conventions de l'Office international du travail (OIT) et les résolutions de la conférence de Pékin sur la condition de la femme. Périodiquement, la commission de l'ONU sur les droits de l'homme fait également pression sur certains États membres pour qu'ils éliminent les pratiques qui sont des violations majeures de ces droits : la torture, la violence physique, les violences sexuelles, la discrimination raciale, l'exploitation de la main-d'œuvre et toute forme d'esclavage.

Malheureusement, les institutions qui régissent l'économie mondialisée sont largement exemptées du respect de ces mêmes droits : les décisions de l'OMC, du FMI et de la Banque mondiale ne sont pas subordonnées à la Déclaration universelle des droits de l'homme et à ses conventions parallèles, et le refus de l'OMC d'introduire les droits de l'homme et le droit du travail dans ses critères les rend nuls et non avenus dans l'économie mondialisée. Les questions de violation des droits de l'homme sont laissées à la commission *ad hoc* de l'ONU et à l'OIT, lesquelles, à la différence de l'OMC, n'ont aucun pouvoir de sanction.

Outre les travailleurs exploités, les principales victimes de violation des droits de l'homme dans le monde sont les femmes, les enfants, les immigrés et les peuples autochtones. Aggravée par les pressions et les forces qui caractérisent la nouvelle économie mondialisée, leur situation est particulièrement atroce là où la traite des femmes est active et où règnent la répression militaire et l'exploitation de la main-d'œuvre.

La traite des femmes et des enfants

Dans la nouvelle économie mondialisée, les trafiquants de chair féminine ont de bien plus grandes possibilités de profit que par le passé. Tirant avantage du nombre accru de femmes qui ont perdu leur emploi en raison des caprices d'un commerce international dérégulé, les souteneurs agissent pour le compte de véritables entreprises de traite qui accumulent des montagnes d'argent sans que les gouvernements réagissent. Dans plusieurs pays, le « tourisme sexuel » est devenu une industrie en pleine expansion : les visiteurs étrangers y trouvent un énorme marché de la prostitution, non seulement de femmes, mais d'enfants des deux sexes. L'Internet permet en outre de recruter très rapidement des femmes et de les mettre sur un marché désormais mondial. Il en va de même des enfants qui sont une « marchandise » de plus en prisée par les trafiquants, parce qu'avec eux, les clients de ce honteux commerce ont moins de risques de contracter le sida.

Pour les mouvements de défense des femmes du monde entier, ce trafic planétaire est devenu un problème majeur de violation des droits de la personne humaine. Pays après pays, les associations de femmes centrent leurs campagnes d'information et d'action sur cette version moderne d'un trafic dégradant et dont les victimes risquent leur vie. Ainsi la Women's International League for Peace and Freedom (WILPF), dans le cadre d'un programme intitulé « Les femmes défient la mondialisation », a-t-elle lancé une campagne d'information qui relie explicitement cette traite à toutes sortes de forces économiques et sociales victimisant spécifiquement les femmes dans la nouvelle économie mondialisée. À travers ses ateliers et ses conférences, la WILPF aide les femmes à comprendre à quel point les entreprises transnationales gouvernent leur vie quotidienne et violent leurs droits démocratiques. Dans le même sens, au Canada, le Comité national d'action sur le statut de la femme a donné la priorité aux actions de solidarité avec la lutte des femmes d'autres pays contre l'exploitation économique et sexuelle, surtout en Asie du Sud-Est et en Amérique latine. À la suite de ses pressions sur Ottawa, un amendement a été introduit dans le Code pénal : tout Canadien qui abuse d'un enfant à l'étranger peut être poursuivi pour viol à son retour.

Répression militaire

Ces dernières années, le Nigeria et la Birmanie sont devenus les cibles principales de la lutte militante contre la répression militaire. Au Nigeria, des campagnes de solidarité ont été organisées pour soutenir les Ogoni, dont les terres avaient été dévastées par des déversements accidentels de pétrole et des décharges de déchets toxiques dus aux grandes compagnies internationales qui exploitent des terrains pétrolifères dans le voisinage, mais à peine avaient-ils commencé à protester qu'on leur avait dépêché l'armée et la police pour les faire taire. Pour les militants qui les soutiennent, les cibles sont le gouvernement nigérian et la Shell : il est notoire que cette compagnie, le plus gros producteur de pétrole du pays, entretient les liens les plus étroits avec l'armée nigériane afin que celle-ci la protège de toute agitation sociale qui pourrait nuire à ses opérations.

En Birmanie, des campagnes ont été organisées pour soutenir le mouvement démocratique dirigé par Aung San Suu Kyi, prix Nobel de la paix. Depuis 1988, le pays est sous la coupe d'un régime militaire parmi les plus brutaux. Dans un rapport cinglant sur les violations des droits de l'homme en Birmanie, l'Organisation internationale du travail a dénoncé, documents à l'appui, le recours des militaires au travail forcé pour construire un oléoduc traversant tout le pays, violant les droits des populations locales (pour protéger la construction du pipe-line, l'armée débarquait dans les villages et forçait les habitants à transporter ses caisses de munitions). Le mouvement démocratique birman a demandé aux investisseurs étrangers d'adopter la stratégie qui a si bien réussi contre l'apartheid en Afrique du Sud : étouffer financièrement le régime en cessant d'investir dans le pays.

COUPER LA BIRMANIE DES INVESTISSEMENTS ÉTRANGERS

En février 1995, le conseil municipal de Berkeley (Californie) a voté une résolution interdisant l'achat par la municipalité de tout bien ou service auprès de sociétés internationales actives en Birmanie, pays où les droits de l'homme sont ouvertement violés par le régime militaire en place. L'initiative de Berkeley a rapidement fait tache d'huile aux États-Unis : quelque 22 grandes villes et deux États (Massachusetts et Vermont) ont adopté une politique « d'achat sélectif » au détriment des sociétés opérant en Birmanie, et six autres États ont pris des dispositions analogues contre toute entreprise opérant au Nigeria. Depuis le vote de la loi par le Sénat du Massachusetts (pionnier en cette affaire), plusieurs grandes entreprises (dont Apple, Eastman Kodak, Texaco, Hewlett Packard et Philips Electronic) ont entrepris de se retirer de Birmanie.

D'après Naomi Klein, *No Logo.*

Des associations de citoyens ont également appelé à une cessation des investissements au Nigeria et dans d'autres pays victimes d'un régime oppressif. Mais les entreprises visées brandissent contre elles les règles de l'OMC. Ainsi, quand des associations de citoyens américains ont fait pression sur leurs gouvernements (local ou fédéral) pour qu'ils cessent tout achat à des sociétés actives en Birmanie ou au Nigeria, et que l'État du Massachusetts a été le premier à voter une loi interdisant tout contrat public avec des entreprises opérant en Birmanie, cette action courageuse, on s'en doute, n'a pas été du goût des entreprises concernées, américaines ou européennes, lesquelles, au lieu de quitter la Birmanie, ont entrepris de contester cette loi auprès de l'OMC. Simultanément, un *lobby* industriel, USA*ENGAGE, portait plainte auprès d'un tribunal du Massachusetts, prétendant que la loi violait la Constitution américaine puisque seul le Département d'État a autorité en matière de politique étrangère.

Parmi les sociétés membres de USA*ENGAGE, on trouve AT&T, Boeing, BP American, Chase Manhattan Bank, Coca-Cola, Dow Chemical, IBM, Intel, Siemens, Monsanto, Union Carbide. Le tribunal a rendu un verdict favorable à USA*ENGAGE, mais la résistance se poursuit en cour d'appel et par une campagne de sensibilisation accrue de l'opinion.

Droit du travail

Pour les syndicats, le seul moyen d'empêcher les entreprises d'exploiter des bassins de main-d'œuvre à bas prix dans le tiers-monde est d'obliger tous les pays à adopter les normes de base fixées par l'Organisation internationale du travail : droit des travailleurs à se syndiquer, à s'engager dans des négociations collectives, à recevoir un salaire décent en échange de leur activité et à bénéficier, sur leur lieu de travail, des conditions d'hygiène et de sécurité appropriées. Mais nombre de pays n'appliquent pas ces normes de base, et les droits des syndicalistes y sont souvent bafoués. Dans la seule année 1999, 140 syndicalistes qui tentaient de faire respecter les droits des travailleurs ont disparu après avoir subi des menaces, soit qu'ils ont mis fin eux-mêmes à leur vie, soit qu'ils ont été assassinés. Près de 3 000 ont été arrêtés, dont 1 500 ont été blessés, battus ou torturés.

Partout en Asie du Sud-Est, où bien des régimes ne respectent pas le droit du travail, les travailleurs commencent à agir pour améliorer leur sort. Au Cambodge, 20 000 ouvriers de 200 usines de prêt-à-porter ont fait grève en juin 2000 pour exiger que leur salaire mensuel de 40 dollars soit augmenté. En Indonésie, depuis la chute

du président Suharto, les conflits du travail sont quotidiens. Au Viêt-nam, 63 grèves ont eu lieu en 1999, avant
tout dans des usines appartenant à des sociétés étrangères.
Cependant, quand la Confédération internationale des
syndicats libres et d'autres défenseurs des droits du travail
partout dans le monde ont organisé une campagne de
pression soutenue pour que les critères de base de l'OIT
soient adoptés par l'OMC et ses États membres, de nombreux gouvernements du tiers-monde s'y sont opposés :
à leurs yeux, ce n'était là qu'une tentative du Nord pour
supprimer l'avantage comparatif des pays du Sud, le
faible coût de la main-d'œuvre. Face à cette situation, le
Congrès des travailleurs canadiens (entre autres) a
commencé à comprendre qu'il ne suffisait pas de chercher à faire adopter par l'OMC des normes de base du
droit du travail, mais qu'il était essentiel d'engager un
dialogue plus approfondi avec les syndicats et les associations de citoyens du tiers-monde.

L'exploitation des enfants par les entreprises transnationales actives dans le tiers-monde est une autre conséquence des efforts faits par les pays du Sud pour
s'intégrer au marché mondial. Ce problème du travail des
enfants, qui se pose depuis très longtemps, a pris une
importance capitale pour le mouvement syndical, et pour
d'autres, en 1995, quand un jeune Canadien de treize ans,
Craig Kielburger, a saboté la mission commerciale en
Inde menée par le Premier ministre Jean Chrétien, en faisant irruption à l'une de ses conférences de presse entouré
d'enfants miséreux, afin d'attirer l'attention du monde
sur le sort des enfants qui, aussi bien en Inde qu'en Asie
du Sud-Est, sont réduits en esclavage. À travers son association basée à Toronto, Free the Children (« Libérez les
enfants »), le jeune Kielburger a diffusé sa croisade

contre le travail enfantin dans des établissements scolaires de par le monde. L'exploitation des enfants s'est révélée un thème mobilisateur pour les syndicats qui, un peu partout, cherchent à convaincre l'opinion publique que l'adoption obligatoire d'un droit du travail empêcherait les entreprises transnationales d'exploiter des bassins de main-d'œuvre à faible coût.

L'exploitation des enfants, et autres violations des droits de l'homme, la protection des droits sociaux et de la diversité culturelle sont les grands champs de bataille où s'affrontent partisans de la mondialisation marchande et défenseurs de l'humanité. Bien entendu, il existe d'autres domaines où des droits sont violés d'une manière flagrante (ceux des animaux par exemple, ou le droit des peuples à la paix), et chaque problème se démultiplie si l'on en prend en compte le sexe, la race, la classe sociale. Cependant, pour utiliser un jargon technique, ces champs de bataille sont les *hubs* et les différentes campagnes menées sont les *spokes*[1] : chaque élément militant est autonome, mais tous sont connectés entre eux.

Le thème unificateur de tous ces combats est la mission de défendre la démocratie et de préserver les biens collectifs : c'est elle qui réunit tous les militants dans une lutte cohérente pour la transformation de la société et la survie

1. Les deux termes, qui viennent du vocabulaire de la roue, signifient respectivement « moyeu » (*hub*) et « rayon » (*spoke*). Ils sont utilisés métaphoriquement pour toutes sortes de réseaux (informatique, Internet, transport aérien, rail). Ainsi, dans les réseaux de ferroutage, les wagons sont expédiés par trains complets, dits *spokes,* vers des centres de triage communs au réseau (les *hubs*) où ils sont triés pour former de nouveaux trains directs vers les terminaux destinataires. Les auteurs donnent un autre exemple de ce type de fonctionnement dans le nouveau militantisme (voir p. 59), avec les « centres de convergence » et les groupes flexibles (NdT).

de la planète. Il ne saurait y avoir de démocratie dans l'économie mondiale aussi longtemps qu'il n'y aura pas d'espaces publics et d'institutions pour assurer que les droits des citoyens et la sécurité de la planète sont préservés. De même, il ne pourra y avoir de biens collectifs dans cette économie mondialisée que si les mouvements issus de la société civile sont capables de définir, d'organiser et de mettre en place les institutions nécessaires pour assurer l'accès de tous à ce qui est indispensable à la vie.

Cette double bataille pour la démocratie et les biens collectifs n'est pas un fantasme d'idéalistes : elle puise ses principes dans la Déclaration universelle des droits de l'homme, ses textes annexes et plusieurs chartes élaborées par l'ONU. Plus important encore, le combat pour la défense de ces droits est solidement enraciné dans la culture politique des peuples et des nations. La monoculture des entreprises transnationales, propagée par les gouvernements et les médias, va à l'encontre de la justice, de la satisfaction des besoins vitaux de chaque être humain, des droits sociaux et culturels, des droits de l'homme. Les associations émanant de la société civile cherchent à renverser cette tendance avant qu'il ne soit trop tard.

8

LE PROGRAMME DES CITOYENS

Comment reconstruire la démocratie et transformer l'économie mondiale

« *Tous les grands mouvements sociaux ont été lancés par des imaginations ardentes* », *déclarait, un militant de Winnipeg, en 1998, en réponse à une enquête d'opinion menée à travers tout le Canada après l'échec du projet d'Accord multilatéral sur l'investissement (AMI).*

Cette défaite de l'AMI symbolisait la résistance des masses à la mondialisation marchande et à ses drames, mais Ottawa ne s'en apercevait toujours pas. Aussi le Conseil de Canadiens a-t-il profité de la conjoncture pour organiser une grande enquête publique dans huit grandes villes à l'automne 1998 (Vancouver, Edmonton, Saskatoon, Winnipeg, Toronto, Montréal, Halifax et Saint-Jean) : « *L'enquête sur l'AMI : les citoyens en quête d'autres solutions.* »

Les membres du panel chargé de piloter l'enquête étaient des figures bien connues au Canada, et très au fait de la mondialisation. Avant qu'ils n'entreprennent leur tournée, un Manuel du citoyen *avait été distribué dans* tout le pays, qui démontrait le besoin de réorganiser l'économie mondiale selon les trois axes de la démocratie : droits, règles et responsabilités[1]. Était jointe au manuel une carte-réponse sur laquelle chaque citoyen était invité à se prononcer sur l'action d'institutions comme l'OMC, le FMI et la Banque mondiale.

Des centaines d'associations citoyennes ont fait connaître leurs propositions aux enquêteurs au fur et à mesure qu'ils parcouraient le pays, et des milliers de Canadiens ont retourné la carte-réponse dûment remplie. La moisson était riche en projets créatifs pour transformer les structures économiques et sociales, aussi bien au Canada que dans le reste du monde. Il y avait notamment un plan en six points sur la sécurité et la souveraineté alimentaires ; un ensemble de propositions pour « redessiner l'économie d'un point de vue féminin », et un projet de création de « parlements des communautés » pour accroître le contrôle démocratique local sur l'économie.

Parmi les autres propositions, nous citerons les suivantes : mettre au point un « indice de progrès authentique » pour évaluer les coûts cachés et à long terme (ainsi que les avantages) de toute politique économique ; la signature d'un nouveau traité international où les droits des citoyens auraient le pas sur ceux des investisseurs et qui stipulerait que les entreprises pourraient être poursuivies pour violation de la Déclaration universelle des droits de l'homme ; une charte internationale pour la protection des droits culturels et de la biodiversité ; et toute une panoplie d'instruments politiques pour contrôler la spéculation financière, restreindre la trop grande

---

1. En anglais, les trois R de la démocratie : Rights, Rules, Responsibilities (NdT).

liberté de circulation des capitaux, et rendre les entre-
prises transnationales responsables devant les commu-
nautés chez qui elles opèrent de leurs violations des droits
sociaux et de l'environnement.

Comme l'a montré le rapport final de l'Enquête des
citoyens, ce n'est certainement pas l'imagination qui
manque quand il s'agit de réorganiser l'économie mon-
diale pour la mettre au service des droits démocratiques
et assurer la survie de la planète. Et pourtant, de par le
monde, les citoyens n'ont que rarement (voire jamais) la
chance de pouvoir définir collectivement leur avenir éco-
nomique, social et écologique. Grâce à l'Enquête des
citoyens, nous disposons d'un texte de base pour recon-
quérir la démocratie et les biens collectifs confisqués par
la nouvelle économie mondialisée.

Pour des Canadiens, il n'y a rien de spécialement neuf
dans le fait de s'organiser démocratiquement pour imaginer des solutions économiques nouvelles et les stratégies
permettant d'y parvenir. Chaque année, un vaste rassemblement d'associations citoyennes (syndicats, groupe-
ments communautaires et écologiques, réseaux de
défense des femmes, organisations religieuses, associations internationales et autres groupes dévoués à l'intérêt
général) propose des choix budgétaires différents tant au
niveau municipal que provincial ou fédéral. Lancé par un
réseau d'action sociale de Winnipeg, CHO!CES
(« choix »), le processus implique à la fois des représentants des différentes associations et des experts du politique qui travaillent ensemble pour définir des priorités
budgétaires autres que celles des autorités en place.

Sous les auspices du Canadian Centre for Policy Alternatives et de CHO!CES, un budget fédéral différent de

celui d'Ottawa est ainsi proposé tous les ans depuis 1995. Les représentants de la société civile définissent les dépenses prioritaires et les experts calculent les recettes nécessaires et le montant des impôts permettant de les obtenir. Du côté des associations, par exemple, on discute pour savoir s'il faut donner ou non une priorité à la gratuité d'accès aux médicaments pour les personnes âgées ou à un programme national de gratuité des soins médicaux pour les enfants. Politiques macro-économique et fiscale sont mises sur la table, en même temps que des mesures pour stimuler l'investissement dans la protection de l'environnement, dans les emplois « verts », dans la reconstruction des infrastructures publiques. De tous les bénéfices de la procédure, le plus important est probablement qu'elle permet à des citoyens de se former concrètement à l'élaboration d'une politique publique, fondée sur des priorités économiques, sociales et écologiques différentes.

Ailleurs, des programmes du même ordre ont été élaborés par des associations émanant de la société civile pour reconquérir la démocratie et les biens collectifs. Un exemple de premier plan est le « Programme de développement durable du Chili » qui propose des transformations spécifiques de l'économie, destinées à garantir que le développement envisagé ne handicapera pas les générations futures. Dans six régions du Chili, des groupes de représentants des citoyens et d'experts ont été constitués. Depuis 1998, il a été proposé des solutions nouvelles dans vingt-deux secteurs de l'économie (dont l'exploitation des forêts et des mines, l'agriculture, la pêche, l'énergie, l'eau, la croissance urbaine, la biodiversité, la santé, l'enseignement, les services sociaux, la protection de l'environnement). En avril 1999, un programme national « pour un Chili durable » a été lancé publiquement au cours de la campagne présidentielle.

Pour sensibiliser l'opinion et obtenir qu'elle soutienne le programme, certaines associations ont choisi comme candidate à l'élection présidentielle Sara Larrain, une militante bien connue des droits de l'homme et de l'écologie. Au cours des trois mois de campagne officielle, le programme a été expliqué dans les grandes villes, les bourgs, les villages, et, pendant trente jours, il a bénéficié de cinq minutes d'antenne quotidiennes à la télévision nationale. À la suite de cette campagne, les associations ont commencé à chercher le moyen de faire appliquer ce programme au niveau des provinces et des communes. L'exemple a fait tache d'huile en Amérique latine : des regroupements d'associations élaborent leurs propres programmes de développement durable au Brésil, en Uruguay, en Argentine et au Paraguay.

Trois autres initiatives de poids sont apparues ces deux dernières années pour lutter contre les nouveaux poisons de la libéralisation sauvage des marchés internationaux, avec toutes ses conséquences néfastes pour les droits sociaux et l'environnement. Le Forum international sur la globalisation, basé à San Francisco, a récemment publié un ensemble de propositions intitulé *Alternatives to Economic Globalization*, coédité par John Cavanagh et Jerry Mander. Le document entend constituer une base de discussion pour les associations citoyennes, en vue d'un nouveau cycle de séminaires sur des solutions nouvelles, tant dans le tiers-monde que dans les pays industrialisés. Le Réseau du tiers-monde, qui travaille aussi bien avec les gouvernements qu'avec les représentants de la société civile dans les pays du Sud, a lui aussi élaboré un programme de changements politiques affectant la mondialisation du commerce, des flux financiers et des investissements. Quant à l'Hemispheric Social Alliance, qui réunit des associations d'Amérique du Nord et du Sud, elle a élaboré un programme intitulé *Alternatives for the Americas* qui couvre de très nombreux problèmes : investissements, finance, commerce, énergie durable, agriculture, environnement, immigration, travail et droits de l'homme.

Toutes ces initiatives démontrent que, dans de nombreux pays, bien des gens se lancent dans la quête éperdue d'une nouvelle politique, émanant véritablement des citoyens, à une époque où la mondialisation marchande a des effets aliénants sur la majorité de ceux qui ont à souffrir du règne des entreprises transnationales. Les populations ont de moins en moins confiance dans la volonté et la capacité des gouvernements de se mettre véritablement au service de leurs besoins et de ceux de la Terre elle-même. Là où le régime est dictatorial et corrompu, cette attitude à l'égard du gouvernement est la règle depuis toujours, mais cette même réaction est en passe de devenir dominante dans des démocraties libérales comme le Canada, où les lois et les politiques publiques sont, bien plus encore que dans le passé, le produit d'une collusion entre gouvernement et grands intérêts économiques.

De profonds changements dans la nature et dans le rôle de l'État sont indispensables. Qui plus est, les citoyens ont désormais une vision différente d'eux-mêmes, car le fait de vivre dans une économie de marché mondialisée a radicalement changé leur statut. Conformément à la doctrine néolibérale, les individus sont avant tout des consommateurs, et non pas des citoyens : « J'achète donc je suis » est la devise de notre époque. Comme la jeunesse d'aujourd'hui ne le sait que trop bien, le message dominant invite non pas à se comporter en citoyen d'une communauté politique, mais en consommateur d'un marché mondialisé. En devenant des clients du marché planétaire, les individus perdent leur identité de membres d'une communauté politique : ils ne sont plus que des chiffres dans les fichiers de marketing des entreprises transnationales.

Ceux qui ne se satisfont pas d'être soumis aux caprices d'un modèle marchand du monde se retrouvent dans la quête d'une nouvelle politique citoyenne. Dans les rues de Seattle et d'ailleurs, les manifestants ne se contentaient pas de dire « non » à l'ordre régnant, ils disaient également « oui » à un ordre nouveau. L'ordre régnant, celui du « consensus de Washington » et de son paradigme, est en passe de se désintégrer, lentement mais sûrement, alors que la fin de la guerre froide lui avait imprimé une soudaine accélération : les gestionnaires du monde et leurs institutions, FMI, Banque mondiale, OMC, sont en pleine crise de légitimité. La « bataille de Seattle » et les autres grandes manifestations ont démontré que ni les dirigeants du *big business* ni leurs alliés des gouvernements ne peuvent plus prétendre avoir le soutien et la confiance de la société civile mondiale. Sous les cendres de cet ordre en train de se consumer brille une braise prometteuse : une méthode tout à fait différente de gouverner et de faire des affaires.

L'enquête sur l'AMI menée au Canada, couplée à des initiatives comme le programme chilien de développement durable et d'autres réflexions, un peu partout, pour substituer à la mondialisation du marché d'autres formules économiques, sont autant de signes que les populations sont bien décidées à inventer un programme citoyen de transformation de l'économie mondiale fondée sur un nouveau paradigme. Quelle sera exactement sa nature, nul ne le sait encore, mais les impératifs d'une transformation des sociétés et de la survie de la planète en seront les dimensions centrales, et l'on peut dire que, d'ores et déjà, la reconquête de la démocratie et la protection des biens collectifs occupent le devant de la scène.

À partir des différentes propositions de l'Enquête des citoyens, un programme commun se dessine pour la transformation de l'économie mondiale, qui pourrait être celui de tous les mouvements citoyens. Il comprend six composantes :

— redonner leur place aux principes centraux ;
— revenir à des régimes démocratiques ;
— remodeler le système commercial ;
— réorganiser la finance mondiale ;
— réguler à nouveau les investissements étrangers ;
— réglementer les opérations des entreprises transnationales.

Bien qu'une certaine diversité d'opinions existe dans les organisations citoyennes, tant sur les principes que sur les méthodes, un consensus est néanmoins en train de se former autour de ces six points. Les deux premiers seront traités dans le présent chapitre, et les quatre autres dans le chapitre 9.

Redonner leur place aux principes centraux

Transformer l'économie mondiale demande que soient clarifiés les principes opérationnels. Mais la tâche n'est pas aussi simple qu'on pourrait le croire d'emblée, car nombre de principes centraux qui forment les racines des sociétés saines et les nourrissent ont été eux-mêmes

déformés ou détournés. Prenons par exemple celui de
« démocratie » : elle est souvent assimilée aujourd'hui à
l'économie de marché et au capitalisme sans frein, et la
signification même du terme s'en trouve mutilée. Il en va
de même de l'idée de « citoyen ». Proclamer ces principes
centraux ne suffit donc pas : dans nombre de cas, il est
indispensable de leur redonner leur sens originel avant de
leur redonner la première place.

Ainsi, au cours de l'Enquête des citoyens, quelqu'un a
fait remarquer que l'idée de démocratie comme « pouvoir
du peuple », ce qui est son sens étymologique grec, est
entièrement perdue dans notre culture politique. Le terme
implique pourtant que le peuple a le droit de se gouverner
par lui-même, et que c'est en lui que réside la souveraineté, même s'il décide de déléguer périodiquement à des
gouvernements le droit d'agir pour le bien de tous. Bien
que les traditions et les méthodes pour élire les dirigeants,
élaborer les politiques publiques, voter les lois et les faire
appliquer, diffèrent d'un pays à l'autre et d'une culture à
l'autre, tous les peuples ont cependant en commun le
droit de gouverner leur propre vie, leurs propres communautés, leur propre nation.

GANDHI REDÉCOUVERT

En Inde, des mouvements militants ont de nouveau
recours à l'enseignement de Gandhi pour y puiser des
principes démocratiques et bâtir des communautés au
développement durable : selon Vandana Shiva, physicienne et militante féministe, « le programme démocratique du peuple est d'accroître la part du gouvernement
local, tant politique qu'économique. Transférer au niveau
local un plus grand pouvoir politique est ce que Gandhi
appelait *Swaraj*. Transférer l'économie au niveau local
implique que tout ce qui peut être produit localement à

partir des ressources locales le soit, et que l'on protège à la fois l'environnement et le gagne-pain des habitants du lieu : ce que Gandhi appelait *Swadeshi* ».

Ces principes de Gandhi et d'autres sont mis en avant par les associations de citoyens en Inde, pour élaborer une nouvelle politique opposée à la mondialisation marchande et à la gouvernance de l'OMC, du FMI et de la Banque mondiale.

Le droit même d'élaborer un programme des citoyens a sa racine dans la définition centrale de la démocratie et dans l'idée de souveraineté populaire. Cependant, pour la plupart des mouvements citoyens d'aujourd'hui, le sens du terme « démocratie » va bien au-delà et inclut quatre principes opérationnels de base, fondements d'un programme commun de transformation de l'économie planétaire.

Les droits démocratiques

Les mouvements citoyens exigent que soient pleinement reconnus et appliqués les droits démocratiques de base énoncés dans la Déclaration universelle des droits de l'homme, dont l'accès à une alimentation suffisante, à des vêtements adéquats, à un toit, à un emploi, à l'éducation, aux soins médicaux, à un environnement non pollué, à l'intégrité culturelle, à des services publics de qualité, à un salaire décent, à la négociation collective avec les employeurs, à la création de syndicats, et enfin le droit de participer à la prise de décision affectant ces droits.

Ces droits individuels sont renforcés par les droits collectifs énoncés dans d'autres textes de l'ONU, comme le Pacte international relatif aux droits économiques, sociaux et culturels et le Pacte international relatif aux droits civiques et politiques. Tout programme citoyen doit exiger que ces libertés démocratiques de base soient la pierre angulaire de la gestion de l'économie planétaire, et que dans l'élaboration de règles mondiales pour le commerce, la finance et les investissements, les droits et les besoins des citoyens aient le pas sur les intérêts des investisseurs et des entreprises multinationales.

Les biens collectifs

Pour faire appliquer ces droits de base, les États ont le devoir de gérer comme autant de biens collectifs certains secteurs de l'économie et de la vie sociale. Ces biens collectifs, parmi lesquels il faut ranger toute dimension de la vie d'importance universelle, incluent notamment : une *alimentation suffisante* (en produits sains et de qualité) ; la *protection de l'environnement* (par une réglementation permettant de lutter contre la pollution, d'interdire les décharges de déchets toxiques, la destruction de l'habitat et celle de la couche d'ozone) ; les *ressources stratégiques* (crédit, énergie, communications, d'une importance capitale pour les nations et les moyens d'existence de la population) ; les *ressources vitales* (semences, gènes, eau, air, biodiversité) ; les *services publics* (dont les soins médicaux, l'enseignement, la sécurité sociale) ; *l'intégrité culturelle* (la libre expression de toutes les cultures par les artistes locaux) ; le *droit du travail* (syndicats, salaires décents, négociation collective, interdiction du travail enfantin et du travail forcé) ; enfin *les droits de l'homme* (protection contre les discriminations, la torture, la violence sexuelle et autres violences physiques). Pour préserver et défendre ces biens d'intérêt général, les gouvernements ont le droit, et la responsabilité, d'intervenir sur le marché chaque fois que c'est nécessaire et d'imposer des mesures de régulation, y compris la création d'entreprises publiques.

Relocaliser le développement

Une des meilleures manières de protéger les droits démocratiques et l'intérêt général est de veiller à ce que les communautés locales soient capables de se développer par elles-mêmes, les ressources locales étant utilisées pour produire, dans le respect des équilibres écologiques, des biens et des services qui seront distribués dans le voisinage. Ce principe central va à l'encontre des diktats de la mondialisation marchande sur plusieurs points. Plutôt que d'encourager les secteurs exportateurs, lesquels demandent la construction d'infrastructures de transport, l'utilisation d'énergie fossile, des dépenses de réfrigération et d'empaquetage, nombre de groupes citoyens militent pour une plus grande autosuffisance des communautés locales et la restauration de leurs capacités à produire à partir de ce qu'elles ont. Pour contrecarrer la concentration de pouvoir économique et politique que recherchent les entreprises transnationales et l'OMC, certains opposants mettent en avant le principe selon lequel toute décision politique concernant des communautés locales doit, autant que faire se peut, être prise au niveau local. Les gouvernements devraient encourager la formule qui consiste à « localiser ici pour vendre ici » et faire voter des lois exigeant que le capital soit plus fortement enraciné dans les communautés.

La souveraineté politique

Sur les grands enjeux stratégiques de la gouvernance économique mondiale (commerce, finance, investissements), une trop grande partie de la souveraineté des États-nations a déjà été transférée aux entreprises transnationales et aux institutions internationales comme l'OMC. Il est stupéfiant que dans des sociétés prétendument démocratiques, ces transferts n'aient jamais été soumis à l'approbation des citoyens, détenteurs de la souveraineté nationale. Si les principes centraux des droits démocratiques, la notion de bien commun et la relocalisation de l'économie doivent être adoptés, alors les gouvernements élus démocratiquement doivent avoir le pouvoir d'assigner au développement national des objectifs économiques, sociaux et écologiques parfaitement clairs. Ceci passe par une reconquête de la souveraineté politique et par sa revitalisation. Cependant, rien ne pourra être obtenu sans une participation plus active des citoyens à la prise de décision politique.

Une participation active des citoyens

Pour assurer cette participation active, de nouveaux mécanismes doivent impérativement être mis en place. Une simple restauration de la souveraineté politique des gouvernements ne sera pas suffisante, car presque tous les pays, de nos jours, souffrent d'un déficit de démocratie. Les décisions concernant le commerce, la finance et les investissements sont prises par de hauts fonctionnaires liés au grand patronat jusqu'à la collusion. Quand le peuple est consulté (*voir* chapitre 5), il s'agit avant tout d'opérations de relations publiques. Pour que les règles de l'économie mondiale reflètent les principes démocratiques, le souci du bien commun et le besoin d'une relocalisation de l'économie, les citoyens doivent être capables de prendre la parole et de participer à la décision nationale sur toutes ces questions clés. Mais pour qu'ils soient encouragés à parler, et à être entendus, il faut mettre au point dans tous les pays de nouveaux mécanismes démocratiques de participation et de contrôle.

La solidarité internationale

Les mouvements issus de la société civile rejettent le modèle de mondialisation piloté par les entreprises transnationales, qu'elles cherchent à exporter sur tout le globe. Mais cela ne veut pas dire pour autant que ces mouvements soient favorables à une restauration du nationalisme économique ou à la fermeture des frontières : bien au contraire, ils reconnaissent qu'il y a beaucoup à gagner à vivre et à agir dans un esprit de solidarité internationale. Pour le Forum international sur la globalisation, si l'internationalisme recouvre le flux planétaire des idées, des informations, des cultures, des capitaux et des produits, ce n'est pas pour aboutir à une concentration du pouvoir et de la fortune aux mains de quelques-uns, mais, au contraire, pour aider à la concrétisation des droits démocratiques de base, protéger l'intérêt collectif et favoriser le développement économique des communautés. Bref, l'internationalisme implique une solidarité planétaire entre les différents mouvements citoyens, laquelle est grandement facilitée par l'Internet.

Ce credo devrait être appliqué non seulement à l'économie mondiale, mais aussi, simultanément, à tous les autres niveaux de l'activité économique, local, régional, national. En effet, si les efforts faits pour changer les règles et les institutions qui gouvernent l'économie planétaire ne s'accompagnent pas d'un combat pour transformer les économies locales et nationales, il y a peu d'espoir de parvenir à un véritable changement.

Faire retour à la démocratie

Face à cette formule, certains diront que nous vivons déjà sous des régimes démocratiques puisque nous élisons nos parlements et/ou gouvernants à intervalles réguliers et que nous avons la possibilité de renvoyer les « bons à rien » au terme de leur mandat si nous n'apprécions pas ce qu'ils ont fait. Mais d'autres feront valoir que nous ne vivons pas en démocratie, et que cela n'a jamais été le cas, puisque nos gouvernements ne se soucient pas des besoins de base des populations, ce qui ne laisse aux citoyens pas d'autre choix que de reprendre en main l'autorité qu'ils avaient déléguée. Autre problème : dans les pays soumis depuis toujours à des régimes autoritaires ou dictatoriaux, les associations citoyennes voient dans l'État un ennemi du progrès social, alors que celles qui sont issues de pays à tradition sociale-démocrate ont souvent une vue plus positive du rôle que le gouvernement peut jouer. Pourquoi donc ce programme d'un retour à la démocratie ?

Pour commencer, on peut dire que dans un pays comme le Canada, où les citoyens ont perdu leurs illusions sur la démocratie, il serait rafraîchissant de la réintroduire. Comme le dit Judy Rebick (écrivain et personnalité de la télévision canadienne), il nous faut faire une distinction

entre deux modèles de démocratie : la « démocratie représentative » et la « démocratie de participation ». Le système parlementaire canadien est fondé sur la démocratie
représentative, dans laquelle les citoyens délèguent leur
voix à des représentants élus pour cinq ans, mais sans
pouvoir exiger d'eux des comptes chaque semaine.
Comme il s'agit de la forme de démocratie dominante
dans notre culture politique, nous n'avons guère l'expérience des formes de démocratie directe ou participative,
où les citoyens exercent leurs droits de se gouverner eux-
mêmes en élaborant et en votant des décisions d'ordre
législatif ou politique. Ainsi, les Canadiens, nous dit Judy
Rebick, doivent apprendre à « imaginer la démocratie ».

Les exemples concrets et probants qu'elle donne de ce
qu'elle appelle une « citoyenneté active » non seulement
au Canada, mais ailleurs dans le monde, permettent d'en-
trevoir ce que peut être la démocratie participative, « inte-
raction entre citoyens actifs, hommes politiques élus et
fonctionnaires de carrière » dans l'élaboration et la décision des programmes gouvernementaux. Comme exemple
canadien de cette forme de démocratie, elle cite les
forums de discussion qui ont eu lieu dans tout le pays
avant le référendum de 1992 sur le projet prévoyant d'accorder au Québec une plus grande autonomie au sein de
la Confédération canadienne, et qui ont permis aux
citoyens de tous les horizons de débattre des problèmes
du fédéralisme et de la manière de résoudre la question
québécoise (ce que les politiciens n'ont pas été en mesure
d'accomplir). Comme exemple non canadien, elle évoque
ce qui se passe dans la ville brésilienne de Porto Alegre,
où des citoyens sont élus chaque année pour siéger à côté
des conseillers municipaux et participer au débat quand

l'ordre du jour porte sur les grandes décisions en matière de dépenses prioritaires de la municipalité.

Mais il est long le chemin de la démocratie, car l'État lui-même et le droit de s'autogouverner ont été largement détournés par les grands intérêts économiques, à leur profit. Dès lors que le droit des sociétés reconnaît à l'entreprise la personnalité juridique, leurs gains et leurs contrats sont assimilés à une « propriété », et donc légalement protégés contre toute ingérence des citoyens ou de leurs représentants élus, si bien que les entreprises jouissent de droits politiques supérieurs à ceux des individus. En outre, il y a vingt-cinq ans, les éminences grises de la politique américaine ont constitué la Commission trilatérale, réunion informelle de dirigeants des plus grandes entreprises mondiales, de chefs d'État ou de gouvernement, et de très hauts fonctionnaires de plusieurs pays industrialisés, dans le but de réinventer le rôle de l'État : dans son rapport de 1974, intitulé *La Crise de la démocratie*, la Trilatérale déclarait que le monde souffrait d'un « excès de démocratie », lequel avait entraîné un « déficit de gouvernabilité ».

La solution : installer des gouvernements plus forts dans des cadres démocratiques plus faibles. Sur ce programme, des associations de grands patrons ont été créées dans les grands pays industrialisés (la U.S. Business Roundtable, la Table ronde européenne des industriels, le Keidanren au Japon, le Business Council on National Issues au Canada [1]). Tous avaient les moyens nécessaires de *lobbying* pour faire avancer les projets de loi, politiques publiques et programmes qui correspondaient à leur desiderata. Enfin, la Trilatérale a présenté un plan de

---

1. Conseil des entreprises sur les problèmes nationaux (NdT).

gouvernance de la planète fondé sur le FMI, la Banque mondiale et ce qui deviendrait l'OMC. Le résultat, c'est que dans les années 1990, le rôle de l'État a été effectivement remodelé selon les intérêts des grandes entreprises transnationales, dont les *lobbies* sont puissamment installés dans les couloirs du pouvoir et pèsent de tout leur poids sur l'élaboration des lois et des politiques publiques.

La plus grande menace pour la démocratie, aujourd'hui, est donc cet État voué à la défense des grandes entreprises, remodelé pour s'occuper avant tout de la protection des intérêts « souverains » des entreprises transnationales plutôt que des droits démocratiques des citoyens. En ces temps de mondialisation marchande, le rôle premier de l'État est d'assurer aux entreprises transnationales un climat favorable à leurs investissements, à leur production et à la concurrence sur les marchés étrangers, source de profits considérables. La priorité est la « sécurité des investisseurs » et non celle des citoyens, à tous les niveaux de gouvernement, national, régional et local. Et cet État au service des entreprises a été doté d'une constitution, l'ensemble des règles appliquées par l'OMC et le FMI en matière de commerce, de finance et d'investissements internationaux.

Pour un nouveau modèle de gouvernance

Si l'on veut que les économies locales, les services publics et les programmes sociaux ne disparaissent pas, il faut, à l'évidence, chasser de la scène mondiale cet État laquais des grandes entreprises. Sans quoi, tout ce qui vise l'intérêt général se retrouvera pris dans les tempêtes

de l'économie de marché. Tous les mouvements citoyens hostiles à la mondialisation doivent se préparer à démanteler cet État et à le remplacer par un modèle démocratique de gouvernance. Cela demande un plan en plusieurs volets, dont les premières étapes pourraient être les suivantes :
  • définir un nouveau modèle de gouvernance démocratique ;
  • démanteler la machine bureaucratique qui ne sert que les grands intérêts privés ;
  • réviser les fonctions de l'État pour le rendre plus démocratique ;
  • relocaliser l'activité économique ;
  • démocratiser les grandes institutions de la gouvernance économique mondiale.

Ce nouveau modèle devrait combiner démocratie représentative et démocratie participative. Ainsi, dans le cas du Canada, où le système électoral favorise aujourd'hui le bipartisme, la représentation nationale devrait être élue à la proportionnelle, mais avec quelques ajustements pour éviter les risques d'instabilité qu'engendre un système de proportionnalité absolue favorisant un émiettement excessif des formations politiques et des sièges.

Mais ce ne serait là qu'une partie de la solution, car même des représentants élus à la proportionnelle sont capables d'agir contre l'intérêt général. Il faudrait donc instituer des mécanismes qui accroissent la participation des citoyens à la prise de décision politique, sur tous les sujets, y compris le commerce, la finance et les investissements, première étape vers une démocratisation de la gouvernance économique mondiale.

Pourtant, même un système comme celui-là pourrait se trouver submergé par l'influence des grands intérêts privés, tout comme le système actuel, à moins que des mesures ne soient prises pour rendre le jeu plus égal. Chaque pays connaît ses formes propres de collusion entre les entreprises et le gouvernement, si bien que les stratégies ne pourront être les mêmes partout. Dans certains pays, par exemple, il importe avant tout de s'en prendre à toutes les formes de pots-de-vin, principaux instruments des entreprises pour manipuler la prise de décision politique. Aux États-Unis et au Canada, cela demanderait de restreindre, sinon de supprimer totalement, tout financement des campagnes électorales et des partis politiques par les entreprises, ce qui équivaut actuellement à une corruption légale. Il faudrait également instituer des règles sévères pour réduire substantiellement la puissance des grands *lobbies* installés dans les capitales politiques (tel le Business Council on National Issues à Ottawa), avec leurs armées d'experts et de juristes qui rédigent des brouillons de textes de loi dictés par leurs clients du *big business* et transmis ensuite aux ministères. De même, il faudrait interdire aux entreprises et aux grands intérêts d'utiliser le pouvoir que leur donnent leurs dépenses publicitaires pour faire passer leur message politique dans les médias (journaux, radio, télévision, et même désormais l'Internet).

Les fonctions de l'État devraient elles aussi être remodelées dans un sens démocratique. À Ottawa, par exemple, la haute fonction publique, qui règne dans les ministères des Affaires étrangères et du Commerce extérieur, des Finances et de l'Industrie, devrait être rééduquée pour apprendre à servir véritablement l'intérêt général. D'autres ministères, comme celui de la Santé, des Ressources humaines, du Patrimoine, de l'Environnement, ainsi que l'Agence canadienne pour l'aide au développement, devraient subir une rééducation identique. Pour contrebalancer l'influence des grands intérêts privés dans les salles de réunion et les couloirs des ministères, il faut établir une participation des citoyens aux décisions en matière d'économie mondiale. Une des possibilités serait d'instituer une nouvelle assemblée élue, composée de représentants des associations de citoyens, qui aurait mandat et pouvoir de formuler et de proposer une politique en matière de mondialisation du commerce, de la finance et des investissements fondée sur les principes centraux de la démocratie.

DÉMOCRATIE LOCALE À LONDRES

Une expérience novatrice en matière de gouvernement démocratique local a été menée au début des années 1980 au Conseil du Grand Londres, à majorité travailliste. Pour contrer le programme ultra-libéral de Margaret Thatcher, le nouveau Conseil du Grand Londres sorti des urnes et présidé par Ken Livingstone a aussitôt réclamé une participation plus active des citoyens au gouvernement local. Au lieu de ne distribuer ses crédits qu'aux associations pourvoyeuses de services, le Conseil a décidé de financer également des associations de citoyens œuvrant pour le changement économique et social. Et ces associations ont élu des représentants autorisés à siéger dans les commissions du Conseil, où ils se sont montrés très actifs. Même si l'expérience n'a pas duré, et même si elle n'était pas parfaite, elle offre une piste intéressante pour associer démocratie représentative et démocratie participative.

Protéger le niveau local partout dans le monde

Des mesures concrètes doivent également être prises pour renforcer la capacité des communautés locales à vivre largement de leurs propres ressources, et dans le respect de l'environnement. Ainsi, les pouvoirs locaux pourraient-ils être dotés des instruments de politique industrielle et fiscale indispensables pour « localiser ici et vendre ici » et encourager la création d'entreprises possédées par la collectivité ou par leurs travailleurs, de coopératives, d'établissements de crédit mutuel. Le modèle des comités locaux de gestion du système scolaire qui existent aux États-Unis et au Canada, où siègent des citoyens élus, pourrait être également adopté pour la supervision des prêts bancaires et des investissements des entreprises, nationales ou étrangères, et pour veiller à ce que les bénéfices soient réinvestis localement : ce serait une manière d'éviter les fuites de capitaux et de s'assurer que les entreprises agissent dans l'intérêt des citoyens locaux.

Pour protéger l'environnement local, il faudrait établir dans toutes les régions des organismes de ce type, composés de citoyens élus, chargés de surveiller, dans l'intérêt général, l'exploitation des terres agricoles et des forêts. Enfin, au niveau des municipalités, le même système devrait être mis en place pour assurer un contrôle des citoyens sur l'urbanisme, le logement social, les transports et la lutte contre la pollution.

Cependant, même si tous ces changements sont menés à bien, la démocratie restera en péril tant que les grandes institutions de la gouvernance économique mondiale ne seront pas démocratisées. Des deux systèmes de gouvernance mondiale existants, celui des Nations unies et de leurs multiples agences, et celui des institutions créées à Bretton Woods (le FMI, la Banque mondiale et ce qui deviendra l'OMC), le système de l'ONU est encore le meilleur pour que la gouvernance mondiale concorde avec les principes fondamentaux de la démocratie. La charte des Nations unies, la Déclaration universelle des droits de l'homme et les textes annexes sur les droits économiques, sociaux, culturels, civiques et politiques donnent à l'ONU un mandat étendu pour faire revivre le droit démocratique, de concert avec les gouvernements. Conformément au mandat originel des Nations unies, les fonctions essentielles de la gouvernance économique mondiale devraient être retirées aux institutions de Bretton Woods et leur être transférées.

Néanmoins, des changements structurels s'imposent dans le fonctionnement de l'ONU elle-même. Non seulement l'institution est à court d'argent, mais elle aussi est en passe d'être piratée par les entreprises transnationales, comme le prouve la récente initiative de « Contrat planétaire » de son secrétaire général, Kofi Annan. Si l'ONU doit effectivement remplir ses obligations en matière de gouvernance mondiale, des mesures audacieuses doivent être prises pour que les États membres, à commencer par les États-Unis, respectent leurs engagements financiers à son égard, et pour purger l'institution de toute influence des grands intérêts économiques.

Remettre sur le devant de la scène les principes fondamentaux de la démocratie, démanteler les mécanismes qui ont fait de l'État un instrument des grandes entreprises, amorcer un processus de restauration de la démocratie (au niveau national, régional et local), tout cela permettrait d'envisager une transformation des institutions qui gouvernent l'économie mondialisée. Mais cela demande d'élaborer une stratégie en vue de réduire les pouvoirs de l'OMC, du FMI, de la Banque mondiale, et peut-être même de les détruire entièrement sous leur forme actuelle.

9

DU CONTRÔLE DÉMOCRATIQUE

Comment les mouvements citoyens
entendent transformer l'économie mondialisée

Dans son commentaire sur le « Contrat planétaire » de l'ONU et autres initiatives voisines, William Greider, du journal The Nation, *écrivait : « Le but poursuivi relève à l'évidence des relations publiques : redorer l'image ternie des entreprises transnationales et faire croire que des institutions internationales velléitaires sont bel et bien attentives aux grandes questions qui préoccupent la planète, et en position d'y répondre. Mais même des gestes vides peuvent en dire beaucoup, et souvent bien plus long que ce que leurs auteurs avaient en tête. »*

Comme nous l'expliquait un jour un ami fort avisé, le changement social commence presque toujours dans l'hypocrisie : « D'abord, les puissants acceptent de prononcer les mots qu'il faut, c'est-à-dire de s'engager publiquement à respecter des valeurs supérieures et à adopter le comportement qui s'impose. Les militants sociaux doivent alors les pilonner pendant dix ans pour essayer de leur faire tenir leurs promesses ou convaincre les gouvernements de promulguer des lois qui les obligent à le faire. Dans la longue lutte pour l'instauration de règles mondiales et pour obliger les puissants à rendre des comptes, cette phase doit être comprise comme un prélude indispensable. »

La période ouverte par la bataille de Seattle constitue très probablement un tel prélude indispensable. Mais les organisations de la société civile qui ont été au premier rang des campagnes continuelles contre la « très peu sainte » Trinité (OMC, FMI, Banque mondiale) entendent véritablement passer de la résistance au changement. Après avoir jeté les bases d'une gouvernance démocratique, ces organisations se sont employées à élaborer leur propre programme de changement des règles et des institutions qui gouvernent le commerce, la finance et les investissements planétaires. Simultanément, elles sont bien décidées à s'attaquer à l'institution qui règne actuellement sur le monde, l'entreprise transnationale.

Pour la classe dirigeante mondiale, le « dialogue » n'est qu'un faux-semblant qui lui permet de ne consentir qu'à de modestes réformes. Mais le mouvement antimondialisation n'a que faire d'une simple réforme de l'économie mondialisée : il entend bien refondre complètement les grandes institutions de la gouvernance économique mondiale et les soumettre à un contrôle démocratique.

Après Seattle, un débat capital est né dans les milieux militants, ainsi résumé par Lori Wallach, directeur du Public Citizen's Global Trade Watch de Washington : « Devons-nous réformer l'OMC ou la supprimer ? » Question très voisine de celle que s'étaient posée les associations citoyennes nord-américaines après la signature de l'ALENA en 1994 : fallait-il faire campagne pour une renégociation du traité ou pour son abrogation ? Mais il y a de notables différences entre l'OMC et l'ALENA. Si l'une comme l'autre fixent des règles en matière de commerce international, l'OMC est une institution de bien plus grande ampleur puisqu'elle compte aujourd'hui 142 États membres. Aussi, quand les représentants des mouvements citoyens du monde entier se sont retrouvés à Boston en mars 2000 pour forger une stratégie commune à l'égard de l'OMC, il leur est très vite apparu que s'ils voulaient démanteler une telle puissance, il ne suffisait pas de convaincre quelques gouvernements de quitter le club.

La catastrophe de la conférence ministérielle de Seattle, incapable de lancer le cycle de négociations dit « du Millénaire », donnait à la société civile des possibilités stratégiques certaines, mais quatre mois plus tard, à Boston, il était devenu évident que la mise au point d'une stratégie complexe demanderait davantage de temps. Alors que la plupart des participants auraient souhaité détruire l'OMC, l'accord s'est fait sur l'idée qu'une stratégie intermédiaire était nécessaire pour que le mouvement antimondialisation continue à accumuler des forces. Selon la proposition de Walden Bello, responsable philippin de Focus South (« Objectif Sud »), il fallait d'abord se concentrer sur « une réduction des pouvoirs de l'OMC », ce qui, dans la pratique, demandait d'élaguer les compétences qui lui avaient été accordées dans des secteurs clés de l'économie mondiale, de réclamer encore plus fort la protection des biens collectifs dans d'autres secteurs vitaux et de renforcer les institutions capables de lui faire contrepoids.

Reconstruire le régime du commerce international

Cette stratégie provisoire décidée à Boston se formule
ainsi : « Il nous faut remplacer ce système commercial
ancien, injuste et oppresseur, par un nouveau cadre adapté
au XXIe siècle, socialement juste et attentif aux incidences
du développement économique sur l'écologie. Il nous faut
protéger la diversité culturelle, biologique, économique et
sociale, mettre en place des politiques progressistes qui
donnent la priorité aux économies locales et au commerce
de voisinage, faire reconnaître internationalement les
droits économiques, culturels et sociaux, ainsi que le droit
du travail ; et reconquérir la souveraineté des peuples et
la démocratie au niveau national, régional et local. Pour
y parvenir, de nouvelles règles sont indispensables, fondées sur le principe du contrôle démocratique des ressources, sur le respect des équilibres écologiques, sur
l'équité, la coopération et le principe de précaution. »

La déclaration se poursuit par la dénonciation de plusieurs ensembles de règles de l'OMC qui devraient être
abrogées. Il faut :

• interdire que les secteurs de la santé, de l'enseignement, de l'eau, de l'énergie et d'autres services de base
pour les collectivités humaines relèvent d'un commerce
international, et réduire le pouvoir qu'a le GATS d'imposer une « libéralisation progressive » des services publics
au profit d'investisseurs privés étrangers ;

• retirer toute compétence à l'OMC en matière de propriété intellectuelle, restaurer les systèmes nationaux de
protection des brevets, interdire le brevetage du vivant
dans tous les pays ;

• exempter des règles de l'OMC toute forme d'agriculture respectueuse de l'écologie, et interdire aux gou-

vernements des pays industrialisés de subventionner l'exportation de leurs produits agricoles, pour empêcher que les pays en développement ne soient contraints au dumping sur ces mêmes produits ;

• abolir les règles de l'OMC relatives aux investissements, ce qui permettra à tous les pays, et d'abord à ceux du tiers-monde, d'accroître la capacité de leur propre secteur productif ;

• supprimer le système de règlement des différends mis en place à l'OMC, lequel « donne force de loi à des règles injustes et fonctionne selon des procédures non démocratiques » et « usurpe le pouvoir réglementaire et législatif des États souverains et des collectivités locales ».

En résumé, la déclaration affirme que l'OMC n'a le choix qu'entre « rétrécir » (*shrink*) par l'adoption de ces mesures, ou « se noyer » (*sink*) sous son propre poids.

L'INGÉNIEUSE PARADE DES PAYSANS INDIENS

En Inde, des associations populaires ont trouvé un moyen d'utiliser les règles mêmes de l'OMC pour conforter les biens collectifs et le contrôle de la biodiversité régionale. Pour empêcher les entreprises agrochimiques et pharmaceutiques de breveter des semences ou des plantes médicinales locales, des groupes communautaires ont fait recenser leurs ressources biologiques et les ont eux-mêmes brevetées. Le mouvement, connu sous le nom de Jaiv Panchayat, ou « Démocratie vivante », affirme qu'il s'agit de ressources collectives qui ne sauraient être privatisées ni soumises au contrôle d'une entreprise. Selon la Constitution indienne, les ressources biologiques relèvent de la juridiction des gouvernements locaux, et, dans huit des vingt-sept États du pays, cette formule du dépôt collectif de brevets s'est répandue comme une traînée de poudre de village en village, créant ainsi un obstacle inattendu pour les grandes entreprises qui auraient pu vouloir mettre la main sur ces ressources biologiques en invoquant les accords internationaux sur la propriété intellectuelle.

Entourer les biens collectifs d'une clôture inviolable

Mettre l'OMC au régime ferait déjà beaucoup pour restaurer les processus démocratiques dans de nombreux pays, mais la société civile doit aller bien au-delà et exiger une protection des biens collectifs, qu'ils soient locaux ou planétaires. Il existe dans l'économie mondiale certains biens et services qui ne sauraient faire l'objet d'une transformation en marchandise, d'un dépôt de brevet ou d'une privatisation. On peut en outre identifier quatre catégories de biens et de services qui ne devraient être commercialisés qu'avec d'importantes restrictions, voire pas du tout : les *produits dangereux*, comme les déchets toxiques, les armes et déchets nucléaires, les organismes génétiquement modifiés, qui sont tous nuisibles à l'environnement, à la santé, à la sécurité et au bien-être des populations ; les *socles du vivant* que sont l'air, l'eau, les gènes, le génome humain, essentiels à la survie de l'homme et du système écologique planétaire ; le *patrimoine commun de l'humanité*, semences, plantes, animaux, lesquels peuvent faire l'objet d'un commerce mais non pas d'un dépôt de brevet. Enfin les *droits démocratiques*, accès à une alimentation suffisante, soins médicaux, enseignement, culture, protection sociale (que certains gouvernements ont d'ores et déjà proclamés droits irrévocables de la communauté des citoyens) ne devraient pas être soumis à la réglementation du commerce international que l'OMC est chargée de faire respecter.

Le moment est venu d'édifier une clôture infranchissable autour des biens collectifs, une ligne de démarcation au-delà de laquelle le système commercial international ne serait pas autorisé à transformer biens et services en marchandises. Lequel des concepteurs du système de Bretton Woods en 1944 aurait accepté un processus qui permet que les droits démocratiques et les fondements mêmes de la survie sur notre planète soient transformés en marchandise, privatisés et vendus au plus offrant sur le marché mondial ? Et c'est pourtant ce processus-là qui a été amorcé, rendant d'autant plus indispensable une opposition déclarée à toute nouvelle tentative de soumettre les biens collectifs, locaux ou planétaires, à la réglementation internationale du commerce. Il faut aussi que les gouvernements, en collaboration avec la société civile, assurent le contrôle de l'État sur ce qui est essentiel à la survie de la planète, et donc, en quelque sorte, sacré. Au *minimum minimorum* (la déclaration de Boston y insiste), un système de régulation mondial comme celui de l'OMC ne saurait avoir le pas sur les nombreux autres accords multilatéraux négociés sous l'égide de l'ONU et qui portent sur l'environnement, la santé, les droits de l'homme, les droits des peuples autochtones, la protection des animaux, l'accès à la nourriture, les droits des femmes et des travailleurs.

Réduire les pouvoirs de l'OMC ne suffit pas : il faut également renforcer le contre-pouvoir dont peuvent disposer d'autres organisations internationales. Au lieu de permettre que les critères commerciaux relatifs à la santé, au travail, à l'environnement et aux droits de l'homme soient soumis aux règles de l'OMC, ces domaines essentiels à la vie humaine devraient relever de la compétence des agences de l'ONU, qui ont ici une responsabilité antérieure et beaucoup d'expertise. Comme le réclame le Forum international sur la globalisation, cela demande d'accroître les pouvoirs de l'Organisation mondiale de la santé, de l'Organisation internationale du travail, du Programme sur l'environnement et de la commission des droits de l'homme des Nations unies. Mais le renforcement de ces agences internationales ne saurait se substituer à la mise en place d'une gouvernance démocratique efficace et responsable au niveau national et local (*voir* chapitre 8) ; les deux démarches doivent être menées simultanément et en étroite collaboration.

De même, si l'on donnait une nouvelle vie et de nouvelles forces à la Conférence de l'ONU sur le commerce et le développement (CNUCED), elle serait en mesure de constituer un contrepoids important face à l'OMC. Elle bénéficie en effet d'une grande légitimité aux yeux des pays du tiers-monde, car, depuis trente ans, elle a été presque la seule à soutenir leurs priorités nationales en matière de développement, face à la restructuration de l'économie mondiale. Depuis la bataille de Seattle, elle occupe une position clé, qui lui permet de prétendre au rôle d'arbitre en dernier ressort sur les problèmes de commerce et de développement. Mais, pour ce faire, elle doit elle-même procéder à des changements internes : bien des pratiques qui ont marqué son intervention par le passé doivent être abandonnées au profit d'un nouveau modèle d'action, plus attentif à l'écologie et à la relocalisation de l'économie. Le groupe de délégués élus qui pilote cette Conférence doit également être élargi pour inclure non seulement des hauts fonctionnaires des pays du tiers-monde, mais aussi des délégués de la société civile.

Instituer de nouvelles règles pour le commerce international

L'objectif ultime de cette stratégie est le démantèlement de l'OMC. Mais faut-il la remplacer, et si oui, par quoi ? La plupart des mouvements citoyens reconnaissent que le monde a besoin d'un système commercial international régulé, mais ils réclament de nouvelles règles et un nouveau système. Pour certains, un retour à la formule moins dangereuse du GATT, antérieure à l'OMC, serait la solution, pour autant que ses méthodes soient réformées dans le sens d'une transparence accrue et d'une plus grande démocratie. Pour d'autres, en revanche, c'est le renforcement de régulateurs régionaux du commerce qui s'impose.

La meilleure option, cependant, est peut-être de restaurer, en renouvelant sa vision initiale, l'Organisation internationale du commerce (OIC) projetée après la guerre (avant la création du GATT, comme on l'a rappelé au chapitre 3) pour être un des « bras » de l'ONU en même temps que le FMI et la Banque mondiale. Au terme d'un débat nourri, la charte de La Havane, en 1948, prévoyait la création de cette OIC, avec mandat de concourir au développement du commerce et des investissements transnationaux pour atteindre les objectifs suivants : parvenir au plein emploi, protéger les droits des travailleurs, et empêcher la constitution par les grandes entreprises de « cartels planétaires ». Une clause prévoyait également une participation de la société civile. Même si le Sénat américain a refusé, à l'époque, de ratifier la création de cette OIC, le modèle peut en être repris, inscrit dans un cadre nouveau : protection des droits démocratiques, des biens collectifs, et priorité au développement local.

Il va de soi qu'un remodelage complet du système régissant le commerce international serait vain si les États, parallèlement, ne changeaient pas leur propre politique commerciale intérieure. Au Canada, par exemple, le mandat et la structure du DAECE doivent être révisés dans le sens prescrit ci-dessus, et les autres départements ministériels (Environnement, Culture, Santé, Ressources humaines, Travail et Aide aux pays en développement) doivent jouer un rôle plus marqué dans la politique commerciale canadienne, contrebalancer les pouvoirs du DAECE et contrôler son action.

Il en va de même pour la participation des provinces, lesquelles, bien entendu, devraient s'engager dans cette voie. Ce qui est certain, c'est que la collusion entre le gouvernement et les entreprises, qui est au cœur de l'actuelle politique commerciale, doit prendre fin : à la place, il faut créer un mécanisme inventif et efficace assurant la participation de la société civile et son contrôle démocratique, par le moyen d'une assemblée de citoyens élue, dotée de pouvoirs quasi constituants.

Réorganiser la finance planétaire

La crise de légitimité qui a frappé le système financier international depuis 1994 (effondrement du peso mexicain) n'a pas cessé. Encouragée par la politique du FMI, la spéculation internationale a déclenché une série de faillites monétaires qui ont atteint depuis 1997 les pays asiatiques, le Brésil et la Russie, tandis que le FMI déboursait plusieurs milliards de dollars pour renflouer les investisseurs étrangers qui avaient laissé des plumes dans ces crises, et que l'endettement des établissements bancaires locaux (impossible à rembourser) était converti en dette publique, condamnant ainsi des millions de gens à la pauvreté perpétuelle.

Prenons le cas de la Corée du Sud lors de la récente crise asiatique. Au terme de consultations au plus haut niveau avec les plus importantes banques mondiales, le Trésor américain a imposé au FMI de renflouer la Corée aux conditions suivantes : les investisseurs étrangers pourraient posséder jusqu'à 55 % de l'industrie coréenne, et jusqu'à 100 % du secteur bancaire. Du coup, les vautours se sont rués sur le pays pour acheter des entreprises coréennes en difficulté à des prix ridiculement bas. Bien que les spéculateurs étrangers aient fait sortir *in extremis* du pays des flux massifs de capitaux, certains créanciers ont décidé de tirer parti de la crise pour revoir leurs prêts à la hausse : au lieu de prêter à un taux supérieur de 0,25 % à celui du Libor (le taux interbancaire londonien), ils sont passés à 6 % de plus, raflant ainsi d'énormes profits. Le renflouement opéré par le FMI n'a donc servi qu'à remplir les poches des investisseurs étrangers et non pas à secourir les entreprises coréennes : deux cents d'entre elles ont déposé leur bilan et, au plus fort de la crise, le chômage frappait 4 000 personnes par jour.

De la même façon, deux décennies de programmes d'ajustement structurel du FMI et de la Banque mondiale, destinés à permettre au tiers-monde de rembourser sa dette aux pays du Nord, ont plongé la plupart de ces pays dans un cercle vicieux, les coupes budgétaires imposées entraînant une stagnation de l'économie et donc une augmentation de la pauvreté. Comme on l'a déjà signalé, une étude de la Banque mondiale elle-même montre que 54 % des individus dans 28 pays emprunteurs ont connu une stagnation de leur revenu, et donc une augmentation de la pauvreté, ainsi qu'une diminution de leur espérance de vie. Quand, au printemps 2000, le Congrès américain a débattu d'une annulation de la dette des pays les plus pauvres, la question a été posée de savoir si le FMI devait poursuivre ses prêts à ces pays : « Nous avons eu la douleur de découvrir, disait un membre du Congrès, que la façon dont le FMI opère fait mourir de faim des enfants. »

Quand des campagnes militantes comme « Cinquante ans, c'est assez » à Washington, ou l'« Initiative de Halifax » au Canada, ont accru le discrédit du FMI et de la Banque mondiale, les deux institutions ont cherché à s'en tirer par un peu de chirurgie esthétique. Le président de la Banque mondiale, James Wolfensohn, a évoqué « une révision des programmes d'ajustement » et déclaré que la « réduction de la pauvreté » serait la nouvelle priorité de l'institution. Autant la Banque mondiale était prolixe dans sa rhétorique sur le couplage des aspects « macro-économiques » et « sociaux » du développement, autant elle en disait peu sur sa stratégie concrète pour y parvenir.

Parallèlement, la « solution » proposée par le FMI, émanation des pays riches, consistait simplement à donner aux pays pauvres plus de temps pour reprendre leurs programmes d'ajustement nécessaires au libre-échange, en leur accordant des financements à plus long terme, formule rebaptisée « mécanisme étendu d'ajustement structurel ». Cependant, lors d'une réunion du FMI et de la Banque mondiale en septembre 1999, les économistes du FMI eux-mêmes ont reconnu, devant des représentants de la société civile, qu'ils n'avaient aucun plan pour réduire la pauvreté et qu'ils comptaient sur la Banque mondiale pour prendre l'initiative en ce domaine. Comme le fera remarquer plus tard un syndicaliste philippin très écouté : « C'est toujours la même vieille formule, déréglementation, privatisation, libéralisation, mais avec des filets de sécurité. »

Démolir et rebâtir

Tandis que les institutions de Bretton Woods affrontaient, dans le désarroi, cette crise de légitimité, les mouvements issus de la société civile élaboraient leur propre programme pour transformer le système financier international. En décembre 1998, leurs représentants venus du monde entier se sont rassemblés à Washington pour une réunion de travail baptisée « Vers une économie internationale progressiste » et destinée à jeter les bases d'un plan d'action. Coparrainée par le Forum international sur la globalisation (FIM), le Third World Network, l'Institute for Policy Studies et la section américaine des Amis de la Terre, la réunion a débouché sur toute une série de propositions et de stratégies pour les niveaux international, national, régional et local. Plusieurs des politiques proposées ont été ensuite développées par le FIM sous le titre « Une autre solution à la mondialisation économique » et dans des publications du Third World Network.

Reprenant la stratégie utilisée pour lutter contre l'industrie du nucléaire, le FIM propose qu'une commission internationale soit créée pour superviser le processus de démantèlement du FMI. La moitié des membres de cette commission seraient issus des organisations de la société civile qui ont joué une rôle crucial dans la dénonciation publique des ravages causés par la politique du FMI. Une des premières mesures à prendre serait l'interruption des programmes d'ajustement structurel dans le tiers-monde et dans les pays anciennement communistes, une réduction du personnel du FMI (de 1 000 à 200) et une diminution correspondante de ses dépenses en capitaux et en frais de fonctionnement. La commission serait également chargée d'élaborer un plan pour l'annulation des énormes dettes dues au FMI. Le même traitement pourrait être infligé simultanément à la Banque mondiale.

Une fois engagé ce processus de démantèlement du FMI et de la Banque mondiale, des mesures immédiates devraient être prises pour créer un « Tribunal international de l'insolvabilité », proposition déjà avancée par la CNUCED, Jubilé 2000 et le gouvernement canadien, sur l'initiative du ministre Paul Martin. Ce tribunal aurait le mandat de négocier des accords pour l'allégement de la dette des pays les plus pauvres. Il serait totalement indépendant et composé à parts égales de représentants des pays créanciers et des pays débiteurs. Pour mener à bien sa mission, il disposerait d'un « panel de conciliation » et d'un « panel d'arbitrage ». Le premier aurait pour tâche d'aider à la conclusion d'accords entre gouvernements créanciers et gouvernements débiteurs : dans les cas où les parties ne réussiraient pas à s'entendre, c'est le panel d'arbitrage qui serait responsable de la décision finale, liant juridiquement les parties. La CNUCED serait chargée d'apporter aux pays débiteurs l'aide juridique dont ils pourraient avoir besoin pour présenter leur dossier au Tribunal. Ce dernier aurait également pour mandat de veiller à ce que toutes les dettes contractées auprès du secteur privé restent privées (sauf si certains gouvernements veulent les garantir par des méthodes démocratiques en accord avec les lois existantes).

Pour remplacer le FMI, il conviendrait de créer, sous les auspices des Nations unies, une « Organisation financière internationale », laquelle devrait « travailler avec les États membres de l'ONU pour parvenir à un équilibre et à une stabilité dans les relations financières internationales, libérer la finance nationale et internationale des effets pervers de l'endettement et du poids de la dette, encourager les investissements nationaux productifs ainsi que la nationalisation des ressources naturelles, et prendre toutes les mesures nécessaires au niveau international pour aider les nations et les collectivités locales à créer, pour tous, des moyens d'existence équitables, productifs, et compatibles avec le développement durable ».

À la différence du FMI, cette nouvelle organisation ne ferait pas de prêts et n'aurait aucun pouvoir d'imposer ses décisions. Sa fonction première serait de « constituer une base de données centrale permanente sur les comptabilités nationales, signaler toute situation difficile, et faciliter les négociations entre États pour corriger les déficits ». Ainsi, à partir d'études de politique économique, elle faciliterait la signature et l'application d'accords internationaux destinés à freiner les mouvements de capitaux spéculatifs et à empêcher le recours à des banques *offshore* et à des paradis fiscaux pour le blanchiment de l'argent sale et la fraude fiscale. De même, elle proposerait l'introduction de la taxe Tobin sur les transactions financières internationales (du nom de son inventeur, le prix Nobel d'économie James Tobin) pour contrecarrer la spéculation et les effets déstabilisateurs des fuites massives de capitaux en une nuit.

Pour permettre aux pays qui en ont besoin d'obtenir des prêts d'urgence à court terme, des « fonds monétaires régionaux » seraient créés. Cette proposition repose sur la prémisse, constamment soutenue par John Meynard Keynes, selon laquelle la finance, autant que faire se peut, doit rester sous contrôle national et local. Des institutions monétaires régionales seraient bien mieux à même qu'un

fonds international de traiter les crises rapidement et efficacement. Leurs États membres auraient tout intérêt à
éviter les effets de contagion. En cas d'effondrement soudain d'une monnaie, ces fonds monétaires régionaux
auraient pour mission d'apporter « une réponse rapide, et
des prêts d'urgence à court terme » aux pays qui en ont
besoin. Chacun devrait rendre des comptes aux États
membres de sa propre région et se montrer sensible aux
préoccupations des communautés locales. Des pays extérieurs à la région seraient autorisés à assister à certaines
réunions, en tant qu'observateurs, mais aucun pays ne
devrait avoir droit de vote dans plus d'un fonds régional.

Créer des « ralentisseurs »

Ces mesures permettraient à tous les pays de disposer
d'une plus grande marge de manœuvre pour contrôler les
mouvements de capitaux. Pour apporter la stabilité financière à ce qui est devenu une économie de casino planétaire où la banque est toujours menacée de sauter, Ottawa
pourrait, par exemple, réguler à nouveau les flux de capitaux par des mesures à effet « ralentisseur » telles que
celles-ci : un pourcentage de tous les investissements
directs étrangers devrait être obligatoirement déposé dans
des banques canadiennes ; tous les investissements de
portefeuille devraient rester dans le pays au moins un an ;
tous les comptes en monnaie étrangère seraient interdits,
ainsi que toutes les opérations sur les changes à des fins
purement spéculatives.

La capacité de la Banque du Canada à jouer un rôle plus
actif sur le marché financier international devrait également
être restaurée. Pour ce faire, il faudrait exiger de toutes les
banques commerciales (la Royal Bank of Canada, CIBC,

Toronto Dominion et Scotiabank, entre autres) qu'elles déposent un certain pourcentage de leurs réserves dans la Banque centrale du pays, qui retrouverait ainsi la possibilité d'intervenir sur le marché mondial pour y contrôler les entrées et les sorties de capitaux. Pour freiner une spéculation sur les taux de change devenue excessive, Ottawa devrait également proscrire les prêts aux fonds spéculatifs et interdire aux institutions financières qui s'abritent dans les paradis fiscaux d'opérer sur son territoire. Une taxe sur les transactions financières, du type de la taxe Tobin, pourrait également être appliquée non seulement aux achats d'actions, d'obligations et de devises, mais aussi à tous les produits boursiers dits « dérivés ». De plus, le filet de sécurité que la Canada Deposit Insurance Corporation procure aux spéculateurs canadiens contre les risques de faillite devrait être supprimé, car il ne fait que les encourager à des spéculations de plus en plus risquées.

BRÉSIL : UN EXEMPLE DE PARTICIPATION À L'ÉTABLISSEMENT DU BUDGET MUNICIPAL

À Porto Alegre, ville brésilienne de plus d'un million d'habitants, où le Parti des travailleurs a récemment remporté les élections locales, les citoyens participent efficacement à l'élaboration du budget municipal en en fixant chaque année les priorités. Dans seize secteurs de la ville, géographiquement et socialement distincts, des citoyens sont élus chaque année pour assister les conseillers municipaux. En mars et avril, des forums réunissant de cinq cents à sept cents personnes (y compris des associations de pauvres des quartiers) sont organisés dans chaque secteur : on y discute le bilan financier de l'année précédente et on y élabore les priorités budgétaires de l'année à venir. En mai, les propositions précises rédigées par les citoyens élus de chaque secteur sont réunies en un projet de budget envoyé au maire et au conseil municipal pour approbation.

Ottawa et les gouvernements provinciaux seraient bien inspirés d'adopter des lois permettant aux groupes citoyens et aux communautés locales d'exercer un contrôle sur la gestion des fonds mutuels et des fonds de pension : on pourrait, par exemple, prévoir des avantages fiscaux en faveur de ceux de ces fonds qui investiraient dans des entreprises locales. De même, il faudrait modifier la législation sur les fonds de pension pour que les travailleurs soient à même d'exercer un contrôle direct sur les investissements effectués quotidiennement avec leurs cotisations, et qui vont souvent à des entreprises ou à des spéculations financières diamétralement opposées à leurs propres intérêts. Les travailleurs pourraient ainsi s'assurer qu'un pourcentage plus élevé de leur argent est investi dans des entreprises locales qui créent des emplois. Pour encourager les gestionnaires de capitaux à investir dans le développement économique des communautés locales, Ottawa devrait également réduire la part autorisée des investissements à l'étranger (20 % actuellement) dans le Plan d'économie pour les retraites.

Pour une nouvelle régulation des investissements étrangers

Le traité avorté sur l'investissement, l'AMI, aurait dû être le couronnement d'un accord mondial sur la question. Pour les vingt-neuf membres de l'OCDE, ce « club de pays riches » qui négociait le traité à Paris, l'AMI devait inclure un ensemble de règles destinées à ouvrir tous les pays du globe aux investissements venus de l'étranger. En revanche, aux yeux des associations citoyennes qui ont mobilisé leurs forces pour une action commune contre le projet de traité, l'AMI augurait une nouvelle ère de la domination des entreprises transnationales, en les dotant d'une véritable charte qui leur assurait une totale liberté d'action : le traité aurait donné un statut constitutionnel à la suprématie des entreprises transnationales sur les États-nations et les gouvernements démocratiquement élus, et ses règles auraient permis aux entreprises transnationales de réguler les gouvernements (et non l'inverse) grâce à un ensemble de mécanismes ayant force de loi.

L'effondrement du projet de traité, à l'automne 1998, a marqué une étape historique pour tous les mouvements antimondialisation. Mais les nantis qui soutenaient l'AMI ont dû être surpris de constater que beaucoup d'adversaires du traité n'étaient pas opposés à l'idée d'établir un ensemble de règles sur les investissements à l'étranger. Le problème était que les règles prévues par l'AMI étaient mauvaises, qu'elles avaient été élaborées par des gens qui n'étaient pas les bons, et dans le cadre international qui ne convenait pas. Nombre d'opposants à l'AMI réclamaient un traité tout à fait différent, qui aurait soumis les entreprises transnationales et leurs opérations au règne de la loi, au lieu de leur accorder des libertés exorbitantes. Au cours de la campagne contre l'AMI, il y avait bien cinq groupes de travail internationaux qui travaillaient à un projet de traité différent, dont « Vers un AMI citoyen », élaboré sur l'Internet par un dialogue entre des militants et des universitaires de différents pays, coordonnés par le Polaris Institute du Canada.

Tout au long de ce combat contre l'AMI, les groupes de travail des pays riches ont constamment dialogué avec des militants du tiers-monde. Martin Khor, du Third World Network, y insistait : « Le grand problème n'est pas de savoir si l'investissement étranger est bon ou mauvais ou s'il devrait être accueilli à bras ouverts : c'est celui de savoir si, oui ou non, les gouvernements nationaux conserveront le droit de le réglementer. » La plupart des pays en développement, disait-il, veulent bénéficier d'investissements étrangers et font de leur mieux pour les attirer, si bien que, pour leurs gouvernements, toute la difficulté consiste à « maximiser les aspects positifs de ces investissements étrangers directs (IED) tout en minimisant leurs aspects négatifs ». Pour y parvenir, il leur faut conditionner leur politique en matière d'IED à des objectifs nationaux et à des besoins de développement plus larges : encourager la venue des IED considérés comme contribuant à la poursuite de ces objectifs et décourager ceux qui y seraient contraires. Par conséquent, ils doivent être en mesure d'imposer certaines conditions à l'arrivée d'IED dans leurs pays.

Il ne faut pas oublier que la charte de l'ONU relative aux droits économiques et aux devoirs des États (1974) reconnaît aux gouvernements nationaux le droit de réglementer les investissements étrangers pour les mettre au service de leurs priorités économiques, sociales et environnementales. Le principe central du texte est que le capital a des obligations envers les sociétés : la formation du capital est un processus social bâti sur le travail continu de générations de travailleurs et sur l'extraction de ressources naturelles depuis des siècles ; les entreprises utilisent les infrastructures économiques et sociales (routes et ponts, ressources nationales comme les forêts, les mines, l'eau et le pétrole, services de santé, enseignement public) pour manufacturer des produits qui engendreront des profits pour leurs seuls actionnaires. Une hypothèque sociale et économique grève donc le capital :

les entreprises ont une dette envers la société et la nature, et il est donc légitime de leur imposer des obligations.

Toute future réglementation internationale doit donner aux gouvernements nationaux un pouvoir réglementaire obligeant les entreprises transnationales à respecter leurs obligations sociales. Ils doivent pouvoir disposer d'instruments souples pour s'assurer que les programmes d'investissements étrangers ne contredisent pas les droits démocratiques, la protection des biens collectifs et le développement durable des communautés locales. À la différence de ce que prévoyait l'AMI, les gouvernements devraient avoir toute latitude pour imposer aux investissements étrangers une réglementation différente de celle à laquelle sont soumis les investissements nationaux, en exigeant des entreprises étrangères qu'elles satisfassent à certains critères dans leur manière d'opérer.

La nouvelle réglementation de l'investissement international devrait également reconnaître que les gouvernements ont le droit de contrôler les secteurs stratégiques de leur économie (finance, énergie, communications) par le moyen d'entreprises publiques, et de prendre toutes les mesures nécessaires pour protéger les biens collectifs (environnement, santé, enseignement et culture). Et tout en mettant en place diverses incitations pour attirer les investissements extérieurs, les gouvernements doivent avoir la liberté de recourir à ces mêmes incitations pour que les entreprises transnationales remplissent leurs obligations sociales quand elles investissent sur leur territoire.

Le texte de 1974 spécifiait bien que les sociétés étrangères auraient droit à des dédommagements chaque fois que l'État les exproprierait : disposition des plus raisonnables. Mais l'AMI introduisait vicieusement un concept d'expropriation *indirecte*, portant sur les pertes de profit qui pourraient résulter d'une législation nationale (par exemple une loi de protection de l'environnement). S'il faut conclure un accord international sur l'investissement, les dédommagements pour expropriation doivent absolument être limités aux pertes *directes* subies par les sociétés étrangères.

Devraient être aussi abolies les clauses sur « l'investisseur-État » de l'ALENA et de la plupart des accords bilatéraux autorisant les entreprises à poursuivre directement les gouvernements. En cas de litige, les citoyens doivent avoir le droit de se porter partie civile et les conflits doivent être réglés par les tribunaux du pays concerné. En outre, toute négociation relative à un traité international sur l'investissement ne doit pas être menée au sein de l'OMC, mais sous les auspices des Nations unies, avec une participation effective de la société civile.

Cependant, il est absurde de réclamer au plus vite l'établissement de règles internationales sur les investissements étrangers si, parallèlement, les gouvernements nationaux ne s'engagent pas à réglementer à nouveau ces investissements. Contrairement à ce que prétendent nos adversaires, le Canada est toujours l'une des grandes destinations des investissements étrangers à long terme, en raison de l'abondance de ses ressources naturelles, de sa main-d'œuvre qualifiée et du pouvoir d'achat élevé de ses consommateurs, sans oublier un climat économique relativement sûr. Par conséquent, si des sociétés étrangères veulent y investir, les citoyens doivent exiger d'Ottawa qu'on leur impose le respect de certaines obligations sociales et de critères d'opération. Pour commencer, l'agence gouvernementale Invest Canada, créée pour attirer les investisseurs étrangers sans presque rien exiger d'eux, doit être supprimée et remplacée par une Agence du développement canadien qui aurait cette fois mandat d'appliquer un plan national de développement fondé sur les principes mis en avant par la société civile. Cette nouvelle agence gouvernementale devrait, comme le recommandait l'Enquête des citoyens sur l'AMI, procéder à un « audit national » sur les principaux projets d'investissements étrangers et mesurer leurs effets sur l'emploi, l'environnement, la santé, la sécurité et la vie des communautés locales. À partir des résultats de cet audit, des obligations sociales spécifiques et/ou des exigences dans la manière d'opérer seraient imposées à l'investisseur et inscrites dans une « convention d'investissement » signée entre l'entreprise étrangère et la communauté où elle s'implanterait.

Quand on connaît les réalités planétaires de la mobilité des capitaux aujourd'hui, toute tentative d'Ottawa pour imposer à nouveau une réglementation aux entreprises transnationales se heurterait à leur menace de localiser ailleurs leurs activités. Même si on s'exagère souvent le danger effectif de cette menace, le fait demeure qu'une stratégie destinée à freiner les fuites de capitaux devrait accompagner ce plan de réglementation des investissements étrangers ; comme l'a proposé l'Enquête des citoyens, le meilleur moyen serait de diversifier les options d'investissement au Canada, afin de moins dépendre des capitaux étrangers : étant donné que les entreprises publiques, à la différence des entreprises privées, ne peuvent pas décider de quitter le pays ou de faire la grève de l'investissement parce qu'elles sont, par leur nature même, tributaires des frontières politiques, Ottawa devrait accroître le secteur public pour réduire la dépendance canadienne à l'égard des investissements étrangers et diminuer le risque d'une fuite des capitaux. Néanmoins, comme les entreprises publiques ont tendance à se comporter comme les entreprises privées dans l'économie d'aujourd'hui, la stratégie n'aurait de sens qu'accompagnée de sérieuses mesures pour revitaliser le secteur public et l'obliger à rendre compte démocratiquement de ses opérations.

POUR UN FONDS D'INVESTISSEMENT NATIONAL

Pour rendre le Canada moins dépendant des investissements étrangers, des associations syndicales et communautaires ont proposé la création d'un « fonds national d'investissement », associé à des « conseils de développement communautaire ». Ce fonds lèverait des capitaux grâce à un impôt sur les actifs de toutes les organisations financières (banques, fonds mutuels et fonds de pension). Les sommes ainsi collectées seraient redistribuées par l'intermédiaire des « conseils de développement communautaire » pour créer des emplois et poursuivre des objectifs prioritaires, locaux et régionaux. Au lieu d'investir majoritairement dans des fonds mutuels, les citoyens seraient incités à acheter des obligations du « fonds national » pour se constituer une épargne en vue de leur retraite. À l'échelon national, le conseil de gestion du fonds comprendrait des représentants élus des différents « conseils de développement communautaire », des représentants des organisations financières et du gouvernement fédéral. Mais les « conseils de développement communautaire » ne seraient composés que de citoyens élus.

À partir d'informations fournies par l'Alternative Federal Budget, compilées par CHO!CES et le Canadian Centre for Policy Alternatives.

Le groupe Alternative Federal Budget[1] (AFB) demande aussi des propositions annuelles concrètes sur

---

1. « Pour un budget fédéral différent » (NdT).

les investissements publics dans les transports, l'accès à la propriété du logement, le traitement et le recyclage des déchets, la mise aux normes des bâtiments publics et les centres sociaux de soins médicaux pour enfants et personnes âgées. Pour réorienter les milliards de dollars canadiens qui quittent chaque année le pays en quête d'investissements aventureux à l'étranger, l'AFB a proposé qu'Ottawa crée une « Banque de développement des entreprises » tournée vers des sociétés nationales désireuses de procéder à des investissements créateurs d'emplois qui coïncideraient avec les objectifs et les critères du développement national : la banque leur prêterait des fonds à faible taux d'intérêt ou prendrait des participations dans leur capital. Des mesures voisines pourraient être prises pour réorienter d'autres capitaux (par exemple une partie des 450 milliards de dollars canadiens gérés par les fonds de pension) vers des programmes d'investissements sociaux au Canada même, avec l'accord et la participation des syndicats.

Les citoyens devraient aussi veiller, au niveau local, à ce que les investissements, étrangers ou nationaux, contribuent effectivement au développement durable des communautés. D'un bout à l'autre du Canada, le mouvement pour la relocalisation de l'économie a centré ses préoccupations sur l'emploi des travailleurs locaux et le recours aux ressources locales pour la production de biens et de services répondant aux besoins locaux. Mais ces initiatives pourraient être complétées par des politiques d'investissement locales, assorties des clauses suivantes : quotas d'emplois réservés à la population locale, obligation de se fournir auprès des entreprises du lieu, respect des règles sur la pollution et le traitement des déchets toxiques, obligation d'obtenir la permission de la communauté pour l'extraction des ressources naturelles, respect des normes sociales (conditions de travail et salaires), obligation de réinvestir dans la communauté et conditions spéciales à remplir pour toute entreprise qui voudrait fermer une usine et l'implanter ailleurs. Pour que les municipalités puissent adopter des politiques d'investissement de ce type, il faudrait voter une législation provinciale *ad hoc*.

Alors qu'un tel programme ferait considérablement progresser le Canada sur la voie d'une nation plus civique et plus démocratique, la plupart de ses éléments tombent sous le coup du chapitre 11 de l'ALENA, ce qui pose un sérieux problème de stratégie. Si les Canadiens veulent avancer dans ce programme, il faut abroger l'ALENA, ou à tout le moins son chapitre 11. Cependant, dans le climat politique actuel, il est hautement improbable qu'Ottawa soit prêt à invoquer la clause de l'ALENA qui autorise un pays signataire à s'en retirer. Une autre stratégie, peut-être plus payante, serait que des organisations émanant de la société civile réclament au gouvernement canadien de rouvrir les négociations avec ses partenaires de l'ALENA sur toute une série de questions brûlantes : la culture, l'énergie, l'eau, l'absence de protection de l'environnement, le mécanisme de « l'investisseur-État » et la clause du traitement national. Si, par un sort heureux, cette demande débouchait sur des résultats satisfaisants, l'ALENA serait effectivement privé de ses griffes. Mais si Washington et Mexico refusaient de rouvrir la négociation, Ottawa devrait se retirer de l'ALENA en appliquant la clause du traité qui oblige à en prévenir six mois à l'avance les autres signataires.

Refondre le droit régissant les entreprises transnationales

En ce début du XXIᵉ siècle, les sociétés transnationales sont la puissance institutionnelle dominante de la planète. Les intérêts du secteur privé sont devenus l'objectif principal et la motivation essentielle des nouveaux modèles de gouvernance mondiale et des règles internationales sur le commerce, la finance et les investissements qui régissent les populations et la vie sur notre planète. C'est bien pour cette raison que les grandes entreprises sont les principales cibles des mouvements antimondialisation.

Pour de nombreux militants, il ne suffit plus de s'attaquer à certaines entreprises transnationales nuisibles aux populations et à l'environnement, afin de leur faire comprendre qu'elles ont des responsabilités sociales : ils entendent désormais prendre pour cible l'entreprise en elle-même, en tant qu'institution dominante, surtout si elle est transnationale. Historiquement, la grande entreprise est en fait une création de l'État : les premières entreprises transnationales en Europe occidentale ont été celles qui reposaient sur l'exploration des continents récemment découverts, telles l'East India Company et la Hudson's Bay Company, lesquelles bénéficiaient de chartes royales les autorisant à découvrir de nouvelles terres et de nouvelles richesses au nom de l'Angleterre.

Au Canada, la Hudson's Bay Company et la Banque de Montréal ont été créées par chartes du roi d'Angleterre, enregistrées au Parlement, avec mission d'ouvrir l'Amérique du Nord aux Anglais. Bien que la pratique d'accorder des chartes royales se soit poursuivie même après que le Canada eut été organisé en Confédération (1867), de nos jours c'est Ottawa et les gouvernements des provinces qui accordent aux entreprises le droit d'opérer. Sans autorisation de la puissance publique, une entreprise n'a aucun droit légal de posséder des biens, d'emprunter de l'argent, de signer des contrats, d'embaucher ou de licencier, d'accumuler des avoirs ou des dettes.

Aux États-Unis également, c'étaient jadis les corps législatifs de chaque État qui accordaient des chartes aux entreprises, avec pour objectif de servir la collectivité. De telles chartes, il y a deux siècles ou plus, spécifiaient souvent quelles obligations sociales l'entreprise devait respecter en échange de son droit à exercer ses activités. Si une de ces compagnies manquait à ses obligations, le corps législatif de l'État avait le pouvoir de révoquer sa charte. Dans certains États de l'Union, les citoyens participaient activement à la rédaction des règles régissant les sociétés, non seulement dans les chartes, mais aussi dans les constitutions et législations locales. À travers leurs législateurs, les citoyens avaient le moyen de surveiller les entreprises et de tenir leurs dirigeants pour responsables des dégâts ou dommages qu'ils pourraient causer. Cependant, en 1886, un arrêt de la Cour suprême américaine a reconnu aux sociétés la « personnalité juridique », ce qui a conduit à l'abrogation de centaines de lois des États, et une nouvelle législation a été votée, garantissant aux entreprises la protection de leurs propriétés et de leurs investissements et limitant leur responsabilité en cas de dégâts ou de dommages.

Les mouvements citoyens commencent à revendiquer à nouveau leur droit souverain à imposer des responsabilités aux entreprises, et exigent que les autorisations d'opérer données par l'État aux entreprises soient réexaminées, révisées, voire révoquées. En Pennsylvanie, par exemple, des groupes de citoyens ont pris l'initiative d'un amendement au code local qui limiterait à trente ans la durée des autorisations accordées et mettrait en place un processus de révision qui obligerait l'entreprise à prouver qu'elle agit dans l'intérêt public avant de voir son autorisation renouvelée. En Californie, un regroupement d'organisations citoyennes (dont la National Organization for Women, le Rainforest Action Network et la National Lawyers Guild) ont déposé une pétition auprès du ministre de la Justice de l'État pour qu'il révoque l'autorisation d'opérer accordée à la compagnie pétrolière UNOCAL en s'appuyant sur le code californien qui permet une telle révocation. Les requérants ont produit toute une série de preuves documentées sur le comportement de cette société (ravages causés à l'environnement, exploitation des travailleurs et violations grossières des droits de l'homme).

Ailleurs, certaines autorités américaines ont commencé elles aussi à réagir : « Quand une entreprise a été convaincue de délits répétés qui nuisent à des personnes, mettent leur vie en danger ou détruisent l'environnement », a déclaré le ministre de la Justice de l'État de New York, Eliot Spitzer, en 1998, « l'entreprise doit être mise à mort, et ses biens vendus aux enchères publiques ». Bien que Spitzer n'ait pas encore eu à révoquer d'autorisation d'opérer accordée à une entreprise, il a entamé une bataille contre plusieurs géants, dont General Electric. En Alabama, le juge William Wynn a rédigé une pétition juridique en 1998 pour demander la dissolution de six manufactures de cigarettes qui avaient violé les lois de l'État interdisant la vente de tabac aux enfants : Wynn entendait agir au nom des citoyens, mais le tribunal, après avoir rencontré les avocats des compagnies de tabac concernées, a prononcé un non-lieu.

Au Canada, des groupes de citoyens ont également entamé une campagne sur certains problèmes du droit des entreprises. En Colombie-Britannique, le Citizens' Council on Corporate Issues[1], allié à d'autres organisations (dont le Conseil des Canadiens), a entrepris de mobiliser l'opinion publique contre le gouvernement provincial pour empêcher que ne soit supprimée du code la possibilité de révoquer une autorisation d'opérer accordée à une société : presque tout le barreau de la province avait été appelé à l'aide par les grandes entreprises pour « moderniser la législation et l'adapter au XXIe siècle », mais les citoyens ont réussi à bloquer les changements proposés. Actuellement, la loi canadienne sur le droit des sociétés est en cours de réexamen à Ottawa, et un réseau de 25 associations de citoyens, la Corporate Responsability Coalition (« Alliance pour la responsabilité des entreprises ») fait pression sur le gouvernement pour que des changements importants soient introduits, notamment une clause prévoyant que les entreprises seraient responsables des crimes et délits commis au cours de leurs opérations et que les actionnaires et/ou les associations citoyennes concernées pourraient demander la dissolution d'une société qui aurait enfreint la loi à plusieurs reprises.

C'EST L'ENTREPRISE ELLE-MÊME QU'IL FAUT VISER !

Dans un article publié après la « bataille de Seattle » et les manifestations postérieures de Washington, Londres et Davos, le magazine *Adbusters* écrivait :

« L'entreprise ne sortira pas indemne de tout cela. Les nouveaux militants (et c'est ce qu'un Bill Clinton, un Paul Martin, un Mike Moore et tous les gardiens de

---

1. Conseil des citoyens sur les problèmes liés aux entreprises (NdT).

l'ordre ancien ne comprennent pas) ne protestent plus contre le mal causé par les entreprises, mais contre l'entreprise elle-même. Ils veulent en revenir aux origines, aux lois et aux jurisprudences qui ont donné naissance au droit moderne des sociétés. Ils veulent modifier le code génétique des sociétés, changer les lois sur l'attribution et la révocation de leur droit d'opérer, celles qui protègent les investisseurs des conséquences les plus scélérates de leurs investissements, et la réglementation à laquelle sont soumises les activités des sociétés, de l'échelon local à l'échelon international. »

Kalle Lasn et Tom Liacas, « The Crackdown »,
Adbusters, août-septembre 2000.

Ailleurs aussi, certaines municipalités envisagent de rendre les entreprises responsables des éventuels dommages qu'elles pourraient causer. En novembre 1998, dans la ville universitaire d'Arcata, en Californie, un référendum a donné à la municipalité un mandat sans équivoque pour « veiller au contrôle démocratique de toutes les entreprises actives dans la localité ». À Point Arena, une petite ville de la côte nord de la Californie, le conseil municipal a voté en avril 2000 une résolution selon laquelle les entreprises ne seraient plus reconnues comme des « personnes juridiques » sur le territoire de la commune. L'association Alliance for Democracy s'est emparée de cette résolution modèle et l'a diffusée de ville en ville.

Considérant que les petites entreprises locales sont trop souvent victimes de la mondialisation, un regroupement de 140 petites sociétés de Boulder (Colorado) a proposé l'adoption d'une « loi sur la vitalité de la commune » destinée à limiter le nombre des succursales de grandes chaînes autorisées à opérer dans la ville. En Pennsylvanie, la municipalité de Wayne a pris un arrêté stipulant que toute entreprise qui aurait violé trois fois la loi en sept ans devrait quitter la ville.

Pour aider les gouvernements nationaux à limiter le pouvoir des entreprises transnationales dans la nouvelle économie planétaire, le Forum international sur la globalisation a proposé que soit créée, au sein de l'ONU, une « Organisation pour la responsabilité des entreprises ». Sa fonction première serait d'appuyer toutes les initiatives prises par des gouvernements ou des associations de citoyens pour accroître la responsabilité des entreprises. Elle apporterait informations et conseils, et faciliterait la négociation d'accords bilatéraux et multilatéraux sur les opérations des entreprises transnationales. Selon cette proposition, un droit de réglementer les opérations des entreprises transnationales serait dévolu aux gouvernements nationaux et locaux. L'organisation fournirait aux gouvernements et à l'opinion publique une information complète sur les pratiques des entreprises, laquelle pourrait être utilisée pour des actions législatives et judiciaires, ou encore pour des boycottages.

Le Forum international sur la globalisation souhaite que cette nouvelle organisation rattachée à l'ONU ait les missions suivantes : constituer des dossiers complets et aisément accessibles sur les mille entreprises les plus importantes de la planète ; attirer l'attention de l'opinion mondiale sur les implications des concentrations d'entreprises dans des secteurs clés tels que la banque, les médias, l'exploitation des ressources naturelles, la haute technologie et l'agroalimentaire ; réunir des preuves sur les pratiques prédatrices de dumping destinées à chasser du marché des concurrents plus faibles ; publier périodiquement la liste des entreprises qui, de par le monde, sont engagées d'une manière régulière dans des pratiques qui violent la réglementation ou la loi ; réunir et publier une documentation sur les coûts que représentent, pour la collectivité, les pratiques des entreprises qui sous-paient leur personnel, vendent des produits dangereux ou procèdent à des décharges de produits toxiques ; coordonner la négociation d'accords autorisant les victimes des pratiques d'une filiale nationale d'une firme transnationale à poursuivre en justice la maison mère dans un autre pays.

L'une des principales cibles est la notion juridique de « responsabilité limitée ». Dans la plupart des cas, les directeurs généraux des entreprises transnationales et leurs actionnaires bénéficient d'une immunité presque complète en matière de dommages infligés à l'environnement, aux travailleurs ou aux collectivités. Ainsi, quand Union Carbide a été jugée responsable de la mort de milliers de personnes lors de l'explosion d'une de ses usines à Bhopal (Inde), et quand le naufrage du pétrolier *Exxon Valdez* a entraîné la marée noire que l'on sait sur les côtes de l'Alaska, les actionnaires de ces sociétés géantes n'ont pas été tenus pour responsables. S'ils avaient été reconnus partiellement fautifs, c'est tout le marché boursier qui aurait subi une transformation radicale : toute personne désireuse d'acheter des actions d'une société devrait, au préalable, prendre la précaution de s'informer sur ses éventuelles violations de l'environnement, du droit du travail et des droits de l'homme. Tout aussi important, les directeurs généraux et autres dirigeants de ces sociétés seraient contraints de considérer prioritairement leurs obligations sociales, au lieu de ne prendre en considération, aveugles à tout le reste, que la seule augmentation du profit de l'actionnaire.

Des mesures juridiques commencent également à être prises pour rendre responsables les entreprises transnationales, dans leur pays d'origine, des dommages que leurs filiales (ou des sociétés qu'elles possèdent) peuvent causer dans d'autres pays. Ainsi des plaintes ont-elles été déposées contre Rio Tinto devant des tribunaux britanniques, au nom de travailleurs étrangers, pour exposition à la poussière d'uranium, et contre Thor Chemicals pour exposition au mercure (dans cette dernière affaire, les ouvriers ont eu gain de cause ; quant au jugement contre Rio Tinto, il est toujours en délibéré). Selon la section britannique du World Development Movement, ces verdicts pourraient faire jurisprudence sur les points suivants : les sièges sociaux centraux des entreprises transnationales sont responsables des décisions qu'ils prennent quant au fonctionnement de leurs filiales ; il n'est pas acceptable d'adopter à l'étranger des normes de sécurité inférieures à celles du pays d'origine ; les affaires concernant les dommages subis à l'étranger peuvent être plaidées devant les tribunaux britanniques si c'est le seul moyen d'obtenir justice.

De la même manière, le Congrès américain a été saisi d'une proposition de loi, déposée par la représentante Cynthia McKinney, qui imposerait des normes aux opérations à l'étranger des entreprises américaines, avec sanctions le cas échéant. Les normes en question sont les suivantes : versement de salaires décents, permettant de vivre ; interdiction d'imposer des heures supplémentaires aux moins de dix-huit ans, de procéder à des tests de grossesse à l'embauche et d'exercer des représailles contre ceux qui dénonceraient les abus commis ; respect des normes de base de l'OIT, tel le droit à se syndiquer, à la sécurité des conditions de travail et à la protection de la santé du travailleur, et respect des lois tant internationales qu'américaines sur l'environnement. Pour que ce code de conduite soit appliqué, il est prévu que les entreprises qui le respecteront bénéficient d'une priorité pour l'attribution des marchés publics américains et pour les aides à l'exportation ; de plus, les éventuelles victimes, même de nationalité étrangère, pourraient porter plainte devant des tribunaux américains.

Toutes ces initiatives, on le voit, s'inscrivent dans un mouvement général pour codifier à nouveau le comportement des entreprises dans la nouvelle économie mondiale, et tout cela va bien plus loin que le « Contrat planétaire » de l'ONU pour soumettre les entreprises transnationales à un contrôle démocratique et les contraindre à respecter l'état de droit. En effet, le « Contrat planétaire » repose sur la seule bonne volonté des entreprises signataires et pour nombre d'entre elles, comme Nike ou Rio Tinto (déjà dans le collimateur des associations de défense des travailleurs), il ne s'agit que d'une opération de relations publiques qui leur permet de se refaire à bon compte un visage décent dont elles ont grand besoin. Mais n'oublions pas ce qu'écrivait William Greider dans *The Nation*, cité au début de ce chapitre : « Le changement social commence presque toujours dans l'hypocrisie. »

10

UNE MOBILISATION MONDIALE

Comment bâtir un mouvement citoyen planétaire capable de faire contrepoids à la mondialisation marchande

« Ce dont ont besoin les mouvements issus de la société civile, c'est de ce forum international, où nous pouvons élaborer notre propre programme et nos propres straté- gies pour transformer l'économie planétaire », disait en janvier 2001 l'un des organisateurs du Forum social mondial de Porto Alegre.

Le Forum social mondial (FSM) a été créé pour consti- tuer un contrepoids symbolique et politique au Forum économique mondial de Davos qui réunit chaque année, à la fin janvier, les dirigeants des mille plus grandes entreprises mondiales ainsi que des chefs de gouverne- ment et hauts fonctionnaires de différents pays. Alors que Davos est l'occasion pour les dirigeants du monde écono- mique et du monde politique de réfléchir en commun à l'orientation de l'économie mondiale et d'échafauder des stratégies, le Forum social mondial sera lui aussi un évé- nement annuel permettant aux représentants de centaines d'organisations issues de la société civile de se rencontrer pour élaborer d'autres stratégies destinées à changer l'économie de la planète.

Le choix de Porto Alegre pour tenir ce Forum est lui-même tout un symbole, car la ville est connue pour le rôle que ses habitants jouent directement dans les décisions municipales : chaque année, la municipalité travaille avec un groupe de citoyens élus pour élaborer le budget de la ville et de sa région administrative (voir chapitre 9), ce qui est un bel exemple de démocratie directe. À côté de la municipalité de Porto Alegre, le Parti brésilien des travailleurs a également joué un rôle actif pour aider les organisations citoyennes des villes et des campagnes à construire un mouvement de résistance à la mondialisation. Et Porto Alegre a attribué au FSM un lieu de réunion doté de tous les équipements modernes.

Les cibles principales des participants au Forum (ils étaient 10 000) ont été l'entreprise transnationale et la « peu sainte » Trinité de la gouvernance planétaire (OMC, FMI, Banque mondiale). Cinq journées de réunions plénières et d'ateliers ont permis aux représentants de la société civile d'échanger leurs expériences sur la manière de mobiliser la résistance des citoyens, de proposer d'autres solutions économiques et de chercher à renforcer les alliances Nord-Sud. Le déroulement de ce premier Forum a prouvé qu'il était bel et bien un vivant contrepoids à celui de Davos.

Qui plus est, les principes de la démocratie participative ont été adoptés d'emblée par ses organisateurs. Pour préparer le Forum, de nombreux pays ont mis sur pied un comité national, représentatif de leurs principaux groupes militants. Chaque comité national était invité à proposer des thèmes pour les ateliers de travail et pour *les réunions consacrées à la stratégie et à l'organisation. Il avait aussi la tâche de former ses délégués au FSM et d'organiser des réunions spéciales pour les nombreux groupes militants qui ne seraient pas en mesure de participer au Forum. Le compte rendu des débats de Porto Alegre a été diffusé dans le monde entier par l'Internet.*

La mobilisation de la société civile

Comme le démontre la réunion de Porto Alegre, la mobilisation de la société civile est en train de s'organiser à trois niveaux : mondial, national, local. En ce début du XXIe siècle, la naissance de ce mouvement est peut-être l'événement politique le plus important, tant pour les nations que pour la communauté internationale. Comme on l'a déjà signalé dans l'introduction à propos de l'étude menée par Lester Salamon, de l'université Johns Hopkins, le secteur associatif connaît de nos jours une croissance sans précédent. Un million d'associations sans but lucratif sont enregistrées en Inde, et 300 000 au Brésil. Après la chute du communisme, c'est une moyenne annuelle de 100 000 nouvelles associations qui ont été créées en Russie en sept ans. La France en enregistre 70 000 nouvelles par an. Et le Canada compte actuellement 80 000 associations caritatives et 100 000 autres associations sans but lucratif.

Au total, nous dit Lester Salamon, ce monde associatif représente le huitième plus important secteur de l'économie mondiale. Certaines de ces associations, qui se sont donné une mission de service social, sont contraintes de faire des compromis avec les dirigeants du monde économique et du monde politique, mais elles sont de plus en plus nombreuses à s'engager dans une action politique et militante. Jadis, ce segment de la société civile (syndicats ouvriers et paysans, coopératives, organisations féministes, groupes de défense de l'environnement, organisations religieuses, associations pour la défense des droits civiques, groupes pacifistes) a joué dans maints pays un rôle déterminant dans le changement social démocratique. Aujourd'hui, il resurgit sur le devant de la scène, et c'est lui qui offre les meilleurs espoirs pour une transformation de l'économie mondiale et la construction d'un avenir démocratique dont l'enjeu n'est rien de moins que la survie de la planète.

La force de cette mobilisation citoyenne en plein essor réside dans un mélange de tradition et de nouveauté. Si les syndicats sont toujours une composante indispensable du mouvement pour transformer l'économie mondiale, c'est tout simplement parce qu'ils sont les premiers non seulement à avoir défendu les droits des travailleurs, mais à avoir constitué un contrepoids effectif au pouvoir considérable des propriétaires des moyens de production. Les mouvements féministe, paysan et écologiste de notre temps jouent aussi un rôle de premier plan dans la lutte contre la mondialisation : ils ont derrière eux beaucoup de monde et apportent à la lutte pour le changement social une vision et des valeurs essentielles. Les mouvements de défense des droits civiques, les organisations religieuses progressistes et les adversaires de la course aux armements apportent eux aussi, chacun dans leur domaine, une contribution notable au combat commun. Tous ces groupes sont très actifs et prêts à redéfinir leur rôle au sein de ce mouvement plus large en train de naître pour contrer la mondialisation marchande.

Simultanément, des réseaux de jeunes apportent avec

eux tout un ensemble de conceptions neuves, d'énergies fraîches et de styles d'organisation originaux. Ainsi, le mouvement écologiste d'origine britannique Reclaim the Streets (« Reconquérir les rues ») a démontré un remarquable talent dans l'art de mobiliser des milliers de personnes pour la défense de ce bien collectif qu'est l'espace public des rues, en organisant des fêtes, avec danse, musique, manifestations artistiques, bref une combinaison unique de *rave* et de rage, et il s'est souvent porté volontaire pour appuyer, selon son style propre, des campagnes menées pour la défense des droits civiques, de l'environnement ou des droits de l'homme. Aux États-Unis, le Direct Action Network et la Ruckus Society ont redécouvert la non-violence et la désobéissance civile, et ils forment des jeunes militants capables d'encadrer et d'organiser des actions directes très spectaculaires (en utilisant les méthodes des groupes ou réseaux d'affinité). Qui plus est, le Sud a lui aussi vu naître de nouvelles formes de résistance et d'organisation. Ainsi le Mouvement des travailleurs sans terre, au Brésil, combine-t-il les services sociaux (écoles primaires, coopératives alimentaires, relogement des familles paysannes déracinées dans des maisons préfabriquées) et des formes d'action plus agressives (occupations des grandes propriétés et des bâtiments publics). En Inde, le mouvement Jaiv Panchayat, qui a défié avec succès les géants de l'agrochimie et de la pharmacie en obtenant que les collectivités locales soient reconnues comme propriétaires de leur patrimoine végétal, n'a pu le faire qu'en inventant un système de résistance fondé sur le village et la collaboration des enfants, des parents et des conseillers municipaux.

Si le nouveau mouvement a pris un si grand élan, c'est aussi grâce à de nouveaux réseaux sectoriels nationaux et transnationaux : ainsi le People's Global Action mobilise-t-il un réseau international de militants lors de chaque sommet de la Banque mondiale, du FMI et de l'OMC. Quand le G-7 s'est réuni à Cologne, en juin 1999, ce sont People's Global Action, Reclaim the Street et d'autres groupes qui ont organisé ensemble « un carnaval mondial contre le capital ». People's Global Action a également aidé la caravane de 500 paysans indiens qui a traversé toute l'Europe de l'Ouest en manifestant dans toutes les capitales où Cargill, Monsanto et autres géants de l'agro-chimie avaient un quartier général. Parmi ces grands réseaux internationaux, il faut aussi citer Jubilé 2000, dont on a déjà parlé, qui cherche à mobiliser les communautés religieuses pour exiger l'annulation de la dette des pays pauvres.

Le rôle d'ATTAC

Un de ces réseaux mérite une attention particulière : ATTAC, fondé en France en 1998 pour faire campagne contre la spéculation financière internationale et pour l'institution de la taxe Tobin. Cette « Association pour une taxation des transactions financières pour l'aide aux citoyens » tire son nom de la phrase finale d'un éditorial du *Monde diplomatique* de décembre 1997, dû au directeur de ce prestigieux mensuel, Ignacio Ramonet.

Intitulé « Désarmer les marchés », l'article était un appel aux armes contre le comportement apparemment incontrôlable de la finance internationale, tel que la crise asiatique venait de le démontrer. Rarement un article aura eu un tel écho : *Le Monde diplomatique* a reçu des milliers de lettres de soutien du monde entier, envoyées par des citoyens soucieux d'en finir avec le « casino planétaire ».

Comme l'explique Christophe Aguitton, un des principaux militants du groupe, si la France était mûre pour ATTAC, c'est parce que la synergie y est particulièrement forte entre les différentes composantes du mouvement social. Alors qu'à la différence de l'Amérique du Nord ou de pays du tiers-monde comme le Brésil et la Corée du Sud, les syndicats européens n'ont pas joué un rôle actif dans les manifestations contre la mondialisation, il n'en va pas de même de la France où ATTAC est devenu un lieu de rencontre pour les syndicats et toutes sortes de groupes militants très variés, issus de la société civile.

En trois ans, ATTAC a réuni 30 000 membres et constitué des comités locaux dans plus de 200 villes françaises. Le mouvement s'est également internationalisé, en encourageant la création de filiales au Sénégal, au Brésil, au Québec, et en s'associant à tous les autres groupes antimondialisation de la planète. Il n'est donc pas étonnant qu'ATTAC ait joué un rôle majeur dans l'organisation du Forum social mondial de Porto Alegre.

Les organisateurs de l'événement, prévu pour janvier 2000, attendaient 1 600 participants. Mais ils seront plus de 10 000, ainsi que 1 800 journalistes, à se presser dans les locaux de l'université catholique, où le Forum était hébergé. Entre autres personnalités présentes, citons Danielle Mitterrand, femme de l'ancien président français et militante des droits de l'homme, Rigoberta Menchu, du Guatemala, prix Nobel de la paix, l'écrivain chilien Ariel Dorfman, le poète et historien uruguayen Eduardo Galeano, le leader de la révolte bolivienne Oscar Olivera, le dirigeant du Parti des travailleurs brésilien Lula da Silva, celui du mouvement des Paysans sans terre du Brésil Joao Pedro Stedile, le prix Nobel portugais de littérature José Saramago, l'ancien chef du FLN algérien Ahmed Ben Bella, et José Bové.

Chaque matinée était consacrée à quatre séances plénières simultanées (traduites en quatre langues) et les après-midi à des centaines d'ateliers sur toutes sortes de questions (commerce, agriculture, droits de l'homme, environnement, droit du travail, démocratie, violence et société civile, pour n'en citer que quelques-unes). À la fin de chaque journée, des écrivains et des militants (dont beaucoup avaient risqué leur vie dans la lutte contre des régimes oppresseurs) racontaient leurs « témoignages » devant des salles combles.

Le Forum débouchera sur la rédaction d'un texte puissant, l'« Appel de Porto Alegre à la mobilisation des peuples », qui exhorte à combattre « l'hégémonie de la finance, la destruction des cultures, la monopolisation du savoir et des médias, la dégradation de la nature et la destruction de la qualité de la vie » imputables aux entreprises transnationales et aux institutions commerciales et financières internationales qui se sont mises à leur service.

La déclaration demandait aussi l'annulation de la dette des pays pauvres, le versement de réparations aux anciennes colonies par les ex-puissances coloniales, une taxe sur la spéculation financière, et la mise en place d'un système commercial mondial capable d'assurer le plein emploi, la souveraineté alimentaire, la fin de l'injustice dans les termes de l'échange, ainsi qu'une réforme agraire, une interdiction des OGM, le contrôle public sur la nourriture et l'eau, l'interdiction de breveter le vivant, toutes demandes qui avaient fait l'objet d'un vaste consensus au cours des réunions.

Le Forum social mondial de Porto Alegre a prouvé plusieurs choses importantes sur le mouvement en train de naître, où ATTAC joue un rôle déterminant : contrairement aux accusations des politiciens et des experts qui s'expriment dans les médias, il s'agit d'un mouvement très divers, pacifique, très bien informé, et non pas simplement d'un phénomène propre aux pays du Nord, dont le programme ne concernerait qu'eux. En fait, le Forum a pris naissance dans un double contexte logistique, politique, éthique et spirituel : celui du projet citoyen et celui de la libération du Sud.

Transformer le capitalisme et la démocratie

Que faire de ce dynamique mouvement social ? Comment le nommer ? Y voir simplement un « mouvement de la société civile » ne suffit pas. Bien que la société civile emplisse cet espace public indépendant et vital entre l'État et les entreprises, elle n'en est pas moins, selon Antonio Gramsci, un labyrinthe « d'attitudes, de valeurs et d'intérêts conflictuels ». Le mouvement a besoin d'un nom qui le distingue des autres mouvements sociaux. Pourtant, la formule « mouvement antimondialisation » ne satisfait pas complètement non plus. La plupart de ses jeunes militants ne sont pas nécessairement hostiles à la mondialisation, mais ils rejettent celle qui est mise en place par les grandes entreprises. Pour ceux qui cherchent à bâtir un autre système et à transformer l'économie planétaire, mettre en avant le seul combat contre la mondialisation marchande ne rend pas pleinement compte de ce que veut le mouvement. Peut-être certains militants ont-ils raison de penser que ce nouveau mouvement est si décentralisé, si diffus, qu'il ne peut être convenablement baptisé.

Une possibilité existe cependant. La plupart des groupes citoyens qui occupent aujourd'hui la scène ont un ensemble d'objectifs en commun : tous luttent pour la défense des droits démocratiques dans au moins un secteur parmi tous ceux qui ont été évoqués au chapitre 6 (droits à la survie, droits économiques, droits de l'environnement, droits sociaux, droits culturels, droits de l'homme). Si bien que la formule « mouvement pour une nouvelle démocratie » est peut-être la plus adéquate. Sur bien des fronts de cette lutte pour les droits démocratiques, ce qu'exigent les groupes engagés, c'est d'empêcher que des secteurs vitaux tels que l'alimentation, l'eau, la santé, l'enseignement, l'environnement, les semences, les gènes, la culture (pour n'en citer que quelques-uns) ne soient aspirés dans le tourbillon d'une économie de marché planétaire contrôlée par les sociétés transnationales. Beaucoup luttent aussi pour une relocalisation de l'économie dans les communautés, où les citoyens seraient en mesure d'exercer un contrôle démocratique sur le développement économique local et sa dimension environnementale au sein de l'économie mondialisée. Ce qui émerge à travers tous ces objectifs, c'est une demande de redistribution de la richesse et du pouvoir. Élaborer une nouvelle démocratie selon ces axes aux niveaux local, national et international est le seul remède possible aux méfaits de la mondialisation marchande.

POUR UN CONTRÔLE DÉMOCRATIQUE LOCAL

Le règne de la Banque mondiale et de l'OMC est celui d'institutions supranationales qui ne servent que les intérêts marchands et échappent à tout contrôle des citoyens. En cette ère de libre-échange, l'État se retire de la réglementation sociale et environnementale, si bien que les communautés locales sont en train de s'organiser pour réguler elles-mêmes l'activité marchande, en affirmant leurs droits inaliénables sur les ressources naturelles, la terre, l'eau et la biodiversité, et leurs droits démocratiques à décider comment ces ressources seront utilisées [...]. Aujourd'hui, dans tous les secteurs, les grandes entreprises transnationales ont été contraintes de reconnaître que c'est le feu vert des citoyens, et non pas seulement celui des gouvernements, qui assure le vrai fonctionnement de la démocratie.

Vandana Shiva, Afsar H. Jafri et Gitanjali Bedi,
Ecological Costs of Economic Globalization :
The Indian Experience.

Au cœur du mouvement, il semble bien qu'il y ait la volonté de transformer à la fois le capitalisme et la démocratie : la « mondialisation libérale », dernier avatar du capitalisme, a si profondément défiguré la démocratie que les droits fondamentaux sont en péril. Pendant des générations, on a dit et répété que le plus grand danger pour la démocratie était l'existence du communisme. La chute du mur de Berlin et le triomphe du capitalisme étaient censés ouvrir une ère où la démocratie fleurirait. Mais cette promesse est de plus en plus considérée comme un mensonge aussi bien par les jeunes que par des générations plus âgées. La mondialisation d'un capitalisme sans frein à travers les activités planétaires d'entreprises transnationales, largement facilitées par l'OMC, le FMI et la Banque mondiale, a révélé au grand jour certains des problèmes structurels de la démocratie elle-même. Au lieu de bénéficier des fruits de la démocratie (progrès dans l'égalité, développement durable, participation civique), les citoyens se trouvent confrontés à une montée des inégalités économiques et sociales, à de nouvelles destructions de l'environnement, à une perte de contrôle sur leur avenir économique, social et écologique.

Bien que les institutions créées à Bretton Woods aient eu pour vocation originelle d'éliminer ces inégalités (ou tout au moins de les atténuer), le « mouvement pour une nouvelle démocratie » doit expliquer aux opinions publiques que le FMI, la Banque mondiale et l'OMC sont devenus aujourd'hui des prédateurs. Après avoir accru la misère et les souffrances des pauvres du Sud par ses programmes d'ajustement structurel pendant les vingt dernières années, le FMI met en place des plans massifs de sauvetage en faveur des seuls investisseurs de Wall Street qui ont spéculé sur les monnaies et les productions du tiers-monde. De son côté, la Banque mondiale continue à financer d'énormes barrages qui obligent à déplacer des populations entières et causent de gros dégâts à l'environnement. La collusion de plus en plus marquée entre gouvernements et sociétés transnationales (sous l'aile protectrice de l'OMC) signifie que les grands intérêts commerciaux peuvent imposer des règles qui l'emportent sur les législations des nations souveraines dans les domaines de l'économie, du social, de l'environnement, de la culture et de la protection du consommateur. Dans tous les secteurs (agriculture, ressources naturelles, produits manufacturés, propriété intellectuelle et services publics), les règles de l'OMC ont pour premier objectif de servir les intérêts mondiaux des sociétés transnationales en leur donnant de puissants instruments de sanction contre tout ce qui peut entraver leur rapacité.

Aujourd'hui que le rôle premier de l'État est de protéger les investisseurs et non les citoyens (renversement du cours des choses qui mériterait une satire à la Dickens), cette dévotion de la puissance publique pour les intérêts des grandes entreprises est le principal problème que doit affronter le « mouvement pour une nouvelle démocratie ». Comme l'explique Vandana Shiva, dans un État-nation centralisé, la menace qui pèse sur la démocratie n'est pas le protectionnisme des États, mais le protectionnisme des entreprises (qui utilisent les accords de libre-échange à des fins monopolistiques). Dans un pays comme le Canada, trois puissants ministères, le DAECE, les Finances et l'Industrie, sont les principaux artisans de l'orientation politique générale du gouvernement fédéral et de la législation qu'il adopte, en collusion avec les *lobbies* des grandes entreprises comme le Business Council on National Issues. Tous les autres départements ministériels (Agriculture, Environnement, Santé, Ressources humaines, Patrimoine et Pêche) sont subordonnés aux diktats des trois autres. Les pouvoirs de cette junte ministérielle et ses effets néfastes sur la démocratie doivent devenir la cible principale d'une politique de résistance et de changement.

Le rôle de l'État est en effet crucial si l'on veut atteindre les objectifs du « mouvement pour une nouvelle démocratie ». Sans doute certains éléments anarchistes, au sein du mouvement, n'acceptent-ils pas cette idée, et l'on peut comprendre l'attitude de rejet de bien des gens à l'égard de ce modèle de puissance publique au service des entreprises qui sévit dans tant de pays, aussi bien au Nord qu'au Sud. Néanmoins, certains militants des pays du Sud, tout en reconnaissant les faiblesses de leur gouvernement, soulignent que l'État reste une structure indispensable pour parvenir à la justice sociale et assurer la survie de la planète. Le mouvement doit donc accorder la priorité à la démocratisation des gouvernements et de leurs institutions. Selon Vandana Shiva, le moment est venu pour la société civile de redéfinir la démocratie « en termes de décision des citoyens dans leur vie de tous les jours » et de redéfinir la nation « en termes d'union de citoyens et non d'État centralisé ». Ceci demande une dispersion, à travers toute la société, des pouvoirs de décision économique et politique, ainsi qu'une démultiplication des institutions.

Qui plus est, une gouvernance démocratique est indispensable à la transformation de l'économie planétaire. Sans elle, on ne peut espérer atteindre les grands objectifs du programme citoyen énumérés aux chapitres 8 et 9 : instituer un nouveau régime du commerce, réorganiser la finance internationale, réguler à nouveau les investissements étrangers, modifier le droit des entreprises. Tous ces objectifs stratégiques demandent l'intervention d'un gouvernement central. Avant que le DAECE ne soit démantelé et remodelé, il faut que l'État canadien soit redéfini en fonction de trois objectifs : défendre les droits démocratiques des citoyens, étendre les biens collectifs et construire des communautés capables d'un certain développement autonome, respectueux de l'écologie. Même s'il faut conserver, voire accroître, certains des pouvoirs d'Ottawa pour lui permettre d'affronter les sociétés transnationales, il faut aussi instaurer une plus grande participation des citoyens à l'exercice de ces pouvoirs.

Le mouvement pour la nouvelle démocratie doit être très vigilant sur ce front. La création permanente de la démocratie doit devenir sa raison d'être. Démocratiser l'État à tous ses niveaux (local, national, mondial) est la priorité absolue. Il va de soi que le mouvement n'est pas un parti politique et qu'il ne doit pas en devenir un. José Bové l'a dit très clairement : « Nous sommes un contre-pouvoir, et non pas un substitut du politique. Nous n'avons pas de réponses toutes faites sur tout [...]. Notre rôle est de faire réfléchir les gens. » Mais une action de type politique sera nécessaire pour mettre en place le programme de transformation de l'économie mondiale. Il ne suffit pas qu'un parti politique adopte ce programme parmi d'autres dans son discours électoral. Aussi longtemps que les institutions de la gouvernance seront au service des grandes entreprises, la question de savoir quel parti est au pouvoir est sans importance. C'est pourquoi le « mouvement pour une nouvelle démocratie » doit se préparer à jouer un rôle très actif dans la démocratisation du gouvernement. Il ne faudrait pas non plus qu'il abandonne un « bon gouvernement » dès que celui-ci est élu, car les grands intérêts et la cupidité frapperont toujours à la porte.

Un contrepoids planétaire

Pour entreprendre ces changements, le mouvement n'est pas sans pouvoir. La « très peu sainte » Trinité (FMI, Banque mondiale, OMC) connaît aujourd'hui une crise de légitimité. La défaite de l'AMI, la bataille de Seattle et l'adoption du protocole sur la biosécurité par les ministres de l'Environnement à Montréal en janvier 2000 ont donné au mouvement un certain prestige dans l'opinion. Et les victoires se sont succédé. La tentative de l'Australie et de la Nouvelle-Zélande pour conclure un accord de libre-échange avec les pays du Sud-Est asiatique a tourné court. Des droits pour les travailleurs et des normes environnementales ont été inclus dans un accord bilatéral de libre-échange entre les États-Unis et la Jordanie. La conférence ministérielle de l'OMC, en novembre 2001, a eu beaucoup

de mal à trouver un pays hôte. Aux États-Unis, le pouvoir
des sociétés transnationales n'a jamais été autant mis en
question depuis le début des années 1970 (quand les géants
du pétrole avaient été soupçonnés d'avoir provoqué la crise
pétrolière pour faire grimper les prix). Plusieurs des succès
enregistrés par le mouvement sont dus à ses constantes
références aux principes et aux clauses de la Déclaration
universelle des droits de l'homme, des deux pactes internationaux qui la complètent (le premier sur les droits économiques, sociaux et culturels, le second sur les droits civils
et politiques), des résolutions votées par les sommets
sociaux de l'ONU et des accords multilatéraux sur l'environnement. Ce corpus juridique international se révèle une
arme précieuse contre les compagnies transnationales.

Depuis la bataille de Seattle, l'élan est du côté du
« mouvement pour une nouvelle démocratie ». Ce qui ne
veut pas dire que le moment est venu de le ralentir : c'est
au contraire celui de pousser les feux, d'une conférence
ministérielle à l'autre. Mais c'est aussi le temps de se
préparer à un long voyage. Si l'on veut que le mouvement
devienne assez fort pour gagner les futures batailles (sans
parler de la guerre elle-même), il faut prendre des
mesures concertées pour renforcer ses capacités sur les
fronts nationaux et internationaux. Pour y parvenir, voici
un plan en six étapes.

1. Réunir en un front commun les organisations citoyennes

Dans la plupart des pays, les associations qui œuvrent
sur les multiples questions liées à la mondialisation marchande sont très dispersées et sans lien les unes avec les

autres. Il en va de même au niveau international. Bien que l'Internet ait été un remarquable outil pour relier les militants à titre individuel, et même si des groupes s'associent périodiquement pour des campagnes sur des thèmes particuliers, il existe rarement un lieu de rencontre où ils pourraient forger en continu une vraie solidarité. À partir des six champs de bataille pour les droits démocratiques exposés dans les chapitres 6 et 7, il doit être possible d'identifier les différents groupes militants qui pourraient être réunis en un front commun. La perspective de constituer un « mouvement pour une nouvelle démocratie » peut agir comme un stimulant pour fédérer ces groupes autour des objectifs de transformation de l'économie mondiale et des stratégies à employer. Mais comme il faut respecter le pluralisme et la décentralisation, c'est la structure en *hubs* et en *spokes* (voir p. 285) qui devrait être considérée comme le modèle organisationnel de ce front commun. Des délégués élus de chacun des groupes formeraient le *hub*, les *spokes* étant les différentes campagnes organisées contre les multiples méfaits de la mondialisation marchande.

LA COHÉRENCE D'UN ESSAIM DE MOUSTIQUES
Comment assurer la cohérence d'un mouvement [...] dont la grande force tactique, jusqu'ici, a été d'agir comme un essaim de moustiques ? Peut-être, comme dans le cas de l'Internet, ne faut-il pas imposer une structure préétablie, mais surfer habilement sur les structures déjà en place [...]. Tant de groupes sont impliqués dans la campagne contre la mondialisation marchande que le modèle des *hubs* et des *spokes* est le seul qui puisse convenir à leurs différences de styles, de tactiques et d'objectifs [...]. L'accusation de manquer de « vision » souvent portée contre le mouvement s'écroule d'elle-

même quand on regarde de près le contenu de ces campagnes. Il n'est pas niable que les manifestations de Seattle et de Washington étaient un salmigondis de slogans et de bannières [...], mais quand ils cherchent à trouver une cohérence dans ces grands déploiements de force populaire, les critiques confondent la réalité du mouvement avec son apparence, et prennent la forêt pour des gens vêtus en arbres [1]. Ce mouvement est tout entier dans ses *spokes*, et là, l'esprit visionnaire ne manque pas.

Naomi Klein, « The Vision Thing », *The Nation*.

Étant donné la diversité des méthodes et des philosophies de chaque groupe, il n'est pas facile d'entreprendre la constitution d'un front commun au niveau international. Un espoir existe pourtant depuis le lancement à Porto Alegre, en janvier 2001, du Forum social mondial, comme contrepoids au Forum économique mondial de Davos. Grâce à ce Forum social, les grandes campagnes de lutte contre l'OMC, le FMI et la Banque mondiale menées par des groupes comme le Third World Network, Fifty Years Is Enough, etc., pourraient être rassemblées sous une même direction. La réunion annuelle du Forum social est non seulement une occasion de parvenir à une meilleure coordination entre ces différentes grandes campagnes au niveau mondial, mais elle donnerait aussi aux groupes des pays du Sud la possibilité de jouer un rôle plus actif dans l'élaboration de ces campagnes. Au final, le Forum social mondial pourrait devenir le sommet

---

1. Référence au célèbre épisode de *Macbeth*, lorsque les ennemis du tyran se déguisent en arbres pour attaquer son château de Dunsinane, réalisant ainsi la prédiction des sorcières qui rassurait tant Macbeth : il ne pourrait être vaincu que si la forêt de Birnam avançait jusqu'à Dunsinane. Ici, les « gens vêtus en arbres » renvoient aux manifestants déguisés en maïs transgénique, etc. (NdT).

annuel des grands représentants de la société civile de tous les pays.

Les syndicats peuvent jouer un rôle déterminant dans l'organisation de ce nouveau front commun. Dans la plupart des pays, ils représentent une part importante des travailleurs, et ils sont le seul secteur de la société civile qui a les capacités de négocier efficacement avec ceux qui contrôlent les moyens de production. Cependant, la CISL (Confédération internationale des syndicats libres), qui joue un rôle majeur dans l'élaboration de la politique syndicale face à la mondialisation, est souvent une pierre d'achoppement pour bien des associations soucieuses de forger des alliances : elle a tendance à faire cavalier seul et se montre prête au compromis avec l'adversaire (par exemple, à accepter les traités de libre-échange dès lors qu'ils contiennent une « clause sociale », position qui ne saurait être celle du « mouvement pour une démocratie nouvelle »). Il faut un effort concerté de toutes les organisations de la société civile pour appeler les syndicats à s'investir dans l'édification d'un front commun, non seulement à l'intérieur de chaque pays, mais au niveau international.

Au Canada, par exemple, le Canadian Labour Congress (« Rassemblement des travailleurs canadiens ») et ses syndicats affiliés ont réuni leurs forces avec celles du Conseil des Canadiens et de plus de cinquante autres groupes pour former un « Front commun contre l'OMC ». Plusieurs des organisations qui y participent sont également membres de Common Frontiers, qui centre ses efforts sur une renégociation de l'ALENA, et de l'« Initiative de Halifax », qui œuvre pour la remise de la dette des pays pauvres et la fin des programmes d'ajustement structurel du FMI et de la Banque mondiale. Ces trois coalitions opération-

LA BATAILLE DE SEATTLE

nelles peuvent apporter une forte contribution à la constitution d'un front commun, et l'un des principaux objectifs
du mouvement est de les réunir dans le combat contre le
monstre ministériel d'Ottawa et pour la promotion d'un
nouveau modèle de gouvernance démocratique. À tout le
moins, ces trois coalitions devraient tenir un sommet
annuel pour clarifier leurs principes et leurs stratégies.
Au bout du compte, le modèle des *hubs* et des *spokes* peut
également faciliter la communication entre associations
militantes et renforcer leur organisation en réseau.

2. *Accroître la participation des groupes marginalisés*

Les spectaculaires manifestations de Seattle, Washington, Birmingham, Melbourne et Prague ont montré que
les mouvements de résistance à la mondialisation marchande sont avant tout composés de Blancs des classes
moyennes. Même dans les opérations de blocus des sommets organisées par les jeunes, et dans leurs camps de
formation à l'action directe, l'absence de gens de couleur,
de pauvres et de marginaux saute aux yeux. Étant donné
que les premières victimes de la mondialisation sont des
pauvres et des non-Blancs, le mouvement pour une démocratie nouvelle se doit de mieux représenter la diversité
des classes et des races. Mais cela demandera du temps.
Les organisations communautaires du Nord, qui comptent
le plus grand nombre de pauvres et de gens de couleur,
se préoccupent avant tout de leurs propres batailles
locales, et il ne leur est pas facile d'inscrire leur lutte
dans le combat international contre la mondialisation. Un
jeune militant américain, actif dans les ghettos urbains, le
dit très clairement : « Pour nous, gens de couleur, le problème immédiat n'est pas la mondialisation, mais de

savoir comment nous allons nourrir nos enfants. » Il en
va de même pour de nombreux groupes de défense des
femmes au niveau local. Il aura fallu attendre la bataille
de Seattle pour que nombre de ces groupes communautaires du Nord apprennent l'existence d'un mouvement
de lutte contre la mondialisation.

À long terme, cependant, la crédibilité du « mouvement pour une démocratie nouvelle » dépend de sa capacité à mobiliser les pauvres, les marginalisés et les gens
de couleur. Ce qui a surtout manqué jusqu'ici, c'est une
approche qui mette l'accent sur la « mondialisation d'en
bas » comme contrepoids à la « mondialisation d'en
haut ». Une enquête auprès des associations américaines
travaillant sur le terrain, après la bataille de Seattle, a
montré qu'un nombre important d'entre elles, qu'elles
luttent contre le travail précaire ou les déchets toxiques,
se sentaient diminuées de ne pas participer, ou très peu,
au « mouvement antimondialisation ». L'étude montrait
également qu'une grande partie des documents éducatifs
sur les problèmes de la mondialisation, par ailleurs excellents, étaient produits par des associations d'intérêt public
ou des groupes de recherche basés à Washington, sans
que les associations communautaires ou de terrain y aient
en rien contribué. Non seulement le langage de ces documents est souvent technique et juridique, mais presque
rien n'est fait pour communiquer en termes de race, de
classe ou de sexe. Il est indispensable que le Nord mette
au point de nouveaux outils éducatifs qui partent de « la
mondialisation d'en bas ».

UNE PASSION POUR LA JUSTICE

Oui au partenariat et à la solidarité, fondés sur la passion, c'est-à-dire sur des individus reliés entre eux par

un lien affectif. Gouvernements et institutions sont, par nature, incapables d'éprouver cette passion pour la justice qui est source d'une si grande force. Ce sont les individus comme êtres humains, et non comme militants professionnels au sein d'une ONG, qui peuvent rendre la vie au monde. C'est avant tout le lien affectif avec les dépossédés qui sera la base de la démocratie nouvelle. Ou alors elle n'aura rien de nouveau.

Alejandro Bendaña, Centro de estudios internacionales, Managua, Nicaragua.

Dans l'élaboration des stratégies de campagne, la priorité doit être d'informer les organisations qui luttent contre la pauvreté, les groupes de femmes œuvrant sur le terrain, les communautés d'immigrés, les associations de défense des peuples autochtones, des gens de couleur et des sans-abri. Des mouvements alliés des pays du Sud peuvent nous apporter ici une aide précieuse. Mais on constate qu'un nombre important d'autres groupes citoyens pour la défense de l'environnement, de la culture, de droit des femmes, du développement des pays pauvres, des droits de l'homme, ainsi que des organisations religieuses, manquent à l'appel quand il s'agit de monter une action commune : les rallier aux campagnes organisées par le mouvement doit être une priorité. De même, il faut chercher à atteindre et à mobiliser le plus grand nombre possible de ceux qui sont les victimes des agents actuels de la gouvernance mondiale.

Au Canada, il faut tisser des liens de solidarité avec plusieurs syndicats au rôle clé, avec les étudiants, et avec différentes organisations : celles qui luttent contre la pauvreté, comme l'Ontario Coalition against Poverty, les groupes pour la défense des aborigènes comme l'Assemblée des Premières Nations, et les collectifs œuvrant sur le terrain comme le Solidarity Network basé à Ottawa. Il faut savoir démontrer aux pauvres des villes et aux aborigènes canadiens, engagés dans une lutte quotidienne, que leur sort est lié aux nouvelles règles en cours d'élaboration à l'OMC sur la santé, l'enseignement, les services sociaux. Il faut mettre au point de nouveaux instruments d'éducation populaire qui sachent refléter les problèmes de race, de classe, et de sexe. Une conférence sur la solidarité pourrait aussi être organisée afin de réunir ces organisations de pauvres et d'exclus, et de trouver le moyen d'établir un lien entre leurs combats locaux et la résistance générale à la mondialisation.

3. Organiser des réseaux de défense au niveau des communautés

Néanmoins, un mouvement authentiquement citoyen doit également se donner la tâche prioritaire d'organiser les communautés locales en groupes d'action, puisqu'elles sont les premières victimes des compagnies transnationales en matière de pollution et de délocalisation des emplois. D'une certaine manière, il s'agit de revenir à ce que Gandhi appelait les principes du *Swaraj* (relocaliser la décision politique dans les communautés où vivent et travaillent les individus) et du *Swadeshi* (relocaliser la décision économique dans les communautés où les ressources locales peuvent être utilisées pour produire des biens et des services).

Un des moyens d'y parvenir est d'organiser des réseaux communautaires de défense, composés de militants appartenant à différentes organisations citoyennes (syndicats, associations pour la défense de l'environnement, des femmes et des paysans, groupes de quartier). Ces réseaux auraient pour tâche de concevoir des campagnes locales de résistance et de proposition. L'accent devrait être mis sur les incidences qu'ont sur la vie des communautés l'ALENA, le FTAA, et les institutions de gouvernance mondiales que sont le FMI, l'OMC et la Banque mondiale. Comme forme d'organisation politique, les réseaux de défense diffèrent à la fois des associations habituelles et des coalitions formelles : ils exigent un très fort engagement individuel, un grand sens des responsabilités, et ils reposent sur le travail en équipe d'individus venus de différents horizons. Telle campagne peut être l'initiative de telle organisation particulière, mais sa planification sera menée à bien par une équipe de militants appartenant à plusieurs autres groupes, agissant dans différents secteurs. Là aussi, le recours aux groupes d'affinité inventés par les jeunes militants peut se révéler précieux.

Le groupe Trading Strategies, de Vancouver, en est un bon exemple. Coprésidé par les instances locales du Conseil des Canadiens et du syndicat de l'automobile, Trading Strategies réunit des militants venus de plusieurs autres organisations telles que la West Coast Environmental Law Association, la Société des enseignants de Colombie-Britannique, le Conseil du travail du district de Vancouver, et une foule d'associations œuvrant sur le terrain dans tous les domaines. Organisé selon le modèle des *hubs* et des *spokes*, Trading Strategies sert de plate-forme à toutes sortes de campagnes, dont chacune mobilise un petit nombre de militants (par exemple sur les négociations en cours à l'OMC, sur les aliments transgéniques et les biotechnologies, sur les conséquences de l'ALENA en matière d'eau potable et de forêts, sujets très sensibles dans la région). Les projets de campagnes sont présentés soit par des militants à titre individuel, soit par des associations, et dès que tel projet fait l'objet d'un accord général, une équipe de militants se charge de son organisation. C'est par ces méthodes que Trading Strategies a joué un rôle déterminant dans les actions locales contre l'AMI et pour la préparation de la bataille de Seattle.

Des réseaux de ce type pourraient être organisés d'un bout à l'autre du Canada, dans les principales communautés urbaines et rurales. Homologues locaux du « Front commun », ils apporteraient une solide base communautaire au « mouvement pour une démocratie nouvelle ». En traitant de problèmes locaux qui s'inscrivent dans les grands thèmes des campagnes nationales et internationales, ces réseaux communautaires donneraient un sens concret à la formule de « mondialisation d'en bas ». Plus important encore, ils seraient l'instrument permettant aux groupes locaux de participer activement à la naissance du nouveau mouvement.

4. Définir le rôle des campagnes d'action dans l'édification du mouvement

Dans les associations citoyennes des pays du Nord, la tendance dominante est plutôt d'organiser des campagnes à court terme que de construire un véritable mouvement pour la transformation à long terme de l'économie mondiale. Il est vrai que les campagnes courtes et bien ciblées sont très utiles pour influencer l'opinion publique et le débat politique dans les pays démocratiques, et qu'elles ont eu plus d'une fois des résultats positifs. Néanmoins, elles ont trop souvent tendance à ignorer les causes fondamentales des problèmes auxquels elles s'attaquent. Une campagne dont l'objectif principal est d'attirer l'attention des médias et non de mobiliser les citoyens ne contribue guère à la construction d'un authentique mouvement social.

Choisir la bonne cible est capital quand on organise une campagne de résistance et de proposition. Prenons l'exemple de la lutte contre les négociations en cours à l'OMC sur les services : si l'opération n'est pas conçue pour démasquer le rôle du DAECE et sa collusion avec les grandes entreprises, si elle ne s'attache pas à retracer les intérêts économiques dominants qui pèsent le plus lourd sur la position canadienne dans la négociation, elle n'aura qu'un impact limité. De la même façon, des campagnes sur l'annulation de la dette des pays pauvres, destinées à contraindre le FMI et la Banque mondiale à changer de politique, devraient se donner pour tâche prioritaire de révéler au grand jour le rôle joué, côté canadien, par le ministère des Finances et les banques, et, côté américain, par l'alliance entre Wall Street et le Trésor, pour perpétuer la spirale d'endettement dans laquelle sont plongés les pays du tiers-monde et les anciens pays communistes. En d'autres termes, une campagne doit s'attaquer aux causes profondes de ce qu'elle dénonce. Et cela demande une meilleure compréhension du capitalisme et de la démocratie, de leur nature et de leur fonctionnement.

Les campagnes peuvent aussi servir la construction du mouvement en fournissant à des citoyens une occasion de se former à l'exercice du leadership et jouer un véritable rôle d'école pour les militants. Au lieu de ne voir dans les citoyens ordinaires que des troupes à mobiliser, les organisateurs doivent se préoccuper de les former à la direction en équipe. Une méthode efficace est de réunir autour d'une même tâche une équipe d'individus dotés de talents différents. Une fois intégré à une équipe, chacun peut développer ses capacités propres de chercheur, de dirigeant d'atelier, d'organisateur de communauté, de stratège, de porte-parole auprès des médias et des politiques. Mais si la formation d'équipes dirigeantes est un des objectifs des grandes campagnes, nationales et internationales, ce sont encore les campagnes locales qui sont le meilleur moyen de les produire. Mieux encore, chaque fois que l'on organise une action nationale, il faut se préoccuper de la contribution qu'elle peut apporter à la formation d'équipes dirigeantes au niveau local, et l'on n'y parviendra qu'en liant les objectifs de la campagne avec ceux des militants œuvrant localement sur le terrain.

5. Développer la capacité de mobiliser une puissance collective

Dans une société démocratique, l'un des meilleurs atouts des citoyens pour faire avancer le progrès social est de retirer leur appui aux pouvoirs établis : travailler, acheter des produits, payer des impôts sont autant de consentements donnés à ceux qui gouvernent. En refusant collectivement ce « feu vert », les citoyens peuvent créer une « crise de légitimité » qui sape le pouvoir de leurs adversaires et modifie l'équilibre des forces. La simple menace de retirer leur appui peut même suffire à mettre publiquement en question la légitimité des pouvoirs établis, et la classe dirigeante préfère souvent faire des concessions que de voir son autorité affaiblie. Une fois que les rapports de force auront ainsi été modifiés, les organisations de la société civile découvriront de nouvelles occasions d'avancées stratégiques.

RETIRER SON CONSENTEMENT

Le lien social se caractérise par le pouvoir exercé par certains avec le consentement des autres. C'est l'activité de la population (aller au travail, payer ses impôts, acheter des produits, obéir aux représentants de l'État, respecter la propriété privée) qui fonde en permanence la puissance des puissants [...]. Cette situation de dépendance donne en fait aux citoyens un grand pouvoir potentiel sur la société, mais un pouvoir qu'ils ne peuvent concrétiser que s'ils sont prêts à retirer leur consentement.

Jeremy Brecher, Tim Costello et Brendan Smith,
Globalization from Below : The Power of Solidarity.

Bâtir le « mouvement pour une démocratie nouvelle » exige que les organisations de la société civile renforcent leur capacité à exercer cette forme de pouvoir collectif. Bien qu'elles aient à ce jour recouru à plus de deux cents méthodes identifiées d'action non violente pour retirer leur consentement ou exprimer leur dissidence, les plus fréquemment utilisées sont les grèves, les boycottages et la désobéissance civile. Mais nombre d'organisations engagées dans des campagnes contre la mondialisation marchande n'ont pas encore eu recours à ces tactiques. Et même quand elles utilisent ces méthodes d'action directe non violente, elles n'accordent pas toujours l'attention stratégique suffisante aux forces en jeu ni aux bonnes occasions à saisir pour modifier le rapport des forces. Ainsi, dans la mobilisation contre l'AMI, contre le « cycle du Millénaire » à Seattle, ou contre le financement du barrage sur la Narmada par la Banque mondiale, la bonne stratégie n'est apparue que parce que les institutions visées étaient victimes d'une crise de légitimité provoquée en partie par différentes méthodes d'action directe non violente. Et même si ces batailles ont été victorieuses, certaines opportunités stratégiques ont été manquées, qu'on aurait pu saisir si l'on avait disposé d'une meilleure connaissance des adversaires (secteur privé, gouvernements), de leurs propres relations et de leurs manœuvres.

Les possibilités qu'ont les organisations citoyennes de saper l'autorité et la légitimité des grandes entreprises et de leurs laquais gouvernementaux dépendent largement de leur engagement à ne recourir qu'à l'action directe non violente. Que les gouvernements eux-mêmes réagissent avec violence contre les manifestants en lâchant sur eux leur police ou leur armée est une chose, mais quand certaines factions anarchistes se livrent au pillage et au vandalisme dans les rues de Genève, Seattle et Prague, elles font courir au mouvement dans son ensemble le risque, grave, de perdre à son tour toute légitimité aux yeux de l'opinion. On peut très bien comprendre l'amertume, la colère, le désespoir qui saisissent certains quand ils voient ce que les gouvernements et les grandes entreprises font subir à l'humanité et à la planète. De fait, bien des jeunes qui se livrent à ces pillages viennent des couches sociales les plus pauvres et les plus démunies de pouvoir. Mais les mouvements sociaux perdent invariablement leur impact quand ils choisissent la violence comme instrument du changement. Moralement et politiquement, ce n'est pas non plus la bonne manière de construire une démocratie nouvelle. Conforter l'engagement d'éviter la violence doit donc être une priorité.

Les organisations citoyennes doivent également apprendre à mieux contrer la tactique des agents de la mondialisation en quête d'une nouvelle légitimité, celle qui consiste à leur faire les yeux doux dans l'espoir même de les rallier. C'est la Banque mondiale qui, la première, a eu très habilement recours à cette tactique pour rallier à son camp certaines organisations, et, depuis Seattle, les hauts fonctionnaires de l'OMC, ceux des ministères du Commerce de chaque pays et certains dirigeants d'entreprise rivalisent de sourires pour « dialoguer avec la société civile ». Au Canada, c'est la tactique adoptée par le ministre des Finances, Paul Martin, et par le DAECE. Même si toutes ces initiatives de « dialogue » n'ont pas nécessairement pour visée secrète de faire dérailler le mouvement, reste qu'elles ont pour but de redorer la légitimité de ces institutions dominantes. Pis encore, la tactique remporte certains succès, et certains représentants d'organisations qui ont accepté le dialogue se sont retrouvés coupés de leur base, et toute l'organisation en a été neutralisée. Autre tactique voisine, diviser pour régner, en suscitant des scissions au sein du mouvement, par des tentatives impudentes de classer les organisations citoyennes en « bonnes » et « mauvaises », selon qu'elles acceptent ou non le programme de base du monde des affaires pour la mondialisation économique et excluent ou non le recours à l'action directe. Contre de telles manœuvres, le mouvement doit prendre des mesures préventives.

6. Créer un lieu de réflexion permanente sur les principes du mouvement

Chaque mouvement social doit avoir, en son cœur, une vision et des principes capables d'unir ses membres tout au long de l'itinéraire. Le danger est très réel de voir des militants sauter d'une campagne à l'autre sans prendre le temps de réfléchir aux causes structurelles des problèmes et aux objectifs fondamentaux de leur action. Si les citoyens militants ne rationalisent pas leurs actions et leurs stratégies à la lumière des structures profondes du capitalisme et de la démocratie, le risque est de perdre toute force motrice. Il en va de même de la recherche d'autres solutions économiques dans le cadre d'un programme citoyen. Si l'on ne se livre pas à un examen critique des possibilités et des limites de cette recherche d'une autre solution économique dans le présent contexte capitalistique et démocratique, les espérances des militants vont vite s'évanouir. L'objectif de bâtir un mouvement capable de transformer l'économie mondiale a tout à craindre de militants voletant d'une campagne à l'autre sans prendre le temps de la réflexion : c'est le meilleur moyen d'éteindre la flamme militante et de faire avorter le mouvement.

COURIR SANS BOUSSOLE D'UN PROBLÈME À L'AUTRE

À l'évidence, le problème n'est pas l'importance de tels combats, mais l'absence d'un contexte plus large où les situer. Quand tout se focalise sur la mobilisation du jour, plus personne n'a le temps ni la patience de considérer, au-delà des griefs immédiats, la stratégie à long terme. Des espoirs sont nourris sans aucune réflexion sur la question de savoir si tel but peut être atteint dans une société capitaliste. On identifie l'ennemi, le monde des grandes entreprises et sa puissance, sans dire que les bases de cette puissance ne sont pas dans la dernière initiative ou la dernière tendance du capitalisme, mais dans la nature même du système [...]. Il s'ensuit que les énergies mobilisées souffrent d'une impuissance collective à durer et à croître. D'impressionnantes batailles sont livrées, sans considération des objectifs de la guerre.

Sam Gindin, *Canadian Dimension.*

Ainsi, pour construire un mouvement voué à la mise en place d'une démocratie nouvelle, il faut pouvoir donner aux citoyens militants le temps nécessaire à la réflexion sur leur combat et les solutions qu'ils proposent. La base de cette réflexion est à chercher dans la vision unificatrice du mouvement. Et comme la transformation de la démocratie est une des dimensions de cette vision, il est capital que les citoyens réfléchissent à leurs actions à la lumière de la nature et du rôle de la démocratie. Complémentairement, si changer l'économie planétaire est un autre principe unificateur du mouvement, repenser la nature et le rôle du capitalisme doit faire partie du processus. Sans doute peut-on y réfléchir en permanence, mais le meilleur moment pour le faire est la fin d'une campagne : la réflexion doit s'enraciner dans la lutte active des citoyens et dans un respect absolu de la pluralité des opinions. Périodiquement, un dialogue créatif entre militants et universitaires peut être utile au progrès de la réflexion. En se livrant à un tel retour sur soi une ou deux fois par an, les citoyens militants seront en mesure d'intérioriser la vision unificatrice du mouvement, de clarifier leurs objectifs et leurs priorités, et de mieux se protéger des défaillances.

Mais il faut aussi un lieu pour la formation des équipes dirigeantes et des militants. Aux États-Unis, c'est le Highlander Institute du Tennessee qui est utilisé depuis près de cinquante ans pour former ceux qui organiseront les communautés. Le Canada a besoin de disposer d'un lieu analogue, où les militants viendraient se former à la recherche sur le monde des entreprises, aux techniques de l'éducation populaire, à la planification d'une stratégie et d'une campagne, aux tactiques d'action directe, à l'organisation des communautés et au travail auprès des

médias. Un tel institut permettrait aux militants d'enraciner leur activité dans l'histoire des mouvements sociaux
et d'approfondir leur compréhension des dynamiques à
l'œuvre dans le capitalisme et la démocratie. Qui plus est,
il faudrait mettre au point un système d'indicateurs pour
évaluer l'efficacité des stratégies du mouvement et de ses
campagnes : par exemple, le mouvement a-t-il réussi à
ébranler le paradigme de la mondialisation marchande ?
Quelles occasions stratégiques se sont-elles ouvertes ?
Quels coups ont été portés à la légitimité et à l'autorité
de l'OMC, du FMI, de la Banque mondiale, des ministères trop zélés à les servir, ou de telle ou telle société
transnationale ? En quoi les rapports de force ont-ils été
modifiés ? Et, surtout, quel impact concret le mouvement
a-t-il eu sur la vie des populations, des communautés, de
la planète elle-même ?

En outre, les organisations citoyennes doivent prêter la
plus grande attention à leur propre déficit de démocratie
interne. Quand la caste dirigeante est passée à la contre-
attaque, elle a tenté de ruiner la légitimité de certaines
organisations en faisant valoir qu'elles n'étaient pas
démocratiquement représentatives et ne rendaient de
comptes à personne. Dans la construction du mouvement,
les organisations citoyennes fondées sur la libre adhésion
de leurs membres doivent veiller à revitaliser leurs
propres procédures internes pour que chacun participe
effectivement à l'élaboration de leur politique et de leurs
actions.

Ce programme en six points, on le voit, demande dans
le présent une nouvelle vision, une nouvelle réflexion,
une nouvelle énergie, une nouvelle action, afin de bâtir
l'avenir. C'est dans cet esprit que le Conseil des Cana-

diens a mis sur pied un groupe de réflexion chargé d'élaborer un plan d'action pour la réalisation d'un programme citoyen de transformation sociale du pays. Ce plan d'action se centrera sur trois points : la vision qui anime cette transformation sociale, la formation des militants et les changements correspondants dans les campagnes menées par le Conseil et dans son programme d'action.

Nous, citoyens du monde, sommes peut-être à un tournant de l'Histoire. À une époque où le règne des entreprises transnationales gagne sans cesse en puissance, les organisations issues de la société civile n'ont pas d'autre choix que de se lancer dans quelques initiatives audacieuses pour la transformation sociale et la survie de la planète. Depuis la bataille de Seattle, la junte qui gouverne le globe s'emploie activement à réparer et à fortifier les structures de pouvoir que sont l'OMC, le FMI et la Banque mondiale. Mais les dommages causés à ces trois institutions par la défaite de l'AMI, la crise asiatique et l'échec de Seattle sont encore visibles. Comme ce moment passera, il faut savoir saisir toute nouvelle occasion de bâtir un nouveau mouvement démocratique assez puissant pour modifier le rapport des forces, seul moyen de parvenir à une véritable transformation de l'économie mondiale.

Surtout, il est capital de rappeler que la force réelle de la société civile, distincte du gouvernement et des entreprises, réside dans la passion des individus, leur capacité affective à ressentir comme à s'émouvoir, à s'associer les uns aux autres, et donc à réintroduire dans ce monde les forces de vie. Leur passion est celle de la justice, de la création, de la participation, elle est la capacité d'entendre douloureusement les cris des pauvres et les gémissements de la Terre elle-même, ainsi que la capacité de leur répondre. Elle est aussi l'aptitude à communiquer aux autres l'énergie nécessaire au combat pour leurs droits démocratiques fondamentaux de citoyens, par le moyen d'une nouvelle politique de résistance et de transformation. Le cœur de cette nouvelle politique, c'est de faire de l'espoir un impératif moral. Nous ne parlons pas ici de cet espoir « bon marché » propre à un optimisme occidental convaincu que le progrès améliorera tôt ou tard la vie de tous : il s'agit d'un espoir « coûteux », qui naît de la lutte contre les puissants de ce monde. Et c'est pour cette raison que la politique de transformation doit marcher main dans la main avec la politique de résistance.

Les difficultés qui pointent à l'horizon sont redoutables, terrifiantes. Peut-être nous faudra-t-il consacrer tout le restant de notre vie à jeter les fondements de cette nouvelle démocratie. Mais avons-nous vraiment mieux à faire ?

TABLE DES MATIÈRES

Photocomposition Nord Compo
59653 Villeneuve-d'Ascq

Achevé d'imprimer en mars 2002
sur presse Cameron
dans les ateliers de
Bussière Camedan Imprimeries
à Saint-Amand-Montrond (Cher)
pour le compte de la librairie Arthème Fayard
75, rue des Saints-Pères - 75006 Paris

35-57-1445-01/2

ISBN 2-213-61245-5

Dépôt légal : mars 2002.
N° d'édition : 20764. – N° d'impression : 021472/4.
Imprimé en France